Au cœur
de nos rêveries
érotiques

John Money

Au cœur
de nos rêveries
érotiques

Cartes affectives, fantasmes
sexuels et perversions

Traduit de l'anglais (États-Unis) par Françoise Bouillot

TITRE ORIGINAL :
The Lovemap Guidebook
(New York, Continuum)

INTRODUCTION

L'Université Johns Hopkins abrite, aux États-Unis, le téléscope spatial Hubble. Cet œil remarquable relaie des images depuis des points du firmament réputés jusqu'ici impénétrables – bien au-delà des confins les plus lointains. Fait non moins remarquable, l'Université Johns Hopkins ne possède aucun département de sexologie ou de médecine sexologique.

Comme pour mieux souligner cette omission, le livre le plus ancien que possède dans cette université l'Institut d'histoire de la médecine est un ouvrage de sexologie. Il s'agit d'un exemplaire datant de 1480 du *De pollutione nocturna*, publié pour la première fois en 1466, à Cologne, par Johann Guldenschaft. L'auteur en est Jean Gerson (1363-1429), chancelier de l'Université de Paris et doyen de la cathédrale Notre-Dame. L'ouvrage de Gerson discute de la compétence spirituelle d'un prêtre à célébrer la messe s'il a eu dans la nuit une pollution nocturne (*oneirogmus*). L'impureté du rêve ne tient pas tant à la perte de semence qu'à l'idéation et l'imagerie érotiques qui ont accompagné cette perte.

L'idéation et l'imagerie de la pollution nocturne sont l'une des expressions patentes de ce que j'appelle ici la carte affective (*lovemap*). Celle-ci peut se manifester dans des fantasmes accompagnant la masturbation ou des rêveries érotiques culminant ou non par un orgasme, et peut aussi être mise en pratique avec un partenaire.

Les cartes affectives existent de façon synchrone dans l'esprit et le cerveau. Elles peuvent ou non être orthodoxes et conformes à un modèle préordonné. Certaines ressortent d'une pathologie malfaisante, par exemple dans les cas de viol, d'auto-asphyxie érotique ou de meurtres sexuels en série. Elles peuvent aussi être associées à des pathologies du cerveau diagnostiquables, bien que la technologie sexologique actuelle ne permette que rarement d'identifier cette association. Qu'elle soit conventionnelle ou pathologique, la carte affective se caractérise par sa résistance au changement, avec ou sans intervention externe. Certains médicaments ont toutefois permis un contrôle relatif de cartes affectives gravement pathologiques et une prévention des rechutes.

À l'époque de Gerson, même la carte affective conventionnelle de l'érotisme homme-femme, exprimée dans la pollution nocturne d'un prêtre, était considérée comme une tentation du diable. L'idéal du prêtre était la chasteté et l'abstinence. Il devait résister à la tentation avec rigueur, par la confession, le remords, la prière et la pénitence. Les pénitences consistaient en jeûnes, en une renonciation à tous les plaisirs de la chair et en autoflagellations. Lorsque les tortures de l'Inquisition aboutissaient à l'aveu forcé d'un prétendu pacte copulatoire avec le diable et ses démons, le châtiment était la mort sur le bûcher pour sauver l'âme de la damnation de la chair. L'aveu d'un pacte sexuel avec le diable était une preuve d'hérésie et de sorcellerie, raison pour laquelle des centaines de milliers de femmes chrétiennes furent brûlées vives. Ainsi, Gerson dirigea le procès en hérésie de Jean Hus (1369-1415) et vota sa mort sur le bûcher.

Si Gerson se réincarnait aujourd'hui en juré d'un tribunal américain, il n'aurait pas à souffrir d'un trop grand choc culturel. Les similitudes sont frappantes entre la sexologie théologique de son époque et la sexologie légale appliquée de nos jours au procès d'un délinquant sexuel. À six siècles de distance, l'expression de la sexualité reste de l'ordre de la libre volition et son contrôle est perçu comme une responsabilité personnelle. Toute sexualité qui n'est ni monogame ni procréatrice requiert, à l'instar d'un péché ou d'un crime, la confession, la repentance et le remords, et relève de l'admonition ou du châtiment. La simple accusation de mauvaise conduite sexuelle équivaut pratiquement à une inculpation et une condamnation.

Il doit être possible de gérer autrement la carte affective perturbée d'un délinquant sexuel. Le délit sexuel pourrait servir d'appel aux armes pour laisser tomber la sexologie du XVe siècle et s'embarquer dans une sexologie scientifique et médicale du troisième millénaire. Celle-ci devrait nous ouvrir à une compréhension du développement de la carte affective humaine, des raisons pour lesquelles il arrive qu'elle tourne mal et des moyens de l'en empêcher. La prévention est la clé de tout, c'est une question de santé publique. Sinon, les cartes affectives pathologiques continueront de se transmettre d'une génération à l'autre comme une épidémie potentiellement exponentielle, avec des coûts terribles pour l'individu et la société.

Ce livre résume vingt ans de travail sur la science et la théorie des cartes affectives. Le terme de carte affective est apparu pour la première fois dans les minutes d'une conférence nationale tenue en Australie en 1981. Je l'avais forgé en vue d'une série de conférences sur la sexologie humaine données à la faculté de médecine de l'Université Johns Hopkins. Il me fallait un mot pour désigner l'entité, quelle qu'elle pût être, qui régit et parfois égare les affaires d'Éros et de la luxure dans l'esprit et le cerveau.

Ce livre est destiné au lecteur intéressé par le rôle des cartes affectives dans les relations de la vie quotidienne, ainsi qu'aux professionnels et aux chercheurs.

C'est un ouvrage scientifique mais, contrairement à de nombreux manuels, il n'est pas surchargé d'une documentation bibliographique qui interrompt le cours de la lecture. C'est en outre un livre humaniste. Il s'appuie sur des données historiques, transculturelles, cliniques et expérimentales, et il aborde aussi bien des historiques, éthiques, légales et religieuses que des questions biomédicales et évolutionnaires. Il concerne essentiellement l'espèce humaine, sans pour autant négliger les preuves pertinentes issues d'autres espèces.

La seconde partie de ce livre s'intéresse plus particulièrement aux cartes affectives anormales. Dans le jargon des petites annonces de la presse et d'Internet, les anomalies des cartes affectives sont souvent désignées comme du fétichisme ou des bizarreries perverses. Le langage familier et judiciaire les appelle déviations ou perversions. Sur le plan biomédical, elles sont classées comme des paraphilies. Ce livre se distingue en ceci qu'il s'intéresse à l'origine des paraphilies sur un plan phylogénétique et ontogénétique – en d'autres termes, dans l'évolution de l'espèce humaine et dans le développement d'individus particuliers.

Le postulat épistémologique sur lequel je m'appuie est celui de l'impartialité scientifique et de l'absence de jugement. C'est la seule façon d'obtenir des données potentiellement auto-incriminantes et sujettes à une condamnation sociale. Pour la même raison, les concepts de motivation personnelle et de culpabilité morale ne sont pas retenus comme des explications causales des paraphilies. La découverte d'une authentique explication causale exigerait une implication et un financement politiques accrus. Nous pourrions alors obtenir une prévention et des cures efficaces, au lieu de simples palliatifs.

Le lecteur trouvera ici des éléments de réponse aux questions suivantes :

Comment les cartes affectives se développent-elles de la conception à la maturité ?

Quelle part du développement de la carte affective est phylogénétique, c'est-à-dire préordonnée par notre appartenance à l'espèce humaine ?

Existe-t-il un lien entre l'évolution des cartes affectives et l'évolution du langage ?

En quoi les cartes affectives des garçons et des filles, des hommes et des femmes, sont-elles similaires et en quoi sont-elles différentes ?

Que sait-on des déterminants multiples et séquentiels des cartes affectives, par exemple leurs déterminants génétiques, hormonaux et sociaux ?

Qu'est-ce qui rend certaines cartes affectives trop faibles et d'autres surpuissantes ?

Qu'est-ce qui rend certaines cartes affectives déviantes ou paraphiliques ?

Quelle est l'histoire religieuse et judiciaire des cartes affectives ?

Quelles sont les similarités et les différences transculturelles entre les cartes affectives ?

Est-il possible de contrôler volontairement les cartes affectives ?

Le châtiment et la prison soignent-ils les maladies des cartes affectives, par exemple les paraphilies ?

Quels sont les mythes les plus courants sur les cartes affectives ?

Que peut-on apprendre sur les autres espèces ?

Quels sont les précurseurs évolutionnaires des paraphilies ?

Sur le plan biomédical, quels sont les traitements des paraphilies ?

Qui trace la frontière séparant les cartes affectives normales et anormales, et selon quels critères ?

Ce livre contient une définition complète des termes. Virtuellement, c'est un dictionnaire des paraphilies. Il en répertorie plus de quarante, dont beaucoup ne sont pas mentionnées dans les dictionnaires classiques, les manuels ou les manuels de diagnostic, y compris le DSM-IV.

Le coût social et économique des cartes affectives ayant mal tourné est incalculable. Les conséquences politiques peuvent être énormes, surtout si l'on ne perçoit les cartes affectives paraphiliques que comme des impropriétés morales et légales, ou des crimes dépourvus d'explication scientifique. Ce livre arrive donc à point.

CHAPITRE PREMIER
Polarisation : histoire et doctrine

Biologie et construction sociale

Il existe dans la sexologie actuelle un *no man's land* cerné par des snipers tirant des deux côtés. D'un côté campent les tenants d'un déterminisme biologique sans compromis. De l'autre se tiennent ceux d'un constructivisme social lui aussi sans compromis. Quiconque erre dans le *no man's land* séparant ces deux forces se voit accusé par les déterministes biologiques de pencher vers le constructivisme, et par les constructionnistes de pencher vers le déterminisme biologique. Les partisans extrémistes de ce dernier considèrent que la génétique et la biologie moléculaire sont les seuls déterminants d'un aspect ou de l'autre du comportement sexuel humain, alors que les extrémistes de l'autre bord parient exclusivement sur les déterminants politiques et sociaux, suivant en cela Michel Foucault [1].

Les deux protagonistes sont pris dans une nasse quand ils abordent la question du consentement librement informé ou du choix volontaire. Les déterministes biologiques ne proposant pas de déterminant biologique du choix volontaire, il faut donc considérer celui-ci comme un déterminant non biologique d'une partie au moins du comportement humain. De même, les constructivistes ne proposant pas de déterminant socialement construit du choix volontaire, on doit conclure à l'inverse qu'une partie au moins du comportement humain n'est pas socialement construit.

Il n'y a pas d'issue au dilemme du choix volontaire, sauf à reconnaître que, comme le dicte le bon sens, il est à la fois biologiquement et socialement construit. Ces deux aspects jouent un rôle conjoint dans la détermination du comportement humain ainsi que dans l'idéation et l'imagerie qui le précèdent ou l'accompagnent. Il n'est nul besoin de choisir son camp dans le débat entre biologie et construction sociale, pas plus que dans celui entre inné et acquis dont il n'est qu'un des avatars. En réalité, l'inné a besoin de l'acquis et vice versa. De même, la biologie a besoin de la construction sociale et inversement.

Dans la rhétorique du constructivisme social, le modèle médical est l'une des premières cibles biologiques. Selon les constructivistes, il n'y aurait pas de pathologies psychologiques ou psychosexuelles si l'on mettait à bas ce modèle médical de pathologie : il n'y aurait plus que des variations de la normalité. Portée à sa logique extrême, cette ligne de raisonnement aboutit à la conclusion que rien, dans la sexualité humaine, n'est anormal entre adultes consentants. Pour maintenir cette fiction, les comportements sexuels condamnés par la société ne sont plus classés comme sexuels, mais strictement comme coercitifs ou violents. Les délinquants sont donc renvoyés devant l'institution judiciaire.

La sexualité humaine n'est pas distribuée de façon bimodale, comme deux boules de glace, vanille et chocolat, un bon et un mauvais côté, un côté normal et l'autre anormal. Elle est au contraire distribuée sur une série de continuums, comme des rayons formant l'axe d'une roue, allant chacun du récréatif au pathologique, avec de multiples gradations entre les deux.

La différence entre la pensée bimodale et la pensée du continuum est particulièrement significative pour les types de sexualité que le langage populaire qualifie de bizarres, le langage judiciaire de pervers, et le langage biomédical de paraphiliques. La sexualité paraphilique peut être innocemment récréative à l'un des bouts de la chaîne, alors qu'à l'autre bout elle est morbidement pathologique, voire criminelle. Ce principe des degrés est le plus souvent négligé, notamment dans le cas du sadomasochisme récréatif opposé au sadomasochisme pathologique (voir le chapitre II), ce qui pousse les gens à croire que le terme de paraphilie sous-entend toujours une pathologie. Or la véritable marque de la pathologie dans une paraphilie est son degré de fixation, d'exclusivité et de compulsivité. Le principe selon lequel la sexualité paraphilique de toute nature s'étend, par définition, d'un extrême à l'autre d'une chaîne graduée est si peu compris par les sexologues et le grand public d'aujourd'hui qu'il convient d'attirer l'attention du lecteur sur ce point dès le début de ce livre.

Dualisme : la chair et l'esprit

Il n'est pas exclu que la division entre les pratiques sociales socialement tolérées et celles qui ne le sont pas ait trouvé son origine bien avant l'histoire écrite, dans une doctrine religieuse de l'âge de pierre sur le dualisme des contraires. Dans l'ancienne sagesse chinoise, ce dualisme est formulé en termes de polarité entre le *yin* et le *yang*. Le *yin* est féminin, le *yang* masculin. Le *yin* est frais, sombre, faible et passif. Le *yang* est chaud, brillant, fort et dynamique. Le *yin* et le *yang* ne sont pas opposés, mais constituent les moitiés d'un même tout.

En revanche, la doctrine dualiste de deux moitiés polarisées et antagonistes est née bien loin de la Chine, dans le nord-est du bassin méditerranéen, où la culture tribale aryenne s'est répandue dans les temps préhistoriques.

Les Aryens ont fini par répandre leur langue indo-euro-péenne prototypique et leur doctrine religieuse dualiste en Inde, en Perse, en Grèce et dans l'Europe du Nord et de l'Ouest.

L'histoire orale, par rapport aux documents écrits, a une durée de vie assez brève. Les écrits védiques de l'Inde hindoue comptent parmi les plus anciens textes de la tradition religieuse aryenne du dualisme. Les dieux du panthéon védique représentent aussi bien le principe de destruction que le principe de préservation et de pro-tection. Ils sont responsables du bien et du mal qui arri-vent à l'humanité.

Sous la tutelle de Platon, le dualisme aryen prototy-pique, d'abord doctrine mystique sur l'insondable dua-lisme des dieux, se transforma à partir du IVe siècle avant J.-C. en une doctrine rationnelle sur la dualité métaphy-sique entre la réalité dernière et la réalité accessible à l'entendement humain.

Le dualisme rationnel de Platon rencontra le dua-lisme mystique persan après la conquête de la Perse par Alexandre le Grand, au IIe siècle avant J.-C. Le dualisme religieux était un héritage vieux de plusieurs siècles, issu de Zoroastre, connu aussi sous le nom de Zarathoustra. Le dualisme zoroastrien du bien et du mal, de la déité et du diable, du paradis et de l'enfer, des anges et des démons, finit par pénétrer les philosophies hellénis-tiques du gnosticisme et du néoplatonisme entre le IIe et le IVe siècle après J.-C. Syncrétisé avec la théologie de l'Ancien Testament, le dualisme hellénistique a donc eu une influence formative sur le développement de la pre-mière doctrine chrétienne à Alexandrie et un peu par-tout en Asie Mineure. Dans la version néoplatonicienne du dualisme, la chute de l'âme dans la corporalité était la conséquence de sa chute dans sa propre concupis-cence. D'où l'injonction de s'abstenir notamment de viande, de vin et de relations sexuelles.

Le gnosticisme hellénistique dualisait un être suprême et son démiurge, un subordonné responsable de l'existence du monde. De même, il dualisait la lumière et les ténèbres, le spirituel et le matériel, le bien et le mal. Les gnostiques se partageaient entre ceux qui avaient reçu l'étincelle divine de l'illumination et les autres. L'illumination totale exigeait une vie de renonciation ascétique au sexe, au mariage et à la procréation.

Le dualisme du gnosticisme séculier s'est assimilé au dualisme du gnosticisme chrétien hellénistique. Si le gnosticisme religieux n'a pas survécu à l'adoption du christianisme comme religion d'État à Rome et à Byzance au IVe siècle après J.-C., la doctrine gnostique du dualisme a survécu dans la théologie chrétienne. Le lien direct entre dualisme gnostique et chrétien s'est établi par le biais du manichéisme à travers la théologie de saint Augustin au Ve siècle.

Le premier propagateur du manichéisme fut Mani (215-276 ap. J.-C.). Babylonien de naissance, Mani était membre d'une secte baptiste de Juifs chrétiens. C'était aussi un prêcheur et un missionnaire envoûtant. Dans le dualisme manichéen comme dans le gnosticisme, la rédemption ne s'effectue pas par la grâce de Dieu, mais par une renonciation personnelle aux tentations de la chair. Cela n'est accessible qu'aux illuminés, les *electi*. Les autres, les *catechumeni*, sont condamnés à se vautrer dans les plaisirs matériels de la chair.

En tant que culte religieux, le manichéisme revendiquait le jeune Augustin (354-430 ap. J.-C.) comme l'un de ses disciples. Au bout de huit ans, Augustin se convertit au christianisme et quitta Milan pour retourner dans sa terre natale, en Afrique du Nord, où il devint évêque d'Hippone. Selon ses *Confessions*, il combattit avec force l'impiété de la concupiscence. Il inscrivit le dualisme de la doctrine manichéenne et gnostique dans la théologie chrétienne, à laquelle il adjoignit la nouvelle doctrine du péché originel. La malédiction de ce péché était d'être né de femme en conséquence d'un acte de chair. Pour atteindre à la piété, il fallait renoncer au contact charnel et aux autres plaisirs de la chair. La doctrine et la pratique chrétiennes ont porté depuis la marque du dualisme augustinien.

Le dualisme de la chair et de l'esprit professé par la doctrine chrétienne a pénétré les doctrines séculières de la chrétienté. Il sépare par exemple les sciences matérielles des sciences de la vie. En médecine, il sépare l'étiologie organique de l'étiologie psychogénique et, en sexologie, l'explication biologique de l'explication sociologique.

Responsabilité volontaire

La doctrine juridique s'appuie sur le dualisme coupable/non coupable. La culpabilité est du côté du mal, du diable, des démons et du péché. L'innocence est du côté de la rigueur, de la piété, de la rédemption. La loi repose sur le jugement. Ce jugement s'appuie sur la doctrine du libre arbitre universel et de la responsabilité volontaire dans tous les aspects de notre conduite personnelle. Seule exception aux États-Unis : la loi M'Naghten (loi de 1838 en France), qui définit de façon très étroite la folie légale – à savoir l'incapacité à distinguer le bien du mal.

La sexologie médico-légale est une nouvelle branche de la psychiatrie et de la psychologie médico-légales. Comme ses ancêtres, elle est née captive et esclave du jugement médico-légal. Au sein du système judiciaire, elle est discréditée si elle ne souscrit pas à la fiction légale de la responsabilité morale personnelle dans toute manifestation, volontaire ou autre, de la sexualité.

La doctrine judiciaire de la responsabilité morale équivaut pratiquement à une doctrine de causalité, à savoir que la cause et le contrôle du comportement sexuel de chacun sont motivés et déterminés par la volonté. C'est là une explication empreinte de jugement fort éloignée de l'impartialité du déterminisme scientifique. La philosophie déterministe entachée de jugement est présente non seulement dans la loi, mais aussi dans le langage ordinaire et la philosophie morale quotidienne. Cette tendance au jugement est si forte que, même si sa propre vie est en jeu, un délinquant sexuel ne dispose d'aucun discours alternatif qui lui permettrait de s'expliquer. Les experts en sexologie sont tout autant captifs du langage ordinaire. Il faut une vigilance constante et un grand entraînement pour rédiger une histoire sexologique dépourvue de termes impliquant le jugement et la responsabilité morale.

La philosophie du jugement a eu un effet sournois sur la sexologie en construisant deux sortes de sexualité : l'une politiquement correcte, bonne et morale, et l'autre politiquement incorrecte, mauvaise et immorale, voire carrément criminelle. Pour maintenir la façade d'objectivité scientifique, le moral et l'immoral sont en général associés au normal et à l'anormal. Un changement de terminologie peut dissimuler le jugement, mais il ne peut nous en débarrasser totalement, car il y a deux sens au terme « normal » : l'un numérique et statistique, l'autre idéologique et teinté de jugement. Dans l'usage courant, être sexuellement normal revient à être, sinon idéal, du moins acceptable pour ceux qui détiennent le pouvoir de faire appliquer les lois. Toutefois, il n'existe pas de critère absolu. Le normal et l'anormal varient en fonction de l'époque et du lieu, tant sur le plan historique que culturel.

Critères standard

Comme toutes les branches du savoir, la sexologie est modelée par son époque et son lieu géographique, tout en remodelant à son tour ce temps et cet espace. Au tournant du troisième millénaire, dans les zones d'influence du christianisme et de l'islam, la position de la sexologie par rapport au dogme établi est comparable à celle de l'astronomie du XVIe siècle avant que Copernic ait ouvert l'ère de l'héliocentrisme, ou de la biologie du XIXᵉ siècle avant que Darwin ait ouvert celle de l'évolutionnisme. Malgré Freud, la sexologie en tant que science n'a pas encore trouvé son Copernic ni son Darwin. En conséquence, elle demeure une proto-science, tenue captive par une doctrine dualiste de la sexualité qui rend celle-ci bonne ou mauvaise, vertueuse ou pécheresse. La bonne sexualité se situe classiquement du côté de l'éducation sexuelle, de la thérapie et de la recherche, alors que la mauvaise est renvoyée à la criminologie et à l'acte délictueux. Elle est requalifiée en termes de violence, d'agression et d'abus de pouvoir. Une part de la mauvaise sexualité est aussi renvoyée aux maladies infectieuses ou à ce que l'on appelle depuis peu « l'épidémie » de grossesses adolescentes.

Il va sans dire qu'il n'existe pas de critère absolu et universel séparant la sexualité normale de l'anormale, ni la bonne de la mauvaise. Ce genre de frontière ressort d'une politique de pouvoir, et non de la rationalité scientifique. Pour illustrer ce point, notons que c'est l'impact politique, et non la raison, qui a empêché la légitimation de la sexualité des gays et des lesbiennes dans l'armée américaine, annoncée pourtant par le candidat Clinton. Malgré le compromis politique du « pas de questions, pas de confidences », l'armée maintient le dualisme juridique et religieux qui classe l'homosexualité dans la mauvaise sexualité.

La politique de la mauvaise sexualité est aussi celle de la sexualité interdite. La politique de l'interdit restreint les contenus des programmes d'éducation sexuelle, les procédures de traitement des maladies sexologiques et le financement des programmes de recherche en sexologie. Les restrictions sur la recherche concernent particulièrement la sexualité infantile et donc le tout début de la bonne et de la mauvaise sexualité dans les premières années de la vie, avant l'adolescence et l'âge adulte. Il serait franchement suicidaire de faire une demande de bourse pour des recherches sur le rôle de l'apprentissage sexuel dans le développement des enfants, ou sur le contenu de l'idéation et de l'imagerie sexuelles juvéniles. La propre institution du demandeur et les agences de financement publiques ou privées se ligueraient contre lui pour maintenir la fiction d'une sexualité infantile associée à l'innocence, sauf en cas de molestation et d'abus sexuel. Le concept de santé sexologique développementale et de bien-être dans l'enfance est largement rejeté.

L'idéation et l'imagerie sexuelles de l'adolescence et de la maturité sont le résultat de déterminants ou de causes à la fois proches et lointaines. Les déterminants les plus anciens peuvent remonter, au-delà de l'enfance et de la prime enfance, aux mois de gestation dans l'utérus, voire à la formation du génome lors de l'union de l'ovule et du spermatozoïde. À l'inverse, les déterminants proches sont les plus récents. Ce n'est qu'en ayant accès à tous les maillons de la chaîne développementale des déterminants de l'idéation et de l'imagerie sexuelles que nous arriverons à une explication causale satisfaisante sur le plan intellectuel et utile sur le plan pragmatique, tant pour l'individu que pour la société. En l'absence d'une telle explication, les maladies de l'idéation et de l'imagerie sexuelles semblent le pur fruit du hasard, et la sexologie va continuer d'être la protoscience qu'elle est actuellement.

La sexologie ne pourra devenir une science à part entière tant que les maladies de l'idéation et de l'imagerie sexuelles dans l'enfance, l'adolescence, l'âge adulte ou la sénescence ne seront pas étudiées avec une impartialité scientifique exempte de tout jugement. La criminalisation, la punition et la peine de mort n'offrent aucune explication causale et ne permettent aucune prévention efficace. Cette dernière est absolument essentielle si la société veut pouvoir se protéger de ces enfants qui grandissent à chaque génération avec des aberrations de l'idéation et de l'imagerie sexuelles, celles notamment qui entraînent des pratiques comme le meurtre sexuel sadique ou le viol avec violences.

Sexe et sexualité : le bon et le mauvais

Pour respecter le politiquement correct, l'éducation sexuelle est désormais appelée « éducation à la sexualité ». Sexuel est un adjectif. Sexualité, le substantif qui en est issu, signifie l'état ou la condition de l'être sexué. Le politiquement correct préfère l'usage du substantif, y compris au pluriel – les sexualités. L'explication la plus probable de cette vogue du substantif est qu'elle réserve la sexualité aux sciences sociales et laisse le sexe à la biologie. Le sexe, vous dit-on, est ce avec quoi vous êtes né, et la sexualité ce à quoi vous avez été formé par l'éducation. Historiquement, le sexe appartient à la chair, alors que la sexualité appartient à l'esprit : le sexe est plus physique et animal, la sexualité plus sensuelle et sacramentelle. Le sexe est lié à la procréation, tandis que la sexualité concerne la relation, même en l'absence de procréation. Il y a même l'implication cachée que le sexe est plus masculin et plus sauvage, alors que la sexualité est plus féminine et plus soumise à la contrainte morale.

La sexualité est le nouveau biais lexical permettant de redonner vigueur à l'antique séparation religieuse entre la connaissance charnelle et le désir sanctifié. Il y a quelque chose de plus respectable et de plus sublime dans la sexualité que dans le sexe, car il est possible de parler et d'écrire sur elle sans pour autant faire mention de pratiques sexuelles réelles comme la masturbation, le sexe oral ou anal, voire la copulation et l'orgasme. La sexualité est une version propre du sexe. C'est un état existentiel, non pas un programme de performances.

Quoi qu'il en soit de la nomenclature, la polarisation de la sexualité ou du sexe entre bon et mauvais n'est pas une façon de faire avancer la sexologie scientifique. Polarisation, dogme sectaire et polémiques vont de pair

et résument bien les pratiques de la sexologie contemporaine. Nous trouvons ainsi des livres sur le bon sexe,
expliquant comment avoir des orgasmes plus forts et
plus longs et une relation plus sublime ; et nous trouvons des livres sur le mauvais sexe, consistant par
exemple à souffrir de souvenirs, rappelés historiquement ou construits en thérapie, d'abus et de traumatismes sexuels. Le résultat de tout cela, c'est que la
recherche sexologique sur les causes de la bonne ou de
la mauvaise sexualité fait peu de progrès. Les délits
sexuels, par exemple, étant classés comme mauvais,
sont poursuivis en justice au lieu d'être étudiés comme
des maladies sexologiques constituant un problème épidémiologique de santé publique et de bien-être, génération après génération.

Les maladies sexologiques sont des maladies à la fois
du sexe et de l'érotisme, combinaison pour laquelle il
n'existe aucun mot en anglais – d'où le terme assez mala-
droit d'« érotico-sexuel ». Ce terme réunit ce qui se passe
entre les cuisses et entre les orcilles. Éroto-sexuel a le
même sens, mais en insistant sur l'Éros.

Proceptivité : l'art de faire la cour

La sexologie systématique reconnaît trois phases
successives dans une rencontre : la proceptivité, l'acceptivité et la conceptivité. Cette dernière concerne la fertilité, la stérilité, la conception et la gestation, ce qui la
qualifie comme sexuelle, mais pas érotique. C'est une
spécialité de l'obstétrique et de la gynécologie pour les
femmes, de l'urologie et de l'andrologie pour les
hommes.

Dans l'élevage des animaux et la recherche expérimentale, il est plus courant de parler de réceptivité que
d'acceptivité, et ce terme s'applique uniquement aux
femelles en chaleur. Le mâle est toujours ostensiblement prêt à être attiré par une femelle en chaleur.

Ce paradigme est toutefois trop simple pour les primates, chez qui le mâle a parfois besoin d'une invitation de la part de la femelle. En outre, la disponibilité de la femelle ne se réduit pas forcément à la période d'*œstrus*, notamment chez les bonobos[2], autrefois appelés chimpanzés pygmées. Chez les primates humains, la femme n'a pas de période de chaleurs et il n'existe pas de corrélation établie entre sa disponibilité au coït et la phase de son cycle menstruel. Dans la sexologie humaine, il est plus précis de parler non pas de réceptivité de la femme, mais d'acceptivité mutuelle de l'homme et de la femme. Le mâle accepte la femelle et la femelle accepte le mâle, quelles que soient les pratiques sexuelles dans lesquelles ils s'engagent de concert et sans aucune coercition.

On compte parmi les maladies de l'acceptivité l'incapacité totale ou partielle des organes génitaux à fonctionner réciproquement dans une relation sexuelle avec un partenaire, quelle que soit l'étiologie de cette incapacité. Chez les hommes, on connaît la phobie de l'insertion, l'absence d'érection ou impuissance, l'éjaculation précoce, l'absence d'éjaculation, l'insensibilité génitale et la douleur copulatoire (dyspareunie). Chez les femmes, on peut mentionner la phobie de la pénétration, une insuffisance de lubrification du vagin, le spasme et la fermeture du vagin (vaginisme), l'anorgasmie, l'insensibilité génitale et la douleur copulatoire.

Selon la sagesse conventionnelle, les maladies de l'acceptivité peuvent se diviser entre troubles d'origine organique et troubles psychogènes. Il n'existe pas toutefois de stricte ligne de partage entre les deux. Par exemple, on a affirmé que jusqu'à 85 % des cas d'impuissance étaient psychogènes. C'était avant la découverte, au début des années 1980, de la pharmaco-dynamique artérielle et veineuse du flux sanguin de l'érection. De nos jours, le traitement de l'impuissance s'opère en général par des injections intracaverneuses de vasodilatateurs comme la papavérine, le mésylate de phentolamine et la prostaglandine E1. Depuis 1998, il existe également une médication orale très vantée par les médias : le sildenafil. Le traitement pharmacologique n'empêche pas le conseil conjugal, qui peut être nécessaire en cas de relation antagonique réciproque, par exemple lorsque l'absence d'érection chez l'homme rencontre la phobie de la pénétration chez la femme.

L'imagerie, l'idéation et les pratiques de la proceptivité précèdent l'acceptivité et peuvent se nourrir des maladies de celle-ci. La proceptivité, de son côté, a été longtemps négligée dans la sexologie animale, jusqu'à la publication en 1976 d'un article de Frank Beach intitulé « Sexual attractivity. Proceptivity and receptivity in female mammals ». Pour attirer un partenaire, notait Beach, une femelle doit non seulement être en chaleur, mais également participer avec son partenaire à un rituel d'accouplement spécifique à l'espèce qui les mène à la copulation. En l'absence de ce rituel, aucun des deux partenaires n'est prêt à accepter la copulation.

Le rituel nuptial chez les mammifères quadrupèdes est stéréotypé selon l'espèce, comme s'il était accompli par un robot biologique préprogrammé, avec peu ou pas de variation entre les individus ou entre chaque performance. Chez les primates, les grands singes sont moins biorobotiques que d'autres espèces, mais c'est l'homme qui montre la plus grande flexibilité dans la longueur et la diversification du rituel nuptial. La version abrégée de ce rituel prend le nom de préliminaires. Les préliminaires interviennent lorsque les partenaires ont fini de faire connaissance et commencent à envisager la probabilité d'un contact génital. Ils peuvent consister en des caresses et des baisers sommaires, ou en une lente stimulation érotique de tous les sens et de tout le corps.

Éthologie du rituel nuptial

On peut observer la version longue du rituel nuptial lorsque deux étrangers éprouvent une attirance sentimentale mutuelle. Malgré les variations individuelles, le modèle sous-jacent reste le même et il est spécifique à l'espèce. Chez les humains, ce modèle commande d'établir avant tout un contact visuel soutenu, éventuellement accompagné d'un rougissement. Puis l'un des partenaires teste l'autre en baissant modestement les yeux et en détournant le regard, avant de vérifier d'un coup d'œil timide, accompagné d'un sourire ou d'un battement de cils, si l'autre a continué de la ou le regarder. La répétition de cette manœuvre peut être le prélude à une approche plus étroite.

La tactique d'ouverture de la conversation peut être banale, mais c'est l'intonation et l'animation de la voix qui comptent, non pas le contenu. Le débit verbal s'accélère, il se fait plus haletant et plus fort. La banalité des propos est compensée par le simple plaisir d'être entendu. Le rire partagé, même si l'humour est un peu forcé, invite les membres du couple à se tourner l'un vers l'autre, de sorte qu'en se faisant face ils se rapprochent encore. La langue apparaît, mouillant les lèvres. Les vêtements sont ajustés ou écartés, révélant fortuitement un peu plus de peau nue, du moins autour des poignets, des chevilles ou du cou. Les bras et les jambes modifient leur position, et ces gestes amènent chaque partenaire en contact avec l'autre, comme par inadvertance, tandis qu'ils sentent un frisson parcourir leur colonne vertébrale. S'il n'y a pas de réaction de recul, les deux partenaires se touchent, se tapotent, ou se tiennent par l'épaule ; puis, avant d'avoir compris ce qui leur arrive, ils se mettent à refléter les gestes de l'autre et à synchroniser leurs mouvements corporels dans une sorte de répétition préliminaire du synchronisme copulatoire.

Entre-temps sont venus s'ajouter aux indices observables du langage corporel et de la communication verbale ceux du système nerveux autonome : rythmes cardiaque et respiratoire accélérés, gorge sèche, chair de poule, sudation, contractions de l'estomac et excitation vaginale. Si la vulve de la femme n'est pas encore vasodilatée et humide de lubrifiant vaginal, et si le pénis de l'homme n'est pas encore en érection et humide d'un suintement glandulaire de l'urètre, ces signes d'excitation génitale apparaîtront dans le chapitre suivant de la phase proceptive : les préliminaires.

Morbidité proceptive

Le rituel nuptial des humains varie non seulement sur le plan individuel, mais dans son idiosyncrasie. L'idiosyncrasie se manifeste dans les pratiques réelles ou les récits d'idéation et d'imagerie érotico-sexuelles accompagnant les fantasmes, les rêves et les rêveries éveillées. Les idiosyncrasies proceptives, comme on l'a dit, sont qualifiées dans le langage populaire de bizarreries. Dans le langage judiciaire, les anciens écrits médicaux et la psychanalyse contemporaine, on les appelle des perversions. Plus récemment, K. Freund a suggéré de qualifier certaines de ces perversions de troubles de la parade[3].

Actuellement, le nom biomédical et exempt de jugement de ces troubles est celui de paraphilie. L'avantage du terme biomédical est son impartialité. Étymologiquement, paraphilie signifie « au-delà » ou « altéré » (du grec *para*) et « amour » (*philia*). Certains sexologues associent à tort la paraphilie à la déviance et à la condamnation judiciaire. Ils ne reconnaissent pas la distance quantitative entre les paraphilies ludiques et inoffensives à un bout de la chaîne, et les paraphilies pathologiquement morbides à l'autre. Le meurtre sexuel en série est un exemple d'une paraphilie pathologiquement morbide, alors que le fait de regarder des cassettes vidéo érotiques pour s'exciter sexuellement ne l'est pas. L'échelle ludique/morbide s'applique à la répétition paraphilique dans l'idéation et l'imagerie comme à sa mise en œuvre dans la pratique.

Le nez, les yeux et la peau

Les signaux proceptifs sont transmis et reçus par le nez, les yeux ou la peau. Chez les sous-primates quadrupèdes, l'organe de l'excitation proceptive est le récepteur voméronasal du nez du mâle. Il saisit l'odeur d'une sécrétion, le phéromone, synthétisé dans le vagin de la femelle en chaleur lors de l'ovulation. Les phéromones sont également des attractants sexuels chez d'autres espèces, notamment les reptiles et les insectes. On reconnaît le signe d'une attraction sexuelle phéromonale au fait que les primates mâles reniflent et fouillent du museau les parties basses de la femelle en chaleur.

Dans l'espèce humaine, le sexe oral est peut-être un résidu évolutionnaire de l'attraction phéromonale : certains hommes sont intensément excités par la pratique du sexe oral sur une femme (cunnilingus) ; et la plupart des femmes, un peu moins intensément semble-t-il, par la pratique du sexe oral sur un homme (fellation). Les cellules réceptrices des phéromones sont situées dans l'organe voméronasal, près des fosses nasales. Les humains peuvent réagir à un phéromone sans avoir conscience de ce stimulus : ainsi, des femmes qui partagent un appartement synchronisent leurs cycles menstruels en réaction à un phéromone sécrété par la transpiration axilaire [4], bien qu'elles ne puissent identifier à l'odorat la présence de celui-ci. S'il existe un phéromone agissant comme un attractant sexuel chez l'homme, il se peut curieusement qu'il fonctionne sur un mode biorobotique, sans se présenter à la conscience.

Chez les primates, les yeux ont pris au cours de l'évolution le relais du nez. Ce phénomène est patent lorsque l'arrière-train des femelles en chaleur se gonfle ou change de couleur. Chez les femmes, il n'y a ni gonflement ni coloration périodique des parties génitales, mais le contour des fesses produit une excitation visuelle.

Bien que nos données soient anecdotiques plutôt que statistiques, il semble que les mâles de l'espèce humaine dépendent davantage que les femelles du sens de la vue pour l'excitation érotico-sexuelle, alors que les femelles dépendent davantage des sensations tactiles ou de la peau. Cette différence n'est pas absolue. Les mâles sont davantage programmés que les femelles pour être excités par des vues en gros plan des organes génitaux. Les femelles réagissent moins à l'anatomie génitale qu'à la morphologie générale du corps. Que cette différence de programmation soit innée ou culturellement acquise, ou une combinaison des deux, reste à établir.

Toilettage

Chez les humains, être bien propre signifie être net, impeccable et de bonne apparence. Un cheval est bien toiletté quand son poil a été bien brossé. Un singe toilette un ami en peignant sa fourrure avec ses doigts pour en ôter les parasites, procédure qui correspond au massage chez les humains. En l'absence de toute statistique, nous ignorons la proportion d'hommes et de femmes qui administrent ou reçoivent des massages, le temps qu'ils y consacrent, la proportion de ceux à qui le massage procure un état de bien-être et de ceux qui ne tolèrent aucun massage corporel, ainsi que l'âge le plus courant du massage et des caresses. Ce que l'on sait, et qui a été démontré sur des jeunes rats, c'est qu'une déficience de toilettage maternel sous forme de léchage entraîne un arrêt de la croissance et souvent une mort prématurée. En l'absence de la stimulation de la peau procurée par le toilettage, la glande pituitaire ne sécrète pas l'hormone de croissance, non seulement chez les rats, mais aussi chez les jeunes humains. Les bébés prématurés qui reçoivent leur plein quota de frictions, tapotages, bercement et caresses se portent mieux et quittent les couveuses plus tôt que ceux qui sont privés de ces formes de toilettage [5].

Le bon toilettage mère-enfant dans la prime enfance suscite une bonne proceptivité et un bon toilettage entre amants à l'adolescence et à l'âge adulte. Le toilettage s'accompagne d'une libération de l'hormone ocytocine par la pituite. L'ocytocine promeut le lien mère-enfant. Elle régule également le flux de lait de la mère allaitante et joue un rôle dans le travail et l'accouchement. On l'a appelée l'hormone du lien [6].

La connexion cérébrale-sacrale

En cas de blessure accidentelle avec une rupture complète de la moelle épinière, le cerveau est déconnecté des organes et des parties du corps situés au-dessous du point de rupture [7]. Sur le plan sexologique, il en résulte qu'il n'y a plus de messages transmis, *via* les canaux neuronaux de la partie sacrale de la moelle épinière, du cerveau aux parties génitales et inversement. L'idéation et l'imagerie éroto-sexuelles n'excitent plus les parties génitales. De même, la stimulation des organes génitaux périphériques, bien qu'elle puisse susciter une réaction locale réflexe, n'enregistre pas dans l'esprit la sensation érotique, y compris la sensation génitale de l'orgasme. Toutefois, on a récemment découvert que les femmes peuvent connaître dans ce cas une sensation émoussée ou protopathique de nature sexuelle. Elle est convoyée directement au cerveau, sans passer par la moelle épinière, par le nerf vagal du système nerveux autonome [8].

Malgré le nerf vagal, la principale leçon sexologique de la déconnexion de la moelle épinière est que les sexualités génitale et cérébrale sont mutuellement interactives et quasi autonomes. Les maladies de l'idéation et de l'imagerie sexuelles ont leur étiologie dans le cerveau plutôt que dans l'anatomie sexuelle de l'entre-jambe et du bassin. Ainsi, il est possible à un homme ou une femme souffrant d'une rupture totale de la moelle épinière d'avoir un rêve culminant dans une sorte d'orgasme qui est en fait un fantôme d'orgasme existant dans l'imagerie du rêve, mais pas dans le fonctionnement des parties génitales périphériques[9].

Sexualité juvénile

Depuis le XIVe siècle, époque où Jean Gerson était chancelier de l'Université de Paris et où la grande peste emporta jusqu'aux trois quarts de la population dans certaines parties de l'Europe, il a existé deux visions antithétiques de la sexualité infantile : l'une qui insiste sur l'innocence enfantine, et l'autre sur la corruptibilité enfantine. Ces deux visions se sont en partie fondues dans la doctrine affirmant que l'innocence sexuelle de l'enfant pâtit de l'effet d'influences corruptrices – à savoir de nos jours une éducation sexuelle explicite, les images pornographiques, les pratiques corruptrices de ceux qui ont déjà perdu leur innocence, et les approches des agresseurs sexuels.

Dans l'histoire de la sexologie du monde chrétien, les premières références à la sexualité infantile sont conservées dans les guides de pénitences du VIe siècle, rédigés à l'intention des prêtres qui reçoivent les confessions et prescrivent des pénitences. Par exemple, le guide des pénitences du synode de la Bretagne du Nord (vers 520 ap. J.-C.) exigeait qu'un masturbateur adulte fasse pénitence pendant un an, alors que quarante jours suffisaient pour un garçon de douze ans[10].

Gerson, lui, rédigea le *De confessione mollicei*, manuel de pénitences à l'usage des confesseurs pour les aider à mieux susciter un sentiment de culpabilité chez les jeunes pénitents. Comme le note Philippe Ariès[11], il considérait la masturbation infantile comme une question sérieuse : même si elle ne peut s'accompagner d'une éjaculation, elle détruit la virginité d'un enfant plus sûrement que s'il avait été au contact d'une femme. En outre, la masturbation touche à la sodomie. Pour sauver les enfants du péché, Gerson conseillait de leur interdire de s'embrasser, de se toucher à mains nues et d'échanger des regards inconvenants. Pour se garder de la promiscuité, les enfants ne devaient partager leur lit ni avec un adulte ni avec d'autres enfants. L'enfant qui succombait à l'un de ces péchés était invité à s'en ouvrir systématiquement en confession, ainsi qu'à rapporter les péchés de ses condisciples de l'école Notre-Dame, dirigée par Gerson. Celui-ci attribuait les péchés de la sexualité infantile à la corruption naturelle (le péché originel) que n'effaçait pas l'acquisition d'un sentiment de culpabilité.

En déclarant corrompues et immorales toutes les expressions de la sexualité infantile, Gerson ne laissait aucune place au concept de progression du développement sexuel de la prime enfance à la puberté, et de l'adolescence à l'âge adulte. La sexualité infantile devenait un crime à confesser et à tenir sous contrôle par la pénitence, le châtiment, l'espionnage et la délation de ses propres condisciples et amis.

L'inquiétude de Gerson quant à la perte de la semence avait son origine dans la doctrine préchrétienne associant l'insuffisance de semence à un manque d'esprit vital, cause de maladie et peut-être de mort[12]. Cette théorie a été reprise et médicalisée par le médecin suisse Simon André Tissot au milieu du XVIIIe siècle. Sa *Dissertation sur les maladies produites par la masturbation*, d'abord publiée en latin en 1758, a été traduite et maintes fois rééditée en Europe et en Amérique[13]. Elle a contribué à nourrir l'antisexualisme de la médecine victorienne, a exacerbé la fureur contre la masturbation et universalisé la circoncision des nouveau-nés aux

États-Unis comme mesure préventive contre la perte de semence induite par la masturbation dans l'adolescence.

Depuis Gerson aux XIVe et XVe siècles jusqu'au début du XXIe siècle, la théorie de la perte-conservation de la semence a tenu la sexologie en otage et continue de le faire par des voies détournées. Elle met en danger la recherche en sexologie, notamment sur l'idéation et l'imagerie des maladies de la sexualité dans l'enfance et l'adolescence, en risquant de susciter de fausses accusations d'abus sexuel sur les enfants ou les adolescents et en gelant le financement de la recherche.

CHAPITRE II

Amour et désir

Pouvoir et tabou

Le mot « tabou », du polynésien *tapu* ou *tabu*, est entré dans la langue anglaise à la fin du XVIIIe siècle. Il comblait un manque dans le dictionnaire et qualifiait des conduites interdites à certains individus ou certaines classes sociales sous peine de représailles physiques et spirituelles ou d'exil social. Le tabou polynésien s'applique essentiellement à la profanation des morts et de leurs lieux de sépulture, par inadvertance ou non, et aux manquements à l'autorité royale ou religieuse. Dans d'autres parties du monde, les tabous concernent les restrictions alimentaires, le jeûne et la préparation culinaire ; le vocabulaire relatif à l'âge et au sexe du locuteur et de son partenaire ; les activités entourant la menstruation et l'accouchement ; et les pratiques, les partenaires et les fréquences sexuelles. Un tabou se définit comme une interdiction sacrée frappant l'usage de certaines choses, l'énoncé de certains termes ou la pratique de certains actes, en général imposée par des chefs et des prêtres et renforcée par la puissance de la coutume.

Un tabou restreint une activité à laquelle se livrent

normalement les humains au cours de leur développement, mais sur un mode irrégulier et non pas selon un
programme fixé par un robot biologique. Par exemple,
un tabou sur la vitesse de la respiration serait trop aisément transgressé par le rythme biologique des poumons
pour être efficace. De même, un tabou sur l'émission
séminale serait trop facilement transgressé dans le sommeil, alors que l'on peut poser un tabou sur toutes les
méthodes de masturbation ou sur la fréquence des rapports sexuels, du moins auprès de certains sujets.

La fonction d'un tabou est de donner du pouvoir à
ceux qui l'imposent sur ceux à qui il est imposé. Plus le
tabou est imposé de façon précoce, plus grande est la
probabilité qu'il soit respecté la vie durant et relayé par
une autocontrainte. Alors, comme le savent bien les
prêtres et les politiciens, la simple proposition de sanc-
tions contre le briseur de tabou suscite une obéissance
conformiste. C'est grâce à ce principe de modification
élémentaire du comportement que le tabou séculaire
sur le sexe a pu être transmis à la génération actuelle.

Dans certaines religions, l'application totale du tabou
sexuel exigerait la renonciation au mariage ainsi que la
chasteté et l'abstinence, ou du moins un vœu d'abstinence de toute pratique érotico-sexuelle ou de son
idéation et imagerie. Dès le début de l'histoire de la chrétienté, la rupture de l'abstinence, notamment par une
pollution nocturne, exigeait un déni de la chair par des
jeûnes extrêmes, des flagellations et des pratiques
menant à un état d'extase masochiste.

Si tous les membres d'une société étaient capables de
rester célibataires et abstinents leur vie entière, l'espèce
s'éteindrait. En conséquence, les vœux de célibat et
d'abstinence ne sont prononcés que par une élite religieuse. Le dualisme vient à la rescousse du reste de la
population à travers la polarisation de l'amour et du
désir. L'amour est au-dessus de la ceinture, propre, pur
et sacramentel. Le désir est au-dessous de la ceinture,
sale, impur et diabolique.

L'amour romantique

En divers endroits et à diverses époques, comme en Inde de nos jours, les mariages ont été arrangés selon les traditions familiales pour assortir le pouvoir politique, la religion, le statut social, la langue, la propriété de la terre et la richesse des conjoints. L'objectif premier du mariage arrangé est la naissance d'une progéniture, que les partenaires soient amoureux ou non. L'amour romantique fit sa réapparition chez la noblesse européenne dès la fin du XIe siècle à travers les chansons et les poèmes des troubadours[1]. Il s'agissait d'un amour élégiaque romantique, sans espoir de réciprocité. La belle dame à qui le jeune chevalier consacrait sa vie était déjà mariée ou fiancée à un autre. S'ils consommaient leur passion, on estimait qu'ils succombaient non pas à l'amour, mais à la luxure, et l'affaire se terminait par un suicide, un homicide, ou les deux. L'engouement de l'amour était jugé trop perturbant pour être le fondement du mariage, sauf sur la scène du théâtre. Shakespeare utilisa cette formule dans *Roméo et Juliette*, formule que l'on retrouve dans les grands opéras du XIXe siècle, où l'amour est classiquement lié à la mort.

Comme les chanteurs populaires actuels, les troubadours chantaient l'amour à un public déjà tout acquis, celui des paysans et des citadins d'Europe. Avant que se diffuse la pratique impériale romaine du mariage arrangé, les gens du commun pratiquaient le système de fiançailles d'affiliation romantique[2] qui existe encore en Islande aujourd'hui. Au Danemark, ce système de fiançailles était appelé la nuit de cour[3], tandis qu'on parlait en Finlande de « prendre ses jambes de nuit pour la promenade ». Transplanté en Nouvelle-Angleterre, ce système prit le nom de *bundling*[4]. En Scandinavie, à la fin de l'hiver, les jeunes filles emménageaient au premier étage de la petite grange qui servait de maison aux filles non mariées. Elles y grimpaient par une trappe qu'elles refermaient derrière elles. Les bandes de garçons qui leur chantaient des sérénades le dimanche n'avaient accès au grenier que si les filles abaissaient l'échelle de la trappe. Lorsqu'il devenait manifeste qu'un garçon et une fille étaient attirés l'un par l'autre, leurs amis s'arrangeaient pour les laisser seuls lors des visites suivantes. Ensuite, le protocole comportait trois phases successives : d'abord, le garçon dormait habillé sur les couvertures, puis habillé dessous, puis le garçon et la fille dormaient tous les deux nus sous les couvertures. Puis ils annonçaient et célébraient leurs fiançailles. Le mariage formel n'était célébré que s'ils donnaient la preuve de leur fertilité par une grossesse. L'amour se mêlait au désir dans ce système de fiançailles, au lieu qu'ils soient dissociés l'un de l'autre.

Ce retour de l'amour romantique dans l'Europe médiévale par le biais des troubadours eut deux conséquences. La première fut une réaction contre lui et contre le fatal pouvoir d'attraction des femmes qui les fit désigner comme sorcières et alluma les feux de l'Inquisition de la fin du Moyen Âge à la Renaissance. On vit périr sur le bûcher des centaines de milliers de femmes, qualifiées de sorcières et d'hérétiques, dotées de pouvoirs de séduction surnaturels et copulant dans leur sommeil avec Satan et ses démons. Elles rendaient ainsi leurs hommes impuissants, leurs animaux stériles et leurs champs improductifs.

La seconde conséquence fut l'encouragement à une liaison romantique, même chez les nobles, comme prodrome légitime d'un mariage approuvé par la famille. De nos jours, on estime en général que tomber amoureux est la condition même de toute nouvelle relation sexuelle, quelque souffrance qui puisse en résulter pour chaque partenaire et sa famille. En outre, l'amour est devenu un prérequis si important qu'il peut même être confabulé pour justifier une histoire purement sexuelle. Les mariages fondés sur l'amour romantique et les mariages arrangés par la famille ne sont ni supérieurs ni inférieurs en qualité ou en durabilité potentielle.

Attachement et obsession amoureuse

Nul n'a besoin d'un dictionnaire pour définir l'amour et la douleur amoureuse, et chacun sait que cette douleur peut être assez forte pour s'achever en suicide, en homicide, ou les deux. Mais récemment encore il n'existait pas de mot en anglais scientifique pour rendre compte de ce qu'en langage populaire on appelle être amoureux, tomber amoureux, être dingue d'amour, avoir le coup de foudre, ou être malade d'un amour non partagé. L'obsession amoureuse (*limerence*) est le nouveau terme qui vient combler ce manque. Il a été forgé en 1979 par Dorothy Tennov[5]. La sexologie a laissé l'amour et le lien entre amants à l'art et à la littérature, et s'est montrée réticente à l'accepter comme un thème susceptible d'une analyse scientifique.

L'obsession amoureuse fait partie d'un trio de réactions humaines qui partagent un certain nombre de caractéristiques. Les deux autres sont le chagrin aigu et l'extase divine. Le chagrin aigu peut être suscité par l'expérience inattendue ou l'annonce d'une mort soudaine. La révélation divine ou le salut par la nouvelle naissance peuvent l'un et l'autre susciter un bonheur extatique. Ces trois réactions peuvent être précipitées de façon soudaine et imprévisible, mais elles peuvent aussi être cumulatives dès le départ. Bien qu'elles soient de durée variable, elles peuvent persister longtemps. Il n'existe pas de méthode d'intervention à toute épreuve permettant d'améliorer leur intensité ou de les mener à leur terme, sauf le passage du temps. Le fait de parler à un écoutant empathique peut aussi être bénéfique.

Il n'y a pas d'âge établi pour le début de l'obsession amoureuse. Elle peut apparaître dès avant la puberté[6] et dans la grande vieillesse, mais elle intervient le plus souvent dans les années d'adolescence. Il arrive que l'obsession amoureuse juvénile se poursuive dans l'adolescence et l'âge adulte, et se limite à un seul partenaire la vie durant. On peut observer parfois une chaîne de liaisons amoureuses obsessionnelles, ou, plus rarement, deux liaisons ou plus se chevauchant. Toutefois, l'intérêt pour le partenaire est alors si obsessionnel qu'il ne tolère en général aucune compétition, et moins encore lorsqu'il y a une incertitude sur la réciprocité de cette obsession.

Qu'elle soit ou non réciproque, l'obsession amoureuse interfère avec le fonctionnement du système nerveux autonome. Elle bouleverse les fonctions digestives ; les selles deviennent irrégulières ; le sujet a des palpitations et l'estomac contracté à la seule idée d'une nouvelle rencontre avec l'être aimé ; les mains sont moites ; l'horloge biologique du sommeil et de la veille est bouleversée. L'obsession pour l'être aimé se révèle dans des rêves et des ruminations diurnes au cours desquels le sujet anticipe et se représente la prochaine rencontre. L'imagerie des caresses, des accolades et des baisers érotiques, des préliminaires et de la copulation devient très vive et occupe plus ou moins l'imagination selon le degré d'émancipation sexuelle de l'individu.

L'attirance obsessionnelle peut exister malgré une grande différence d'âge, mais les deux partenaires sont en général de la même génération. Par coutume sociale, la différence d'âge est tolérée pourvu que la femme soit nubile, même si l'homme est plus jeune ou plus âgé qu'elle.

L'attirance obsessionnelle existe surtout entre homme et femme. L'obsession amoureuse entre personnes du même sexe, quand elle existe, ne se différencie pas de la première.

Du point de vue de la sexologie évolutionnaire, on peut supposer que, comme le chagrin et le bonheur extatique, le bonheur de l'obsession amoureuse est l'un des éléments perceptifs et réactifs du comportement présents dans le cerveau proto-humain avant même l'avènement des représentations du langage verbal dans le cortex. Le fait de tomber fou amoureux est donc par nature une expérience irraisonnée. L'amour est proverbialement aveugle, irrationnel et fou. Il est tissé de la même étoffe que la musique, le rythme et la danse, auxquels il reste d'ailleurs associé, notamment chez les adolescents[7]. Depuis des millénaires, il est un appel à l'accouplement. Il a assuré la continuité de l'espèce.

Sauf à l'âge de la puberté, avec sa montée d'hormones sexuelles et sa prévalence d'une première obsession amoureuse, on ne connaît pas d'accompagnement hormonal ou neurochimique de celle-ci, ce qui n'est pas surprenant puisqu'il n'existe pas de recherches sur une éventuelle corrélation. L'hormone pituitaire, l'ocytocine, déjà réputée comme étant l'hormone du lien mère-enfant, mériterait une investigation en tant qu'hormone de l'obsession amoureuse[8].

La durée de l'obsession amoureuse n'a pas de limite établie. Nous manquons de chiffres exacts, mais on sait qu'elle peut persister la vie durant. En règle générale, elle semble durer assez longtemps pour chevaucher la conception et la naissance d'un enfant, après quoi elle se transforme en un lien à trois. Si le bébé ne se lie pas à son tour, sa survie est en danger par négligence et abus. Pour certains couples, la transition vers une relation à trois s'effectue mal. En l'absence d'obsession amoureuse, les parents peuvent alors s'éloigner, parfois de façon irrémédiable. Il n'y a pas de méthode garantie permettant de réparer ce lien, malgré la psychothérapie ou le conseil conjugal. Cela ne nous laisse que trois alternatives : tolérance au *statu quo*, dissolution de la relation, ou escalade de la perte du lien qui peut se résoudre dans le pire des cas par l'homicide, le suicide, ou les deux. Telle est la condition humaine, en l'état actuel de nos connaissances.

Attachement et autisme

En termes de sexologie évolutionnaire, l'idée que l'attachement entre amants puisse avoir son propre codage dans le cerveau humain, sans doute dans le système limbique paléocortical, m'est apparue pour la première fois devant le cas d'une jeune femme souffrant d'un double diagnostic de syndrome de Turner et d'autisme[9]. Son mode autiste de pensée et de discours lui interdisait de se lancer dans des explications logiques. Ainsi, elle n'avait pas d'explication au fait de tenir furieusement à ce que sa sœur adolescente ne porte jamais de collants en nylon. Comme celle-ci en portait pour aller retrouver son petit ami, il n'était pas difficile d'en déduire que la patiente était jalouse de sa sœur, que ses parents autorisaient à avoir un ami et à sortir avec lui. Bien que plus âgée, la patiente était pour sa part séquestrée à la maison, privée d'éducation sexuelle et de toute aide pour établir une relation avec les garçons qui fréquentaient l'institution où elle était scolarisée.

De même, il n'y avait pas d'explication à ses crises de fureur contre son frère de treize ans. Elle demandait qu'on ne le voie jamais en short ou en maillot de bain, ni habillé sans chaussettes. Il fallut plus de deux ans de semaines hebdomadaires de thérapie sexuelle avec un thérapeute particulièrement doué avant d'obtenir une explication. Selon les propres termes de la patiente, si son frère avait les pieds et les jambes nus maintenant, quelle serait la prochaine étape ? Elle l'avait accusé de certaines avances, compromettant ainsi son avenir. Les parents voyaient leur fille comme une enfant, pas comme une jeune adulte autiste, et étaient donc disposés à accuser le frère, malgré ses dénégations. Ce dernier était le seul jeune homme en proximité constante avec la patiente, et son dilemme était qu'elle ressentait pour lui des désirs romantiques et charnels. Le mécanisme d'attachement dans le cerveau limbique était sans doute intact. En revanche, le mécanisme d'attachement était sans doute déficient, rendant la patiente incompétente à établir des liens sociaux, amicaux et amoureux ordinaires.

On peut considérer l'autisme avant tout comme un syndrome de lien au groupe défectueux d'origine innée. Le syndrome de Turner est non seulement inné, mais aussi d'ordre génétique, dans la mesure où il n'y a qu'un seul chromosome, le X, soit un total de quarante-cinq chromosomes par cellule au lieu de quarante-six. Le phénotype est féminin, sauf pour la petite taille et l'agénésie des ovaires. En l'absence d'ovaires, les hormones ovariennes ne sont pas sécrétées à la puberté.

Il existe toute une gamme de défauts congénitaux associés au syndrome de Turner, par exemple les troubles cardiaques. On peut envisager que l'autisme soit l'un de ces défauts associés. Il s'agit dans ce cas d'une association rare, mais qui vient appuyer l'idée que l'autisme a une origine génomique. Elle soutient aussi l'hypothèse que l'attachement gouvernant l'amour et le désir est distinct du lien au groupe régissant l'interaction sociale avec les amis, les membres de la famille et les pairs, ces deux liens étant gouvernés par les voies limbiques du cerveau.

Un degré inférieur de trouble du lien au groupe se manifeste par la timidité et l'embarras social qui, en limitant le cercle des amis et des connaissances, limite aussi les chances de trouver un partenaire pour un attachement réalisant une convergence intime et réciproque de l'amour et du désir [10].

Hypophilie

Chaque fois, et quelle qu'en soit la raison, que la convergence du désir et de l'amour est incomplète, nous en concluons logiquement qu'il y a trop ou trop peu de l'un ou de l'autre, ou encore que chacun s'est altéré. L'hypophilie signifie « trop peu de désir », l'hyperphilie

« trop de désir », et la paraphilie « désir trop altéré ». Ces termes viennent du grec : *hypo*, « trop peu » ; *hyper*, « trop » ; *para*, « au-delà » ou « altéré » ; et *philie*, « amour ». Dans cette nomenclature, *philie* est généralement synonyme d'un terme moins usité : *lagnie*, « désir ». Mais dans la terminologie, les termes d'hypolagnie, d'hyperlagnie et de paralagnie ne sont pas actuellement d'un usage courant.

L'ouvrage de Masters et Johnson sur les hypophilies, publié en 1970, avait pour titre *Human Sexual Inadequacy*[11]. « Inadéquation » signifie un décalage par rapport aux critères standard avancés dans leur premier livre, *Human sexual response*[12]. Dans leur classification, les inadéquations sexuelles se manifestent comme des troubles de l'acceptivité-réceptivité. Chez les hommes, elles comportent notamment l'absence d'érection ou l'éjaculation précoce ; chez les femmes, l'absence de lubrification ou l'impossibilité d'atteindre l'orgasme. Le caractère définissant chacune des inadéquations sexuelles est une insuffisance, une incomplétude ou une diminution de la performance des organes au cours du coït ou de ses phases séquentielles. De là, la classification des inadéquations dans les hypophilies.

L'évitement phobique est une manifestation d'hypophilie souvent négligée. Chez les peuples d'Orient et d'Asie du Sud-Est, il existe une phobie culturelle très répandue du baiser. Le baiser avec la langue, s'il est omniprésent dans les scènes d'amour du cinéma américain, est censuré dans les pays où, considéré comme obscène, il est phobiquement évité. La culture occidentale se caractérise par un évitement socialement prescrit du baiser entre hommes, peut-être plus dans la vieille génération que chez les jeunes. Quelle que soit leur intimité sur le plan génital, les hommes peuvent continuer de se définir comme hétérosexuels pourvu qu'ils évitent l'intimité du baiser, même s'ils s'engagent par ailleurs dans d'autres actes homosexuels.

En Amérique du Nord, il existe officiellement un

évitement phobique et une censure de la pénétration vaginale dans les spectacles vivants, les films, les vidéos et la presse, ainsi qu'à la télévision et sur Internet. Cette phobie culturelle déborde sur la vie privée de certains sujets, au point de prendre chez les deux sexes la forme du syndrome hypophilique de phobie de la pénétration. Sous sa forme sévère, cette phobie interdit la pénétration lors des rapports sexuels et empêche toute grossesse.

Un autre syndrome d'hypophilie est celui que Masters et Johnson n'ont pas pris en compte : l'apathie, l'inertie ou l'évitement érotico-sexuel, connu aussi sous le nom d'anhédonie[13]. Il ne s'agit plus d'une difficulté à accomplir l'acte sexuel, mais d'une incapacité même à le commencer.

Helen Singer Kaplan, psychanalyste et thérapeute sexuelle, a popularisé ce syndrome en le qualifiant d'absence de désir sexuel[14]. Selon certains de ses collègues, l'intérêt de son livre était d'offrir un alibi à leur taux d'échecs cliniques, à savoir qu'ils avaient soigné tous les cas anodins avec la méthode de thérapie de couple de Masters et Johnson et se trouvaient désormais confrontés à des diagnostics plus complexes.

L'anhédonie sexologique est parfois symptomatique d'un autre syndrome. La dépression en est un exemple courant. L'incidence d'anhédonie est élevée chez des hommes ayant un syndrome de Klinefelter, caractérisé par un chromosome X supplémentaire, ce qui fait un total de 47, XXY, au lieu de 46, XY. Indépendamment de l'étiologie, les hommes et les femmes souffrant d'hypopituarisme ont une incidence élevée d'anhédonie, ainsi qu'une incapacité presque totale à tomber amoureux.

Tant dans le syndrome 47, XXY que dans l'hypopituarisme, il n'y a pas de corrélation établie entre le degré d'anhédonie sexuelle et les niveaux d'hormones sexuelles circulant dans le sang, avec ou sans traitement hormonal de substitution. Il existe toutefois certains cas masculins où le degré d'apathie-inertie est amélioré par

un traitement à la testostérone – l'hormone testiculaire – administrée à fortes doses. Ce traitement de substitution à la testostérone est plus efficace en cas
d'insuffisance de cette hormone dans le sang. Si cette
déficience porte sur l'assimilation et l'usage hormonal
intracellulaires, même un traitement très fortement
dosé sera inefficace, quels que soient l'étiologie et le
diagnostic.

La testostérone a une applicabilité très réduite pour
les femmes, dans la mesure où elle possède des effets
masculinisants indésirables. Il n'existe pas de preuve
que le taux d'hormones ovariennes dans le sang (œstrogène et progestérone) affecte directement l'anhédonie
dans la carte affective des femmes. Chez les hommes, en
revanche, ces hormones suppriment la synthèse de
l'hormone masculine, de sorte qu'elles ont un effet anti-
androgène généralisé qui ressemble aux effets d'une castration chimique.

En général, les hormones sexuelles ne sont pas une
panacée pour les nombreux syndromes et symptômes
des cartes affectives hypophiliques, mais lorsqu'elles
sont correctement associées à une étiologie et un diagnostic d'insuffisance hormonale, elles produisent de
très bons résultats.

Hyperphilie

Dans les troubles hypophiliques, l'amour et le désir
sont déconnectés, aux dépens du désir qui devient à un
degré variable dormant et anhédonique. Le désir étant
hors course, l'amour et la dévotion peuvent persister à
peu près inchangés, mais sans rapports sexuels. Dans un
mariage ou toute autre relation à long terme, la carte
affective se transforme souvent dans ce sens. En
revanche, on constate dans l'hyperphilie une transformation inverse : le désir persiste, mais sa convergence
avec l'amour disparaît. Certains liens conjugaux ou de

cohabitation sans amour peuvent persister sur ce mode, l'un des partenaires considérant l'autre comme un jouet animé qui lui facilite l'orgasme.

Contrairement à l'hypophilie, l'hyperphilie n'a guère retenu l'attention de la médecine. On l'a parfois appelée hypersexualité chez les deux sexes, mais plus souvent nymphomanie chez les femmes et satyromanie (ou *satyriasis*) chez les hommes. Pour les hommes, « coureur de jupons » est une expression moins stigmatisante que « don juanisme », qui peut même indiquer une touche d'envie. Il n'existe pas de terme correspondant pour les femmes, l'hypersexualité féminine ayant été traditionnellement stigmatisée sur le plan moral comme une conduite de prostituée inconvenante pour des dames sexuellement distinguées. Certaines femmes respectables venues consulter pour un problème d'hypersexualité ont dû subir des remarques sournoises et inconvenantes. On estime que les femmes ont un contrôle volontaire sur leurs propres contraintes sexuelles, et elles sont châtiées pour ne pas l'exercer suffisamment.

Les idéaux auxquels les gens sont censés se conformer et les lois conçues pour les forcer à le faire varient dans l'espace et dans le temps. Par exemple, dans la plupart des États islamiques, un homme, mais pas une femme, a le droit de prendre quatre partenaires en mariage légal. Dans le monde chrétien, bien que le mariage soit légalement restreint à un seul partenaire, un homme ayant suffisamment de pouvoir politique pouvait avoir de multiples partenaires sans être épinglé par la presse ou la police des mœurs. Ce fut le cas des présidents des États-Unis jusqu'à la fin du XXᵉ siècle.

La plainte d'être sursexué parce que l'on souhaite des rapports sexuels trop fréquents ou avec un trop grand nombre de partenaires n'a pas toujours la même signification sexologique. Une plainte doit d'abord être examinée en elle-même, puis resituée dans son contexte. Il peut s'agir par exemple d'un couple qui se trouvait

satisfait de sa fréquence sexuelle tant que les partenaires vivaient ensemble sans être mariés. Le mariage a
modifié le pouvoir légal que chacun avait sur l'autre. Il
a également transformé la sexualité de cohabitation en
une sexualité conjugale et familiale. Selon ces nouvelles
règles, l'ancienne sexualité du couple apparaît sursexuée à l'un des partenaires, et sous-sexuée à l'autre. Le
temps d'avant le mariage est celui où l'on jette sa
gourme. Le mariage est le temps de l'installation. Pour
certains couples, un changement comparable accompagne la ménopause.

Chez les Hindous et dans les cultures afférentes,
même l'hypophilie peut être confondue avec une hyperphilie sursexuée, tant l'on redoute d'éventuelles conséquences sur la santé de toute perte de semence, le *sukra*,
le plus précieux concentré de l'esprit vital[15].

On attribue depuis toujours les théories de la
perte/conservation de la semence aux écrits de la médecine ayurvédique traditionnelle indienne datant du Ier ou
IIe siècle après J.-C.[16], mais leur transmission orale
remonte à une époque bien antérieure. Cette théorie a
connu un renouveau à l'ère chrétienne avec Jean Gerson
en France au XIVe siècle, et a été médicalisée par Simon
André Tissot au XVIIIe siècle. Tissot associait la perte
excessive de semence à la promiscuité et à la prostitution (le vice social) et à la masturbation (le vice secret),
double cause des symptômes de la syphilis et de la
gonorrhée, considérées comme une seule et même
maladie avant l'apparition de la théorie des germes
autour de 1870.

La théorie de Tissot a connu une large diffusion, au
point d'influencer encore le tabou sur la masturbation.
À l'inverse, son opposé est resté confiné aux tribus de
Nouvelle-Guinée et à certaines parties de la Méla-
nésie[17]. C'est la théorie populaire de la transfusion de la
semence[18], selon laquelle les garçons prépubertaires ont
besoin du lait masculin sucé aux pénis de garçons

postpubertaires pour entrer dans la puberté et devenir des maris et des pères fertiles.

Érotomanie

Outre une fréquence élevée d'actes sexuels et/ou une recherche insatiable de nouveaux partenaires sexuels, l'hyperphilie peut se manifester comme une mono-manie : une attraction fatale envers une personne qui n'y répond pas et n'est pas disponible en tant que parte-naire sexuel. Ce type de monomanie est connu sous le terme d'érotomanie. Le diagnostic le plus fréquent est le syndrome de Clérambault-Kandinsky (CKS). En 1981, l'attraction fatale de John Hinckley Jr. pour la jeune actrice Jodie Foster atteignit une notoriété nationale [19]. Après l'avoir importunée à plusieurs reprises sans succès, Hinckley lui déclara l'intensité de son désespoir en tentant d'assassiner le président Reagan et en sacri-fiant sa propre vie. Quelques heures avant sa tentative d'assassinat, il adressa une note d'adieu à Jodie Foster : « Au revoir ! Je t'aime six trillions de fois. Est-ce que tu ne m'aimes pas un petit peu ? (Tu dois admettre que je suis différent.) Cela justifierait bien sûr tout cela [20]. »

Par définition, le caractère pathognomonique de l'at-traction fatale du CKS est qu'elle est vouée à l'échec, l'objet de l'attraction étant hors de portée du fait de son statut social ou légal, de la différence de richesse, de célébrité, de religion, d'activité ou d'âge, du fait de la consanguinité, etc. Au départ, les deux personnes ont pu se rencontrer sur une base non sexuelle, en tant qu'étu-diant et enseignant, prêtre et pénitent, etc. Il y a une vul-nérabilité particulière dans la relation médecin-patient, qui implique un discours sur le sexe en cas de problème sexuel ou reproductif et la palpation du corps et l'exposi-tion des parties génitales même pour un examen phy-sique de routine.

Le syndrome de Clérambault-Kandinsky est mal connu dans la pratique de la médecine. Beaucoup d'étudiants ne reçoivent aucune instruction sur la façon de le reconnaître et le gérer. Ce fut le cas d'un jeune et beau gynécologue qui devint la cible de l'engouement d'une patiente, elle-même ancienne infirmière. Il l'avait assistée dans des procédures médicales qui lui avaient permis de tomber enceinte. Sa première lettre fut un mot de remerciement et une demande de rendez-vous de suivi. Peu à peu, ses lettres devinrent des lettres d'amour. Le gynécologue chercha conseil auprès d'une psychologue. Ils résolurent que celle-ci dirait à la patiente que le gynécologue n'ayant plus de procédures à effectuer, il ne répondrait plus à ses lettres. En revanche, elle pouvait lui écrire à elle. En vain. Dans un mouvement de désespoir, la patiente adressa des lettres d'amour chez le gynécologue, dans l'intention de pousser sa femme à demander le divorce pour infidélité. Les mois et les années passant sans réponse, la patiente découvrit qu'elle pouvait déchiffrer des messages secrets du médecin dissimulés dans les titres des chansons dont il avait demandé la diffusion sur la radio locale. Elle les interpréta comme sa façon de lui déclarer son amour sans risquer de représailles de sa femme. Elle avait conscience de sombrer peu à peu dans la maladie mentale. Sa dernière missive mentionnait son hospitalisation pour psychose maniaco-dépressive. Il n'a pas été possible d'obtenir d'informations directes auprès du mari ou de la famille de la patiente.

Harcèlement

Outre qu'ils supposent une obsession amoureuse non payée de retour, les symptômes du CKS peuvent être associés à une rupture à sens unique d'une liaison ou d'un mariage jusque-là réciproques. On lit souvent à la « une » des journaux ces histoires d'amoureux ou de mari éconduit poursuivant sa partenaire, la faisant chanter, enlevant les enfants, et qui se terminent en meurtre ou en suicide. Un cas célèbre en 1992 fut celui de Sol Wachtler, soixante-deux ans, premier juge de l'État de New York[21].

Cette histoire, largement reprise par la presse, est celle d'un respectable juge, pilier de l'*establishment*, qui avait eu une liaison adultère avec une femme dont le beau-père était l'oncle paternel de sa propre femme. Ils s'étaient rencontrés lors d'une réunion de famille alors que la jeune fille était une adolescente, tandis que lui avait atteint la trentaine et était marié. Elle finit par devenir la seconde femme de sa vie tout en se mariant à trois reprises. Lui, de son côté, resta quarante ans marié à la même femme dont il eut quatre enfants. À la mort du beau-père de son amoureuse, le juge devint l'exécuteur testamentaire de son héritage de plusieurs millions de dollars. Après son troisième divorce, la jeune femme prit un nouvel amant et mit fin à sa liaison avec le juge.

Dès lors, la raison du juge se cliva entre une parfaite rationalité dans ses devoirs professionnels et une totale irrationalité dans la poursuite et le harcèlement de son amante perdue. Comme un novice en matière de lois et d'institutions, il s'embarqua dans un drame rocambolesque appuyé de coups de fil menaçants, passés de son téléphone de voiture ou de cabines publiques dans les diverses parties du pays où l'appelait son travail et qui furent retracés sans difficultés. Au téléphone, il utilisait un dispositif électronique pour déguiser sa voix. Sous le nom de David Purdy, il personnifiait un détective privé du Texas. Il s'habillait en cow-boy pour laisser des mots de chantage à la réception de l'immeuble où habitait la femme, et menaçait d'exhiber des vidéos et des photos la montrant dans des positions explicites avec son nouvel amant. Il envoya une carte d'insultes, avec un préservatif, à la fille adolescente de sa victime. Il menaça de l'enlever s'il ne recevait pas une rançon de vingt mille dollars – une paille entre multimillionnaires. L'argent devait être laissé dans une enveloppe sur les marches menant aux caves d'un immeuble adjacent à celui de la femme. Grâce à ses relations politiques, celle-ci put faire appel directement au directeur du FBI, qui mit jusqu'à quatre-vingts agents sur cette affaire. Ils suivirent chaque mouvement du juge depuis Albany jusqu'aux marches de l'immeuble de New York.

À ce stade du drame, le juge abandonna toute prudence et se trahit. Il téléphona à son coiffeur pour lui demander de venir prendre l'enveloppe contenant l'argent de la rançon, paya un chauffeur de taxi pour qu'il donne un mot au portier de l'immeuble de son amie, et déchira un autre mot qu'il avait dans sa poche. Il en jeta les fragments dans une poubelle publique où la police n'eut aucun mal à les retrouver. Il partit ensuite pour sa maison de campagne de Long Island et fut intercepté en chemin par la police. Il fut jugé et condamné à quinze mois de prison.

Finalement, le juge attribua la bizarrerie de son comportement à un mélange excessif de médicaments psychoactifs ayant suscité une hyperactivité maniaque et une perte de jugement. Il avait peut-être raison ; il reste que le CKS survient aussi sans prise de médicaments.

Quand les demandes d'un amant ou d'un époux abandonné restent lettre morte, le harcèlement peut être le premier symptôme de représailles. Le bon sens commande d'appeler la police et d'obtenir une injonction contre le harceleur. Ce peut être une initiative dangereuse, voire mortelle, si elle exacerbe le désespoir amoureux en meurtre et/ou suicide. Le harcèlement montre le côté sombre de l'amour et de l'obsession amoureuse. Une fois qu'une personne est intégrée aux rêves et aux fantasmes de la carte affective d'un autre, son image est emprisonnée sans issue dans son esprit et son cerveau. Tel est le danger de l'amour non partagé. Il transforme trop aisément l'extase de l'amour en douleur et en chagrin, pour s'achever dans une tragédie de haine et de vengeance.

Engouement

À l'inverse des syndromes hyperphiliques caractérisés par un attachement excessif à un partenaire particulier, on trouve le syndrome caractérisé par une séquence de multiples liaisons obsessionnelles. La cible de chaque nouvel engouement est l'équivalent d'une nouvelle piqûre pour un toxicomane. Ce syndrome n'a pas de nom formel, mais on appelle en argot ceux qui en sont affectés des « camés de l'amour » ou, à tort, des « accros à l'amour[22] ». Liebowitz lui a donné le nom malheureux de dysphorie hystéroïde[23]. Les hommes ou les femmes souffrant de ce trouble disent qu'ils se sentent mentalement vides et incapables d'être productifs dans leur carrière s'ils ne sont pas sous la fascination d'une nouvelle liaison obsessionnelle. Si la nouvelle liaison a un caractère illicite, le jeu consistant à éviter de se faire prendre ne fait qu'ajouter à l'excitation. Si la liaison est découverte, elle peut avoir pour conséquence la disgrâce sociale et la ruine d'une carrière. Non découverte, elle finit par perdre de sa luminosité, laissant place à un autosabotage dépressif qui s'achève par un retrait complet. Puis le cycle repart avec l'arrivée d'un nouvel engouement. Il y a eu parfois dans l'enfance une histoire de séparation et de perte imposée et imprévue d'un lien familial ou amical étroit, mais la signification étiologique d'un tel syndrome reste incertaine.

Dans les cas où le sujet engoué obtient le cœur de celui ou celle qu'il désire, la relation qui s'ensuit est marquée par une possessivité et une jalousie maladives. Le partenaire devient un prisonnier de l'amour, dans certains cas littéralement bouclé à la maison et interdit de sortir en public non accompagné. Un simple coup d'œil d'un rival potentiel peut susciter une violence verbale et physique. Il n'existe pas de nom spécial pour ce phénomène d'oppression, sinon celui de jalousie.

L'incapacité à mener une liaison obsessionnelle à son terme peut tenir non seulement au rejet par le partenaire, mais aussi à la mort de celui-ci. Il arrive alors que le survivant préserve méticuleusement les effets personnels du défunt, se tenant prêt pour son retour. Il peut également garder une place à table pour le mort et ce, pendant des années. Il ne se passe pas un jour sans qu'il prie pour la sécurité du défunt, ou sans qu'il converse avec lui, bâtissant divers projets pour leurs retrouvailles.

Les divers syndromes d'hyperphilie ne sont liés ni au genre ni à l'âge. Il n'existe aucune corrélation connue avec la génétique, les hormones, les toxines ou d'autres éléments neurochimiques. Leurs voies neuronales dans le cerveau n'ont pas encore été établies. On sait toutefois que l'hyperphilie, qualifiée également d'hyper-sexualité, peut être sporadiquement associée à certains types d'atteintes traumatiques et de dégénérescences gériatriques du cerveau, comme la chorée d'Huntington et la maladie d'Alzheimer. Ce peut être l'un des premiers signes d'une maladie dégénérative du cerveau, laquelle échappe alors au diagnostic en étant plutôt qualifiée d'exhibitionnisme, de harcèlement sexuel, d'invasion de la vie privée, d'abus d'enfant ou de masturbation. Quelle qu'en soit l'étiologie, il n'existe pour l'instant aucune méthode définitive de prévention, d'intervention ou d'inversion.

Il arrive, de façon sporadique et non systématique, que les symptômes des divers syndromes hyperphiliques se chevauchent en partie avec la maniaco-dépression, la rumination schizoïde obessionnelle, la paranoïa hallucinatoire, les troubles obsessionnels compulsifs (toc) et ce que l'on appelle la dépendance sexuelle[24]. Néanmoins, les syndromes hyperphiliques sont sexologiquement des syndromes à part entière, qui ne doivent être confondus avec aucune de ces autres entités morbides.

Normes

Quelle quantité d'activité sexuelle est excessive, et quelle quantité est insuffisante ? Ces questions ressortissent au problème plus vaste du normal et de l'anormal, pour lequel il n'existe pas de critères standard absolus. En outre, il n'y a pas de correspondance entre la norme statistique de ce que les gens font réellement et la norme idéologique de ce qu'ils devraient faire pour se conformer aux idéaux et aux demandes de ceux qui exercent le pouvoir et l'autorité sur eux. Le principe de deux normes, l'une statistique et l'autre idéologique, s'applique non seulement à la fréquence des rapports sexuels, mais aussi à la façon dont ils sont pratiqués, en solo ou avec un partenaire ; à la variété de partenaires, hommes, femmes ou les deux ; et à la variété des actes sexuels dans lesquels peuvent s'engager les sujets.

Le sexe oral et anal, dans la mesure où il empêche la procréation, a été depuis longtemps condamné par les autorités ecclésiastiques. Il reste que ces deux formes de sexualité, sur un mode actif, passif ou les deux, sont activement pratiquées par certains sujets hyperphiliques. Si seul l'un des deux partenaires est oralement ou analement hyperphilique, et si l'autre partenaire éprouve de la répulsion pour ce type de sexualité, la relation, qu'elle soit homo- ou hétérosexuelle, s'en trouve fragilisée. Il est probable qu'il y a davantage d'hommes enthousiastes à l'idée d'administrer du sexe oral que de femmes qui sont ravies d'en recevoir, mais nous manquons de statistiques certaines.

Il n'y a pas de normes établies, comme il en existe pour la croissance en taille et en poids, pour la fréquence des rapports sexuels ou la fréquence d'atteinte de l'orgasme. S'il existait de telles normes, elles devraient spécifier non seulement l'âge et le sexe, mais intégrer la présence ou l'absence d'un partenaire ou de plusieurs, l'effet revivifiant de l'arrivée d'un nouveau partenaire, l'effet contraignant du manque d'intimité, l'effet de la fatigue du travail et des tâches domestiques, et ainsi de suite.

Surtout, on attendrait de tableaux de fréquence qu'ils montrent que la fréquence du coït et de l'orgasme décline avec l'âge et la familiarité, et qu'il existe de grandes variations individuelles. Pour certains couples établis, la fréquence du coït ne dépasse pas quatre fois par an. Les orgasmes supplémentaires obtenus par la masturbation peuvent accroître la fréquence des orgasmes. Pour d'autres couples, la fréquence du coït et de l'orgasme est de l'ordre de plusieurs fois par semaine pendant des années, se poursuivant à une fréquence moindre jusqu'à l'âge de quatre-vingts ans et plus.

Tout au bout de la chaîne de la fréquence orgasmique, certains hommes ont rapporté avoir au moins trois orgasmes par jour, avec éjaculation. Un patient, délinquant sexuel paraphilique, rapporta jusqu'à dix orgasmes par jour à l'adolescence et au début de sa vie adulte. Chaque orgasme d'un délinquant sexuel s'accompagne de sa propre imagerie de délit sexuel. En l'absence d'un partenaire ou en cas d'épuisement du partenaire, l'orgasme est atteint par le biais de la masturbation.

L'hyperorgasmie semble plus prévalente chez les délinquants sexuels que dans la population masculine générale. Toutefois, ils n'en ont pas l'exclusivité. Elle a été également rapportée par des non-délinquants, en association avec une imagerie hétéro- ou homosexuelle, avec un partenaire ou par la masturbation si le partenaire est épuisé.

La pluriorgasmie avec éjaculation sans période réfractaire de repos n'est pas rare chez les hommes, surtout dans la jeunesse. Elle semble moins fréquente chez les hommes plus âgés, qui connaissent en général une courte période de détumescence et de récupération. Une érection rigide pendant des heures est un état de priapisme, qui est pathologique. Cet état peut être provoqué par un blocage du flux sanguin, connu comme un effet secondaire de l'agrégation des globules rouges dans l'anémie en faucille. Le priapisme prolongé devient très douloureux et n'est pas érotique du tout. Le priapisme temporaire peut être un effet secondaire du nouveau traitement de l'impuissance par des injections intracaverneuses d'hydrochlorure de papavérine, de prostaglandine E1, ou par absorption orale de Viagra. L'idée de maintenir une longue érection avec plus d'un orgasme est séduisante pour certains hommes, mais pas forcément pour leurs partenaires.

Alors que la plupart des hommes connaissent une période de repos entre deux orgasmes, la pluriorgasmie sans période réfractaire est un phénomène bien connu chez les femmes, bien que sa prévalence dans la population générale n'ait pas été vérifiée. Les orgasmes multiples surviennent dans le contexte d'une session continue de rapports sexuels ou de masturbation, mais pas nécessairement sur une base quotidienne. Finalement, le point de satiété est atteint, et l'activité sexuelle s'arrête.

De façon anecdotique et rare, on a parlé de pluriorgasmie féminine provoquée par une simple idéation et imagerie en l'absence de toute stimulation tactile ; mais il n'y a eu aucune recherche systématique sur ce point chez aucun sexe. Sur le plan clinique, on sait qu'une étude complète de ce phénomène peut aboutir à la découverte d'un dysfonctionnement sexologique neuroépileptiforme du cerveau, réagissant à la médication anti-épileptique.

Citons, par exemple, le cas d'une femme qui souffrait de crises d'orgasme imminent fort embarrassantes, qui la contraignaient à interrompre en urgence ses rendez-vous de travail. La masturbation n'apportait aucun soulagement. Il n'y avait rien à faire, sinon attendre que la crise soit passée, ce qui demandait au moins trente minutes sans orgasme. Les examens gynécologiques étaient négatifs. Certains médecins attribuaient ces crises à un désir sexuel insatiable, ce que la patiente trouvait humiliant. Elle finit par consulter un gynécologue qui l'envoya à une sexologue afin de réaliser une histoire sexologique détaillée. Il s'ensuivit une série d'examens neurologiques qui aboutirent à un diagnostic d'épilepsie orgasmique atypique réagissant à une médication antiépileptique.

L'une des stratégies du puritanisme de la Nouvelle Droite en matière de thérapie sexuelle a été d'établir une norme idéologique arbitraire de fréquence du coït et de l'orgasme. Une fréquence supérieure à la norme est définie comme anormale et qualifiée de dépendance sexuelle[25], dont le traitement suit les douze étapes du programme des Alcooliques anonymes.

Il n'est pas logique sur le plan scientifique de dire qu'une personne est dépendante d'un processus corporel. Un alcoolique n'est pas dépendant du fait de boire ou d'avaler, mais de la substance elle-même. La prise de la substance peut s'effectuer par la bouche, en lavement par voie rectale, ou par injection intraveineuse. C'est la répétition de cette prise, non la voie d'absorption, qui qualifie la dépendance alcoolique. C'est donc un non-sens de dire que quelqu'un souffre d'une dépendance au sexe ou aux rapports sexuels. En revanche, on peut soutenir qu'un homme est dépendant non pas au sexe en général, mais spécifiquement aux vêtements féminins. Cela suppose que le travestissement amène un sentiment de bien-être ou de soulagement de la tension ; que la soudaine liquidation de sa garde-robe féminine provoque chez le travesti une réaction de retrait ; et que ce retrait est à son tour soulagé par une frénésie d'achat de nouveaux vêtements. En outre, le travestissement n'est pas alors un simple amusement, mais un ajout essentiel à l'excitation et à la performance génitales. Dans ce cas, toutefois, le terme de fixation est plus correct que celui de dépendance.

Un homme souffrant d'une fixation sur les vêtements et incapable d'avoir un rapport sexuel adéquat en leur absence est diagnostiqué dans la nosologie officielle comme un travesti fétichiste, à savoir un travesti ayant une fixation fétichiste sur les vêtements féminins.

Le travestisme fétichiste entre dans la catégorie des paraphilies. Il est rarement, voire jamais, rapporté chez une femme. Un sujet diagnostiqué comme travesti fétichiste souffre de porter le stigmate de l'anormalité. Une stratégie d'évitement de la stigmatisation consiste à changer le nom du diagnostic. C'est ce qui s'est passé pour le travestisme. Au cours de ces dernières années, les travestis se sont autodéfinis, avec les transsexuels, comme des transgenres[26].

Une autre stratégie consiste à remettre en cause la validité même de l'inclusion de la paraphilie dans les pathologies. C'est celle qu'a adoptée le mouvement de libération homosexuelle, qui a obtenu en 1974 la déclassification de l'homosexualité en tant que pathologie et son exclusion de la nomenclature de l'Association américaine de psychiatrie[27]. Le moment était propice. La déclassification de l'homosexualité est intervenue à l'ère historique de la libération (des colonies, des Noirs, des femmes et des homosexuels), connue aussi comme l'ère présida, avant que les portes de la révolution sexuelle ne commencent à se refermer. En outre, la communauté homosexuelle s'est identifiée en langage courant sous les termes de gays et de lesbiennes. Ces mots, ayant un sens plus général que tout terme contaminé par le sexe, ont continué d'être politiquement prudents dans le climat contre-révolutionnaire des années 1980 et 1990. Dans l'usage populaire, le sexe s'est de plus en plus désengagé du genre. Au même moment, aux États-Unis, le genre est devenu neutre, alors que la criminalisation du désir sexuel se poursuivait au même rythme et se poursuit encore aujourd'hui[28].

Paraphilie

Si dans les hypophilies l'amour prime sur le désir, alors que dans les hyperphilies le désir prime sur l'amour, dans les paraphilies l'amour et le désir sont dissociés, chacun existant indépendamment de l'autre.

Cette dissociation s'illustre par exemple dans la personne d'un criminel sexuel en série, en général un homme. Il n'est pas seulement un criminel, mais aussi le voisin d'à côté. Il a un lien amoureux avec sa femme, bien qu'il n'ait pas de désir pour elle. Son désir porte sur la réalité et l'imagerie du crime sexuel, qui peut faire l'objet d'une répétition mentale. Les voisins sont stupéfaits quand il est arrêté pour crimes sexuels. Il l'est d'ailleurs lui-même jusqu'à un certain point, car il se trouvait pendant ses meurtres dans un état altéré de conscience, ou état de fugue.

Les paraphilies les plus souvent diagnostiquées sur les quarante-quatre répertoriées sont celles qui sont légalement des délits sexuels. Celles qui restent dans la légalité ne sont pas en général diagnostiquées, ou le sont mal. C'est ce qui est arrivé à une femme qui cherchait un traitement pour ce qu'elle qualifiait elle-même de nymphomanie. Chaque week-end, elle perdait une lutte intérieure pour rester à la maison et ainsi donner le bon exemple à sa fille proche de la puberté. Mais dès que l'enfant dormait, la mère reprenait sa personnalité de catin et partait pour un restaurant-bar élégant du voisinage. Là, il était prévisible qu'elle draguerait un homme sexy pour qu'il lui offre des verres et à dîner, puis qu'elle l'emmènerait coucher chez elle. Si bon amant qu'il pût être, quand c'était fini, elle était envahie du dégoût de soi et ne voulait plus jamais le revoir. Elle le jetait invariablement dehors aux premières heures de la matinée. En définissant cette routine comme hypersexuelle, elle n'en percevait pas l'élément de fixation – toujours un étranger, toujours le même endroit, le même pouvoir de séduction, la même bonne performance sexuelle et le même dégoût entraînant une expulsion sans appel. Il ne s'agissait pas d'une pulsion hyperphilique, mais bien paraphilique. Cette pulsion était-elle simplement bizarre ou franchement pathologique ? La patiente penchait pour la seconde solution.

Définir la paraphilie comme une pathologie sexuellement fixée, distincte d'une récréation sexuelle déviante ou variante, est une tâche dangereuse qui dresse la science biomédicale contre le système judiciaire. Bien avant l'encodage des délits sexuels paraphiliques dans la loi séculière, le droit canonique les avait codés comme des offenses contre la loi divine naturelle, selon les enseignements de saint Augustin. L'Église avait décrété que toute forme d'activité sexuelle excluant la possibilité de procréation était une offense contre Dieu et la nature. Ces offenses étaient notamment le sexe oral, anal et manuel, l'auto-érotisme, les rapports sexuels avec ou entre mineurs, l'érotisme homosexuel, l'exhibitionnisme, le voyeurisme, la zoophilie ou toute autre déviation de la pénétration homme-femme. Le viol n'empêchant pas la procréation, il fut codé comme un crime contre la propriété, dans la mesure où la femme appartenait à son père puis, une fois mariée, à son mari. Le sadisme et le masochisme n'apparaissent pas parmi les paraphilies avant le XIXᵉ siècle. Le Moyen Âge de la torture et de l'Inquisition fut la belle époque de la cruauté sadique. Le masochisme était alors perçu comme une pieuse pénitence ou une extase de martyr, et il est représenté comme tel dans l'art religieux de cette période.

Le code ecclésiastique de la sexualité déviante et interdite fut repris, *grosso modo*, dans le code pénal séculier. La majesté de la loi définissait *ex cathedra* la déviance sexuelle, en s'appuyant tout comme aujourd'hui sur l'autorité et la certitude de la doctrine ecclésiastique, et non sur une preuve empirique substantielle (voir aussi les chapitres V et VII).

Pathologie, récréation

À l'époque de sa création, à la fin du XIXe siècle, la sexologie fit son entrée dans le système judiciaire par le biais de la psychiatrie médico-légale, sous l'égide notamment de Richard von Krafft-Ebing (1886-1931). La psychiatrie médico-légale reprit la nomenclature judiciaire pour classer les délinquants sexuels comme des déviants et des pervers sexuels. Elle emprunta également au code pénal sa liste officielle des perversions. Finalement, les termes de perversion et de déviance laissèrent la place à celui de paraphilies, introduit dans la psychiatrie américaine par Benjamin Karpman, qui l'avait emprunté à son maître, Wilhelm Stekel, lequel affirmait l'avoir repris de I. F. Strauss[29].

En 1980, les paraphilies furent adoptées dans le DSM-III (*Diagnostic and Statistical Manual of Mental Disorders*), le manuel officiel de l'Association américaine de psychiatrie (APA). Il reconnaissait huit paraphilies : fétichisme, travestisme, zoophilie, pédophilie, exhibitionnisme, voyeurisme, masochisme sexuel et sadisme sexuel, toutes susceptibles de poursuites judiciaires. La neuvième catégorie était réservée aux « paraphilies atypiques ». Elle comportait « les nombreuses autres paraphilies existantes, mais insuffisamment décrites à ce jour pour être incluses ici en tant que catégories spécifiques ».

En 1994, dans le DSM-IV, la quatrième édition du *Manuel*, l'APA inclut une neuvième paraphilie, le frotteurisme, qui est le fait de toucher une personne inconnue ou de se frotter contre elle dans un espace public bondé, un wagon de métro par exemple. Dans la catégorie « paraphilies non mentionnées par ailleurs », sept autres paraphilies sont mentionnées uniquement par leur nom : scatologie téléphonique, scatologie, nécrophilie, partialisme, zoophilie, coprophilie, clystérophilie et urophilie. Il est remarquable que le viol ne soit pas inclus, la raison en étant qu'une délégation de femmes psychiatres et psychologues avait voté pour son exclusion. Elles voulaient que le viol soit poursuivi et puni exclusivement en tant que crime violent non sexuel, ne pouvant donc faire l'objet d'un diagnostic et d'un traitement en tant que pathologie sexologique.

Ce clivage au sein de la sexologie médico-légale sur la question du viol est un héritage d'un clivage philosophique et éthique plus ancien sur la responsabilité personnelle de la maladie. Historiquement, ce fut une rude tâche pour la médecine que de transférer un syndrome du domaine de la responsabilité morale – la non-compliance, par exemple – à celui de la science biomédicale moralement impartiale. En règle générale, cette transition ne s'effectue que lorsque l'étiologie d'un syndrome a été établie et qu'un traitement efficace a été mis en place. Il devient alors possible de traiter les symptômes, le patient ayant pour seule obligation morale de se tenir au traitement. C'est le cas de nos jours pour le traitement de la syphilis par la pénicilline, alors que l'on pouvait autrefois reprocher au patient de ne pas suivre toute une série d'instructions concernant le régime alimentaire, le sommeil, l'exercice, le grand air, le tabac, l'alcool, le travail, la prière – la liste n'est pas exhaustive. Renvoyer la responsabilité morale au patient offre toujours au médecin un alibi pour un traitement inefficace, et ce aux dépens du patient. Nous en voyons actuellement un exemple avec le Viagra, la nouvelle pilule contre l'impuissance : selon les avertissements, elle ne marche pas en l'absence de désir sexuel ou d'excitation, ce dont le patient, et non pas le médecin, est tenu responsable.

L'étiologie des paraphilies n'est pas encore comprise, et il n'existe pas de traitement unique et sûr. En conséquence, tous les patients souffrant de ces syndromes se voient souvent reprocher un manque de responsabilité morale qui les empêche de supprimer leur comportement paraphilique. Certains sujets souffrant d'une paraphilie mineure peuvent réagir au moins de façon temporaire à une intervention morale, mais ceux qui souffrent d'une paraphilie majeure n'ont pas cette chance.

La déclassification nosologique ne résout pas, comme ce fut le cas pour l'homosexualité, l'irritant problème de savoir où tracer la ligne idéologique entre le normal et l'anormal, ni où situer le seuil de tolérance envers la sexualité paraphilique. Certains rituels sont mortels et d'autres simplement excentriques. Certains sont fixés de façon immuable, d'une récurrence persistante, d'une exigence impérieuse, et imperméables à toute intervention. En revanche, d'autres rituels paraphiliques sont des récréations érotiques et non des mises en esclavage. Dépourvus de monopole exclusif sur l'excitation sexuelle, ils sont pratiqués de façon sporadique et sont susceptibles de variantes. Le sadomasochisme en est un bon exemple.

Dans la plupart des grandes villes du monde, les habitants, les visiteurs et les touristes disposent de tout un réseau d'informations sur les lieux de rencontre destinés aux gens ayant des tendances paraphiliques particulières [30]. Certains sont strictement homosexuels, d'autres hétérosexuels, d'autres encore bisexuels. Ils représentent une large variété de paraphilies, parmi lesquelles l'infantilisme, le travestissement, l'enchaînement et le fouet, la copro- et l'urophilie, le fétichisme du pied (mais pas de la main), les rapports maître-esclave, les orgies à trois ou de groupe, et le sadomasochisme. La clientèle est adulte. Les paraphilies les plus souvent représentées dans les clubs urbains sont sans doute les diverses variantes du sadomasochisme.

En défense de celui-ci, ses apologistes soulignent qu'il s'agit d'un accord mutuel entre deux adultes consentants et que cela ne regarde personne, qu'il soit pratiqué dans l'intimité ou dans un club privé avec des observateurs. Même si le sadique (le dominant) semble dominer le masochiste (le dominé), ils soutiennent que le pouvoir est en fait distribué à égalité : celui du dominant consiste à évaluer avec précision l'intensité du stimulus sadique qui donnera au dominé le maximum de plaisir, et celui du dominé consiste à évaluer le moment où le stimulus sadique atteint sa pleine intensité[31]. Les partenaires conviennent à l'avance d'un signal d'alarme. En outre, les rôles de dominé et de dominant peuvent être interchangeables selon les occasions ou le partenaire. Quand le dominant et le dominé sont en parfait accord, le degré d'extase peut atteindre un orgasme généralisé qui surpasserait l'orgasme des rapports ordinaires. De plus, les organes génitaux ne sont pas systématiquement stimulés ou exposés, de sorte que la procédure ne peut être condamnée comme pornographique. Le dominant attend une soumission et une obéissance totales, et le dominé espère être un esclave obéissant, éventuellement enchaîné, menotté, bâillonné, aveuglé, ligoté, livré à la totale discrétion du dominant. Les instruments du sadisme comportent les liens, les fouets, les aiguilles, les sondes urinaires, les seringues à lavements, le perçage des seins et de la peau, les brûlures de cigarette et les fers à repasser brûlants. La stimulation sadique s'applique progressivement, dans un crescendo où la douleur fait place progressivement à une extase transcendentale indolore.

« Les gens ne comprennent pas qu'il s'agit d'une extase naturelle, écrivait une masochiste. Pas de drogues, pas d'alcool. Et croyez-moi, vous planez plus haut qu'avec n'importe quelle drogue. C'est extrêmement spirituel. Cela implique des compétences, de la sensibilité, une forme de conscience psychique et, surtout, c'est fondé sur la sexualité, ce qui est toujours un plaisir[32] ! »

Si les procédures sadiques cessent en général bien avant la mutilation corporelle irréversible, elles peuvent aller plus loin par un accord mutuel. Il est arrivé que le consentement mutuel aille jusqu'à la mort non programmée du dominé, en cas par exemple de liens défectueux ou d'une insuffisance de discipline. Dans le

Midwest, un jeune sadomasochiste a été jugé pour meurtre. Son amie était venue le voir pour une séance de S/M ; c'était son tour d'être enchaînée et bâillonnée. Le scénario prévoyait qu'il se verse un autre verre d'alcool, pendant que sa partenaire attendait. Il s'endormit. Quand il se réveilla, elle était morte. Bâillonnée et portant un masque de cuir, elle n'avait eu aucun moyen de l'avertir que son harnais avait glissé et l'étouffait. L'accord mutuel n'avait pas suffi à éviter une catastrophe S/M.

Dans un autre cas qui aurait pu être mortel, un sadique se procurait de jeunes prostituées sans les informer de ses tendances sadiques. Il avait l'habitude, en apparence par simple excentricité, de stocker des quantités astronomiques de produits de nettoyage pour salle de bains. Ces produits étaient beaucoup plus dangereux que bizarres, car ils supposaient la possibilité de tortures sadiques, d'effusions de sang et même de morts.

En revanche, le financier ou le politicien de premier plan réclame son droit à payer la nuit une dominatrice (ou un dominateur) pour atteindre, une fois enchaîné comme un esclave, les orgasmes les plus fabuleux de sa vie. Avec sa femme, il est impuissant. Il n'abandonne pas sa carrière pour devenir un esclave permanent, possédé vingt-quatre heures sur vingt-quatre par sa dominatrice. On connaît toutefois des cas d'esclavage sadomasochiste à plein temps. Un esclave de ce type, musicien accompli, abandonna sa carrière et fit don de sa fortune à sa femme dominatrice et à la fille de celle-ci. Sans un sou, il s'arrangea pour contacter des amis médecins en les priant de le sauver. Ils choisirent un moment où sa femme était absente pour des raisons de travail et le trouvèrent enfermé dans une pièce d'isolement semblable à une cage. Ils le libérèrent et l'emmenèrent dans un refuge sûr à New York. Subrepticement, il téléphona à sa femme. Au bout de quinze jours, il disparut pour aller retrouver ses coups et son esclavage masochiste.

Comme le démontre le sadomasochisme, il est fort

difficile de tracer la ligne de partage entre la paraphilie pathologique mettant la vie en danger et la paraphilie récréative qui pimente un peu la vie. Il n'y a pas de critère absolu applicable à tous les cas. Pour certains, le fantasme paraphilique est acceptable pourvu qu'il reste dans le fantasme. Ce n'est pas le cas du paraphile fixé, qui sait que son fantasme est la répétition d'un drame qui peut à tout moment basculer du fantasme à la réalité.

La peur et l'excitation qu'inspire une telle incertitude s'expriment dans le journal d'un professeur d'archéologie à la retraite, cité avec son autorisation. Il passait dans le magazine *Drummer* des annonces où il mentionnait « son intérêt pour toute forme de privation d'air forcée, dont l'étouffement, la strangulation, la suffocation, le bras autour de la gorge et même la noyade ». Il reçut plusieurs réponses. Il rencontra ainsi Carlo, dont il écrit ceci : « Le mois dernier, Carlo m'a rendu une nouvelle visite... Il a maintenant quarante-trois ans. Deux fois au cours de sa visite de vingt-quatre heures, je me suis placé sur lui, qui portait une chemise et un short de latex, et moi un simple suspensoir et je l'ai étouffé de ma main droite passée autour de sa gorge tout en l'embrassant. Il n'a pas tenté d'échapper à mon étreinte et il a eu un orgasme. La deuxième fois, je lui ai mis un grand sac en plastique sur la tête, fermé avec du papier collant autour du cou, et je l'ai étouffé pendant qu'on s'embrassait à travers le sac. Il a encore eu un orgasme. Je ne peux plus avoir d'érection, même si j'ai de fortes émissions de *precum*. Il le comprend, et je me masturbe une fois qu'il est allé se coucher dans la chambre d'amis en bas. Carlo est le seul homme avec qui j'aie eu ce genre d'expérience. Même si j'ai souvent le fantasme d'aller jusqu'au bout, je n'envisage même pas de pousser l'étouffement de Carlo jusqu'au point où il serait totalement à ma merci. Sans doute, il l'est quand il est menotté ou attaché au lit, mais même alors, je n'envisage pas d'aller "trop loin". Je suppose qu'il y a toujours un risque qu'il ait (ou que j'aie) une crise cardiaque au cours de ce genre de scène. C'est plutôt moi qui cours ce risque, puisque j'ai soixante-quinze ans, et qu'il est dans une excellente forme physique. Quand je rencontre un homme, l'idée de la strangulation me vient généralement à l'esprit. Je regarde sa gorge et son visage, puis sa condition physique.

» Un homme, de quarante-trois ans lui aussi, qui habite l'Allemagne, vient de temps en temps aux États-Unis. Il a répondu à mon annonce en me disant qu'il est strictement dominant. Nous avons correspondu plusieurs fois et il est venu deux ou trois fois aux États-Unis, mais nous ne nous sommes jamais rencontrés. Il vient de m'écrire qu'il envisageait un autre voyage ici et qu'il souhaiterait qu'on se rencontre. Dans ses lettres, il décrit en grand détail ce qu'il voudrait me faire et faire avec moi. C'est très excitant, mais j'ai peur qu'il aille trop loin. Je vais donc lui écrire pour décliner son offre de venir me voir. »

Ratio hommes/femmes

Bien que les paraphilies existent chez les hommes et les femmes, on a longtemps cru que leur prévalence était plus forte chez les premiers. En l'absence d'une étude épidémiologique systématique, ce ratio hommes/ femmes reste une question sans réponse. Le stéréotype populaire et scientifique de la passivité sexuelle des femmes peut parfois empêcher l'apport de preuves d'une paraphilie chez une femme. Ainsi, une exhibitionniste (baubophile) assise dans un hall d'hôtel de façon à exposer ses parties génitales peut ne faire l'objet d'aucun signalement, alors qu'un exhibitionniste masculin serait arrêté. Une femme pédophile qui dort dans le même lit que son fils ou sa fille est moins susceptible d'être condamnée que ne le serait son mari dans les mêmes circonstances. Si la paraphilie d'une femme implique un

partenaire masculin, cette paraphilie sera plus susceptible d'être attribuée à l'homme qu'à la femme.

Il faut encore considérer que certaines paraphilies
sont plus prévalentes chez les femmes que chez les
hommes, et vice versa. Ainsi, une intéressante hypothèse soutient que l'imagerie des paraphilies chez la
femme est plus tactile que visuelle. Par exemple, une
femme était fixée sur le fait de frotter des petits chiens
entre ses jambes, à titre de substituts de bébés masculins [33]. Elle avait pris l'habitude dans sa prime adolescence, quand elle avait commencé à garder des enfants,
de placer des bébés – uniquement des garçons – entre
ses jambes, sexe contre sexe, et de se masturber en se
frottant contre eux. Après son mariage, les rapports
sexuels lui étaient extrêmement pénibles, mais le couple
eut trois enfants, dont deux étaient des garçons. Elle
était terrorisée à l'idée d'utiliser ses garçons pour ses
pratiques de masturbation, et utilisait des chiens
comme substitut.

Cette même femme avait des rêves et des fantasmes
qui aidaient à soulager la fixation paraphilique du frottage. Elle avait le fantasme de « beaux gros pénis »
d'hommes noirs, et non blancs comme elle, et de s'enfuir
avec un agresseur noir costaud. Ces fantasmes d'attraction fatale, avec le désir d'être enlevée et de succomber à
l'étreinte passionnée d'un ravisseur en érection, ne sont
pas rares chez les femmes. Leur prévalence dans le fans-
tasme ou la réalité en tant que paraphilie n'a pas été établie. D'un point de vue féministe, il serait politiquement
incorrect de collecter ce type de données.

CHAPITRE III

Transpositions de genre

Transposition et paraphilie

Lorsque la psychiatrie médico-légale revendiqua la sexologie médico-légale dans le dernier quart du XIXᵉ siècle, elle classa l'homosexualité parmi les perversions. L'homosexualité pouvait donc être diagnostiquée comme une maladie nécessitant une cure. Les choses restèrent en l'état pendant plus d'un siècle, jusqu'à ce que le terme de perversion soit remplacé par celui de paraphilie dans l'édition de 1980 du DSM-III. Officiellement déclassifiée depuis 1974, l'homosexualité ne fut pas inscrite parmi les paraphilies dans le DSM-III, ni dans les éditions suivantes.

Ainsi déclassifiée, l'homosexualité se trouve conceptuellement dans une classe en soi. Elle est généralement considérée comme une préférence, une orientation ou une variante normale. Ni l'hétérosexualité ni l'homosexualité ne sont indexées dans le DSM-IV de 1994. Dans les faits, l'homosexualité et l'hétérosexualité sont devenues des concepts orphelins qui n'ont plus de foyer. L'homosexualité doit pourtant aller quelque part, et ce quelque part a besoin d'un nom conceptuel. D'où l'apparition d'un nouveau terme, la transposition de genre (*gender transposition*)[1], dont il existe diverses manifestations.

La transposition de genre signifie que, dans la différenciation et le développement des hommes ou des femmes de naissance, une ou plusieurs dimensions des caractères stéréotypés masculins ou féminins se trouvent intercodées. Sous sa forme la moins complexe, l'intercodage homosexuel est unidimensionnel et se caractérise par une attirance érotique pour un membre du même sexe d'origine. Cette version unidimensionnelle de la transposition homosexuelle ne comporte aucun autre signe de transposition, comme le travestissement.

Il n'existe pas de nom pour ce type unidimensionnel de transposition, à part le terme générique d'homosexuel. Il est défini par le sexe du partenaire, peut se manifester régulièrement ou sporadiquement et signifier une homosexualité exclusive ou spécifique à certaines situations. L'homosexualité situationnelle n'exclut pas l'attirance et l'activité hétérosexuelles. Elle suppose donc un certain degré de bisexualité, quel que soit le degré de constance ou de sporadicité dans l'histoire sexologique.

Le terme « homosexuel » est à la fois un adjectif et un nom. En tant qu'adjectif, il s'applique à un acte sexuel entre deux membres du même sexe d'origine. Par extension, surtout en matière pénale, il s'applique à une personne connue pour avoir participé d'une façon ou d'une autre à un acte homosexuel. En tant qu'adjectif, le terme « homosexuel » ne différencie pas l'homosexualité situationnelle de l'homosexualité exclusive. En revanche, le substantif sert toujours à désigner, souvent pour le stigmatiser, un sujet chez qui l'attirance et l'excitation érotiques pour le même sexe l'emportent sur l'attirance pour l'autre sexe.

L'homosexualité situationnelle peut tenir à une ségrégation hommes/femmes liée à l'âge et à l'activité. Elle est plus prévalente dans l'adolescence qu'à l'âge adulte, où elle apparaît surtout dans des institutions punitives ou militaires pratiquant la ségrégation des sexes. Chez les

pensionnaires de ce type d'institutions, il existe toutefois des individus n'ayant aucun potentiel bisexuel,
même à long terme, qui sont incapables de répondre sur
le plan érotico-sexuel à un partenaire du même sexe[2].
Un jeune prisonnier racontait qu'il n'était sexuellement
excité et n'avait une érection dans les douches
communes que si la morphologie d'un autre jeune prisonnier se métamorphosait, dans son imagerie mentale,
en celle d'une femme nubile[3]. Une fois sorti de prison,
ce jeune homme reprit une vie exclusivement hétérosexuelle.

La transposition de genre multidimensionnelle concerne
non seulement l'attirance et les pratiques homosexuelles,
mais aussi les autres dimensions des stéréotypes sexuels :
éducation, vocation, divertissement, loi, habillement, et
toute la sémiotique du sexe régulée par la société, à savoir
l'étiquette, la mode, l'intonation de la voix et le langage corporel. Chez les hommes, un résultat de la transposition de
genre multidimensionnelle est ce que l'on appelle une
« folle », une *drag queen*, soit le type féminoïde du mâle. De
même, la lesbienne virile, souvent dite *butch*, est le type
masculinoïde de la femme de naissance. Entre ces deux
extrêmes de transposition de genre uni- et multidimensionnelle, il existe divers degrés et combinaisons d'intercodage
sexuel.

Les deux extrêmes de la transposition de genre sont
reconnus depuis l'Antiquité. En latin, un jeune homme
ayant une transposition de genre multidimensionnelle
était appelé un catamite (du latin *catamitus*, dérivé du
Ganymède des Grecs, l'amant de Zeus). Il n'existe pas de
nom correspondant pour les femmes. Chez les hommes,
le catamite était systématiquement le pénétré dans la
copulation anale.

Sur les traces de l'Antiquité, l'Europe méditerra-
néenne maintient la distinction entre pénétrant et
pénétré chez les hommes. Cette distinction s'est répandue de la Méditerranée à la culture latino-américaine,
où elle a été étudiée notamment chez les Portoricains[4],

les Mexicains de Guadalajara[5] et les Brésiliens[6]. L'homme qui pénètre est l'*activo* ; celui qui est pénétré, le *pasivo*. Il n'existe pas de nom spécifique pour ceux qui pratiquent les deux. Les *pasivos* sont stigmatisés. Les *activos* peuvent échapper à toute stigmatisation, pourvu qu'ils soient discrets. Les *activos*, bien que bisexuels dans leur histoire comportementale, se définissent comme des *hombres* (hétérosexuels). Ils invoquent des circonstances atténuantes, comme le fait d'être ivre, de manquer d'argent ou de femmes, pour expliquer leur recours au sexe avec un *pasivo*. Ce qui porte atteinte à l'image du macho n'est pas d'avoir une activité de pénétration avec un autre homme, mais de le caresser et de l'embrasser. L'intimité des caresses et des baisers n'est digne du macho qu'avec une partenaire féminine.

Dans la littérature sexologique, les hommes de naissance qui, comme les *activos*, ont un degré unidimensionnel d'intercodage homosexuel sont souvent caractérisés comme ayant une identité de genre masculin et une orientation homosexuelle. Il est plus juste et plus précis de dire que leur identité/rôle sexuel est masculin dans toutes ses dimensions (éducative, vocationnelle, récréationnelle, vestimentaire, sémiotique, légale), sauf pour la dimension éroto-sexuelle d'attirance et/ou de passage à l'acte épisodique avec des partenaires du même sexe d'origine[7]. La même chose s'applique dans le cas du lesbianisme.

Tant les expressions unidimensionnelles que multidimensionnelles de la transposition de genre peuvent coexister avec une paraphilie. C'est pourquoi il est satisfaisant pour le bon sens comme pour la logique scientifique de séparer la transposition de genre de la paraphilie. Les paraphilies ne sont pas spécifiquement et exclusivement hétérosexuelles ou homosexuelles. Elles peuvent être l'une ou l'autre, ou encore bisexuelles.

Quand une paraphilie coexiste de fait avec une transposition de genre, leur coexistence est fortuite plutôt que systématiquement corrélée. Dans un cas de ce genre, on peut concevoir que ce qui a dévié dans le développement au point de frayer la voie à une idéation et une imagerie paraphiliques a en même temps frayé la voie à une différenciation déviante de l'identité/rôle sexuel. Dans certains cas d'homosexualité, l'imagerie paraphilique peut échapper à l'attention. L'histoire sexologique devrait donc commencer par une enquête laissant toutes les réponses ouvertes. L'enquête ouverte doit être suivie d'un interrogatoire détaillé, mené selon la technique du commentateur sportif, soit une narration point par point de la séquence événementielle[8].

On trouve un exemple de paraphilie hétérosexuelle doublée d'une transposition de genre mineure difficile à déceler dans l'autobiographie d'un asphyxiophile publiée sous le titre *The Breathless Orgasm*[9]. Son auteur, Nelson Cooper, a cherché un traitement pour se prémunir d'une mort par strangulation auto-érotique. Depuis sa prime enfance, il était extrêmement attiré par des femmes effrayées par la surintensité de son désir. Après la puberté, outre l'autostrangulation, l'imagerie érotique de ses rêves et de ses fantasmes mettait en scène des femmes en train de se noyer ou d'être étranglées. Cette imagerie était en partie empruntée à ses enregistrements vidéo de films diffusés à des heures de grande écoute à la télévision. Ce n'était que dans ses fantasmes et la pratique de l'autostrangulation qu'il se percevait lui-même comme une fille. Il se tenait devant un miroir en sous-vêtements très ajustés, des collants de danse autour du cou, s'imaginant être étranglé par un homme qui s'approchait de lui subrepticement par-derrière, comme aurait pu le faire un tueur en série homosexuel.

Dans le miroir, Nelson Cooper voyait son reflet comme celui d'un garçon homosexuel bien proportionné, pas celui d'une fille. Il ne se travestissait pas et ne s'était pas attribué de nom féminin. On sait toutefois, par des rapports de légistes sur la mort accidentelle par autostrangulation chez les hommes, que ceux-ci portaient des vêtements féminins lors de ce rituel auto-érotique de l'asphyxiophilie [10]. Dans certains cas, les vêtements avaient appartenu à la mère. Même après des années de pratique, il suffit d'une erreur d'une fraction de seconde dans l'ouverture du nœud coulant auto-asphyxiant pour provoquer une perte de connaissance et la mort. Dans ce cas, c'est l'alter ego travesti et stigmatisé, bien qu'érotisé, qui meurt.

On trouve un autre exemple de transposition de genre associée à la paraphilie dans le cas d'un homme ayant une histoire adulte de travestissement paraphilique qui se révéla des années plus tard un infantilisme paraphilique [11]. Les apparences étaient trompeuses. Il montra comment il portait des couches adultes et faisait des « au revoir » de la main, tétant un biberon de lait et mouillant ses couches. Le sexe du bébé était d'abord indéterminé, mais il finit par lui attribuer un nom de garçon qu'il garda pendant des années. La transition entre le fait de s'habiller en bébé et le travestissement en femme avait son origine dans l'enfance, quand sa mère l'avait puni en le faisant parader dans la rue vêtu d'une robe et portant une couche. Elle l'avait humilié en disant à ses camarades d'école qu'il était puni pour avoir mouillé son lit. Son rituel de bébé paraphilique dégoûtait sa femme, mais c'était plus tolérable que de le voir faire l'amour habillé en femme pour maintenir son excitation sexuelle. Après avoir accompli son rituel de coucher de bébé, il s'endormait, et réveillait sa femme en lui tétant les seins. Puis ils faisaient l'amour.

Échelle et typologie de Kinsey

La transposition de genre homosexuelle peut être graduée sur une échelle bipolaire quasi quantitative qui va d'une homosexualité exclusive à une hétérosexualité exclusive en passant par la bisexualité. C'est ce que l'on appelle l'échelle de Kinsey [12]. C'est une échelle sur sept points, graduée de six à zéro, où six désigne l'homo-sexualité exclusive et zéro l'hétérosexualité exclusive.

L'échelle de Kinsey est unidimensionnelle. Son unique dimension est la prévalence des actes homo-sexuels et hétérosexuels accomplis à un âge et sur une période de temps donnés. Ces actes se divisent en deux sections : d'une part les occurrences réelles, et de l'autre les occurrences dans l'idéation et l'imagerie.

Cette échelle n'établit aucune distinction entre diffé-rents types d'homosexualité et d'hétérosexualité. Ainsi, un militaire de haut rang qui se conforme en tous points au stéréotype masculin, à ceci près qu'il est exclusive-ment homosexuel au lit, recevrait un six sur l'échelle de Kinsey. Ce même chiffre serait attribué à un travesti masculin qui vit en permanence avec une femme, per-sonnifie une prostituée féminine et n'a pour clients que des hommes. Cette échelle retomberait de six à zéro si le travesti vivait et s'habillait tout le temps en femme, même au travail, et n'avait de rapports sexuels, même rares, qu'avec sa femme et jamais avec un autre homme.

Pour compliquer encore le système unidimensionnel, ce même mari repasserait de zéro à six si, après avoir subi une opération pour se transformer en femme, il devenait l'amie lesbienne de sa propre femme. Mais si, après être devenu une femme, il prenait un nouvel ami masculin et n'avait plus jamais de rapports avec une femme, ce chiffre retomberait une fois de plus à un zéro hétérosexuel !

Il nous faut à l'évidence une échelle multidimension-nelle. Une telle échelle peut être dépeinte métaphorique-ment comme un fuseau percé de multiples barres bipolaires allant du masculin au féminin[13]. Elle nous permettrait de mesurer sur des axes séparés l'adhésion aux stéréotypes masculins et féminins dans le partena-riat sexuel, la vocation, l'éducation, la récréation, les arrangements domestiques, le code vestimentaire, de maquillage et d'ornement, l'étiquette, les manières, la cadence vocale, le langage corporel, l'image corporelle et la morphologie corporelle.

Sur une échelle multidimensionnelle, chaque axe a son propre type d'échelle bipolaire de Kinsey, avec un continuum allant des transposés de genre aux non-transposés, le critère standard étant celui du sexe d'origine. Par exemple, sur la dimension homosexuelle/hétérosexuelle, le transposé de genre est homosexuel et le non-transposé est hétérosexuel. Sur la dimension de l'image corporelle, la transposition de genre se manifeste comme un travestissement ou un transsexualisme à plein temps. En revanche, sur la dimension de l'image corporelle, ne pas être transposé revient à avoir une image corporelle concordante avec le sexe morphologique d'origine.

Contrairement aux attentes, on constate que la transposition de genre sur l'axe de l'image corporelle ne s'accompagne pas nécessairement d'une transposition sur l'axe homosexuel/hétérosexuel : dans le travestissement et le transsexualisme, l'individu est parfois hétérosexuel, parfois homosexuel et parfois bisexuel et, rarement, asexuel. L'échelle multidimensionnelle prend en compte le fait que la dimension homo/hétérosexuelle et la dimension de l'image corporelle ne se situent pas sur le même continuum. Bien qu'elles puissent parfois se chevaucher, ces deux dimensions représentent une typologie bimodale.

Image corporelle
et morphologie corporelle

À l'origine, le terme d'image corporelle était la contrepartie du schéma corporel [14]. Ce dernier est un terme neurobiologique désignant la représentation du corps dans le cerveau. L'image corporelle est un terme de psychologie désignant la représentation mentale du corps qui, loin d'exclure sa représentation cérébrale, le localise parfois comme un « fantôme intérieur », titre du livre des spécialistes des neurosciences V. S. Ramachandran et

Sandra Blakeslee [15]. Ramachandran a découvert qu'après l'amputation d'un membre, les cellules nerveuses qui étaient connectées à ce membre ne s'atrophient pas. Elles développent de nouvelles fibres dendritiques qui s'attachent à l'organe le plus proche – soit, dans le cas du pied et du mollet, les organes sexuels. Après l'amputation de la partie inférieure de la jambe, les cellules nerveuses du cortex cérébral s'attachent aux nerfs voisins des parties génitales. Le résultat pour un patient qui s'était auto-amputé fut la découverte d'une sensation érotique inattendue lorsqu'il touchait son moignon, et une intensification de l'orgasme lorsqu'il se masturbait en même temps. Il avait un diagnostic sexologique d'amputéisme paraphilique (apotemnophilie) et avait provoqué un accident pour obtenir une morphologie corporelle en accord avec son image sexuelle d'amputé.

L'image corporelle et la morphologie corporelle peuvent être concordantes ou discordantes. La discordance remplit le marché médical et chirurgical de candidats à une intervention visant à altérer leur morphologie pour la faire concorder avec leur image corporelle idéalisée. Certains candidats cherchent le retour de la jeunesse ou du corps d'origine et/ou le renforcement de leur sex-appeal – un lifting ou une augmentation des seins pour les femmes, et un allongement ou un élargissement du pénis pour les hommes, notamment chez les homosexuels. L'intervention de chirurgie esthétique s'étend au tatouage du corps, un ancien rite de virilité pratiqué dans de nombreuses parties du monde, notamment en Polynésie. Le tatouage est actuellement en vogue pour les femmes comme pour les hommes, ainsi que le piercing sur diverses parties du corps – les oreilles, les narines, les lèvres, la langue, les seins, le nombril, les parties génitales – où l'on enfile des bagues, des broches et d'autres bijoux. Si le perçage des oreilles et du nez est un antique héritage cosmétique pour les femmes, la vogue du piercing pour les hommes est récente. Les perçages du sexe, du nombril et du sein sont un signe d'appartenance dans certains cercles sadomasochistes. Ces piercings sont aussi à la mode dans la communauté homosexuelle masculine.

Transsexualisme

Le terme de travestisme (le mot latin signifie « travestissement ») a été forgé au début du XXᵉ siècle par Magnus Hirschfeld [16]. Il a comblé un vide dans le vocabulaire clinique et médico-légal. Il prenait le travestissement comme caractère définissant de ce qui allait être ensuite séparé en différentes entités. L'une de ces entités allait prendre le nom de transsexualisme [17].

Dans le transsexualisme, le sexe de l'image corporelle est en variance avec le sexe morphologique d'origine. Le même terme sert à désigner le phénomène proprement dit et sa méthode de traitement et de réhabilitation par une réassignation sexuelle hormonale et chirurgicale [18]. Ainsi, la morphologie corporelle subit une transposition de genre pour se rapprocher autant que possible de l'image corporelle déjà transposée, qu'elle soit habillée ou nue.

La dysphorie de genre est un autre nom du transsexualisme. Elle a pour critère une détresse intrapsychique et une absence de bien-être. Dans le DSM-IV de 1994, le transsexualisme a été remplacé par le trouble de l'identité sexuelle chez l'adulte. Au cours de ces dernières années, les transsexuels eux-mêmes, en tant que groupe organisé de consommateurs médicaux, ont favorisé le terme d'identité transgenre [19].

Travestisme mimétique

« Transgenré », comme le travestisme de Hirschfeld voici un siècle, est un terme plus inclusif que « transsexuel ». Il s'applique au phénomène du transsexualisme comme du travestisme, le premier s'accompagnant d'une transformation chirurgicale du sexe et l'autre non. Dans l'usage classique, le travestisme signifie simplement se travestir sur le plan vestimentaire. L'un de ses types spécifiques est mimétique (du grec *mimos*, « mimique »), à savoir la *gynemimésis* chez les hommes et l'*andromimésis* chez les femmes. Dans le travestisme mimétique comme dans le transsexualisme, le genre de l'image corporelle est transposé et contredit la morphologie corporelle, à ceci près que les parties génitales sont exemptées de chirurgie.

Le travesti gynémimétique est une femme avec un pénis qui vit en permanence en tant que femme, ne s'habille que de vêtements féminins, gagne sa vie en tant que femme et n'a de relations sexuelles qu'avec un partenaire masculin, qu'il s'agisse d'une relation brève ou à long terme. De même, le travesti andromimétique est un homme avec une vulve qui vit, travaille et s'habille en permanence comme un homme et n'a que des femmes pour partenaires sexuels.

Les travestis mimétiques peuvent obtenir un traitement aux hormones sexuelles pour induire une seconde hormonalisation pubertaire du corps, afin que celui-ci s'accorde autant que possible avec l'image corporelle transposée. Toutefois, la transformation hormonale après la première puberté n'est pas aussi complète que si elle avait été entreprise avant la puberté. Les hormones sexuelles ne sont sur le marché que depuis qu'elles ont été synthétisées dans les années 1930.

Hijras

Le travestisme mimétique existe dans toutes les cultures et a été institutionnalisé de diverses façons selon les phases historiques et les régions du monde. En Inde, on appelle *hijras* les hommes gynémimétiques[20]. Certains d'entre eux n'ont pas de testicules, de scrotum ou de pénis, raison pour laquelle les Britanniques les ont qualifiés à tort d'hermaphrodites souffrant de défauts sexuels congénitaux, ou d'eunuques castrés par leurs propres gourous chirurgicaux. Il n'y a pas, dans le traitement traditionnel des *hijras*, de technique de construction d'une cavité vaginale, ni d'apport externe d'œstrogènes pour provoquer une croissance des seins ou supprimer l'effet de la masculinisation hormonale. La castration radicale, si elle fait partie de l'idéal du *hijra*, n'est qu'optionnelle.

Les *hijras* vivent dans des communautés sous la supervision d'un gourou. Dans un même district, plusieurs maisons sont plus ou moins confédérées et ces confédérations régionales sont à leur tour plus ou moins organisées sur le plan national. Tous les dix ans, leurs membres se rassemblent par milliers dans un congrès national.

Une façon traditionnelle de gagner sa vie pour une maisonnée de *hijras* consiste à tenir une maison de bains publics. Une autre consiste à jouer les importuns dans la rue avec des danses et des chants plus ou moins obscènes lors d'un important mariage ou de la naissance du fils d'une famille riche, jusqu'à ce qu'on les paie pour s'en aller. Certains *hijras* sont entretenus par un partenaire sexuel, souvent un homme marié et père de famille. D'autres sont disponibles pour des liaisons occasionnelles rémunérées où ils jouent le rôle de la femme.

Au sein de la société indienne, les *hijras* sont à la fois une caste et un culte religieux ayant sa propre déesse, Bahuchara Mata. Les *hijras* ne recrutent pas de nouveaux membres mais sont recherchés par ceux qui s'identifient eux-mêmes comme des candidats. Il n'y a aucun membre féminin dans l'organisation sociale *hijra* masculine, ni ailleurs.

D'une culture à l'autre, il existe de nombreuses variantes de la tradition populaire des *hijras*, mais ce n'est qu'en Inde que la tradition inclut l'ablation des parties génitales[21]. Dans la médecine occidentale moderne, l'introduction récente de la réassignation sexuelle chirugicale et hormonale reste une exception.

Travestisme théâtral

Le travestissement peut exister sous forme de divertissement récréationnel et/ou théâtral, comme dans le défilé du Mardi gras ou les parades de la Gay Pride. Souvent qualifié de simple travestisme, ce type de travestissement prend le nom spécifique de travestisme théâtral. Il peut être sporadique et situationnel, comme c'est le cas de la plupart des *drag queens*. Il peut tenir au goût du déguisement, comme dans l'espionnage. En outre, de nombreux comiques gagnent leur vie en apparaissant régulièrement travestis sur la scène ou devant les caméras.

Dans le travestissement théâtral sporadique ou régulier, la transposition de genre de l'image corporelle porte surtout sur l'ornement extérieur du corps, sans altération hormonale ou chirurgicale du corps lui-même. En revanche, la transposition de genre du langage corporel est une autre histoire. La perfection du langage corporel transgenré est un *sine qua non* de l'excellence dans le travestissement théâtral.

Tout grand acteur ou actrice est théoriquement capable d'exceller dans un rôle théâtral travesti, qu'il s'agisse d'un drame shakespearien ou d'un film contemporain. En revanche, l'excellence dans le travestisme théâtral peut dépendre du choix de l'acteur pour le rôle : seuls ceux qui ont une disposition non décelée pour le travestisme mimétique obtiennent le rôle. Cette disposition implique parfois une certaine transposition de genre, qui peut ne concerner que le langage et l'image corporels, et pas l'idéation et l'imagerie érotico-sexuelles.

Les acteurs du théâtre Kabuki japonais en sont un bon exemple. Selon une longue tradition, il n'existe pas

d'actrices kabuki. Tous les rôles féminins sont inter-
prétés par des hommes. Ils suivent une formation rigou-
reuse, de préférence dès l'enfance, en vocalisation et
langage corporel féminin. Une fois qu'ils ont passé leur
examen, ils ne sont pas exclus du Kabuki s'ils sont
homosexuels. Ils ne le sont pas non plus s'ils sont les fils
non homosexuels d'acteurs jouant des rôles de femme
qui ont été suffisamment hétérosexuels pour avoir eu un
fils marchant sur leurs traces. Cette relation filiale
n'indique pas de façon précise le moment où ce suivi
commence. Ce peut être le résultat d'une prédisposition
génétiquement transmise, un effet de l'éducation, ou
encore une combinaison des deux.

Travestisme paraphilique

Dans la nomenclature de l'American Psychiatric Association, le terme de fétichisme travesti est apparu dans
le DSM-IIIR en 1987. Dans sa version révisée de 1994, la
terminologie a changé en faveur du *travestisme fétichiste*. Les données dont nous disposons indiquent que
le type fétichiste de travestissement existe essentiellement, voire uniquement, chez les hommes. Il se caractérise par le port de lingerie ou d'autres vêtements
féminins qui stimule, et peut même conditionner, l'excitation et la performance érotico-sexuelle, y compris
l'atteinte de l'orgasme. Privé de ces vêtements, le sujet
peut se stimuler en se repassant mentalement le film
d'une performance précédente.

Privé de partenaire, le travesti fétichiste peut se masturber avec des vêtements féminins, comportement plus
fréquent à la puberté et à l'adolescence que plus tard.
Comme tout fétiche, le recours aux vêtements féminins
est parfois un substitut d'un partenaire vivant. Toutefois, si le partenaire n'est pas présent en personne, il
peut être représenté dans l'idéation et l'imagerie érotiques – dans un fantasme de masturbation par exemple.

Le partenariat, en personne ou en fantasme, est moins susceptible d'être homosexuel qu'hétérosexuel, même si les deux possibilités existent.

La dépendance fétichiste aux vêtements féminins pour une excitation génito-sexuel est comme un pont enjambant l'écart métaphorique entre transposition de genre de l'image corporelle et fixation paraphilique. Comme il est manifeste dès les années d'adolescence et de jeunesse, le travestissement paraphilique peut être la seule manifestation patente de transposition de genre sur la carte affective. Cette situation peut perdurer toute la vie, assurant une performance sexuelle adéquate, en concordance avec le sexe d'origine. Mais il arrive souvent que les rapports sexuels souffrent d'une apathie et d'une inertie progressives. La transposition de genre peut alors s'étendre au-delà du travestissement pour satisfaire un fantasme d'image corporelle qui a cessé d'être dormant, ou réaliser une transformation transsexuelle complète.

Le passage du travestissement au transsexualisme peut être précipité par un stress de catastrophe (traumatique), dû par exemple à la mort soudaine d'un conjoint ou à un diagnostic de cancer pour soi-même (données non publiées). C'est comme si la fille nubile longtemps dissimulée dans l'image corporelle pouvait, une fois libérée, offrir au sujet une chance de réincarnation ou une nouvelle vie. Ou encore, le transsexualisme peut être le dévoilement longtemps repoussé d'un fantasme de transposition de genre qui devient insistant. Ce fut le cas d'un homme ayant une longue histoire d'idéation et d'imagerie de féminisation qui se débarrassa de ses testicules. Il acheta dans une boutique d'instruments agricoles un kit de castration pour animaux et se castra lui-même dans une chambre de motel. Il espérait que ses grands enfants et sa femme ignoreraient ce qu'il avait fait, mais une infection du scrotum le contraignit à se découvrir.

Il était euphorique de s'être débarrassé de ses testicules. S'il regrettait de ne pouvoir satisfaire sa femme par des relations de pénétration, il jugeait que pour sa part, ses relations sexuelles n'avaient jamais été aussi heureuses. Il l'expliquait en disant qu'il ne se sentait plus encombré par une érection venant lui rappeler qu'il n'était pas une fille. Cette fois, il s'oubliait totalement en tant qu'homme lorsqu'il faisait un cunnilingus prolongé à sa femme tout en se pensant lui-même comme une lesbienne, ce qu'il trouvait très gratifiant.

Sa femme n'avait pas d'objection au sexe oral, mais souffrait de l'absence de pénétration. Néanmoins, elle repoussa une offre sérieuse de la part du frère de son mari, qui avait toujours eu une passion pour elle, de divorcer pour l'épouser. Ils vivraient tous les trois ensemble pour qu'elle puisse continuer à protéger son premier mari. Ses scrupules religieux s'opposaient à cette solution, de sorte qu'elle poursuivit avec son mari une relation fidèle, bien qu'avec une vie sexuelle de moins en moins intense.

Syndrome skoptique

Dans le monde agricole, la castration des animaux est une question de nécessité et non d'éthique, alors que chez l'homme, elle constitue une mutilation. L'exception est constituée par les captifs esclaves que l'on a castrés pendant des siècles pour les rendre plus dociles et plus faciles à dominer. On procédait aussi à l'ablation des testicules chez les garçons et les adolescents formés à la surveillance des harems pour les rendre infertiles. On pouvait également supprimer le pénis pour prévenir la copulation, sans que cela garantisse l'absence de caresses et de sexe oral, pourtant non moins interdits dans le harem. Dans la Chine impériale, les garçons étaient castrés pour pouvoir occuper de hautes fonctions administratives en tant qu'eunuques. En Europe, jusqu'au XIXᵉ siècle, certains enfants de chœur étaient castrés pour devenir des hautes-contre dans des chœurs religieux exclusivement masculins et pour tenir les rôles de femme dans les opéras.

Au XIX⁰ siècle, la castration forcée des inadaptés à des fins d'eugénisme fut vivement débattue. La doctrine de la pureté de la race, reprise par Hitler, culmina dans l'Holocauste. Par la suite, l'idée de castration eugénique tomba en disgrâce. Mais en médecine, la castration est devenue acceptable en cas de cancer des testicules, lorsque la suppression de cette source de testostérone permet de ralentir la croissance du cancer dans d'autres organes. La question de l'ablation des gonades en l'absence de signes patents de maladie est revenue au premier plan des problèmes d'éthique dans la seconde moitié du XX⁰ siècle, la réassignation sexuelle des transsexuels s'accompagnant d'une castration chirurgicale. Les mêmes questions d'éthique se posent à propos de la castration volontaire pour les délinquants sexuels.

L'opinion en faveur des délinquants sexuels qui réclament une castration pour diminuer ou prévenir une récurrence de délits reste minoritaire. Selon l'opinion courante, les délinquants sexuels, surtout ceux qui ont été appréhendés et emprisonnés, sont incapables de donner un consentement réellement informé à une procédure encore préconisée comme une forme de punition. Il en résulte que la castration n'est pas autorisée comme forme de thérapie. Dans une moindre mesure, il en va de même pour la castration chimique (réversible) par une hormone anti-androgène. Mais en tant que punition, le traitement hormonal peut être obligatoire, comme dans certains États des États-Unis. Rejeté comme prévention médicale, l'anti-androgène est accepté à titre de châtiment judiciaire !

L'aura négative qui entoure la castration nous empêche généralement de prendre au sérieux les sujets dont la vie entière est gouvernée par une fixation sur le désir de devenir eunuque. Ce trouble, le syndrome skoptique[22], tire son nom des Skoptsi, une secte chrétienne russe dissidente fondée au XVIII⁰ siècle[23].

En russe, un *skoptsi* est un bélier castré. Les Skoptsi prenaient Matthieu (19,12) au pied de la lettre, « car il y a des eunuques qui le sont dès le ventre de leur mère ; et il y en a qui le sont devenus par les hommes ; et il y en a qui se sont rendus eux-mêmes eunuques à cause du royaume des cieux. Que celui qui peut comprendre le comprenne ». Ils adoptèrent la castration comme geste salvateur. En 1771, deux de leurs chefs, Ivanov et Selivanov, furent tenus responsables de l'autocastration de treize de leurs adeptes. Ils furent tous les deux condamnés et déportés en Sibérie. Selivanov s'échappa et dirigea la secte jusqu'à sa mort en 1832 à l'âge de cent ans, autoproclamé Dieu des Dieux et Roi des Rois. Vers 1874, on estimait que la secte comptait cinq mille membres, dont mille femmes. Alors que la marque de l'appartenance pour les hommes était l'ablation des testicules et du pénis, pour les femmes, c'était la destruction des seins. Déclarés hors la loi en Russie, certains membres de la secte trouvèrent refuge en Roumanie. Les derniers survivants moururent dans les années 1920, laissant quelques photographies médicales attestant de leurs pratiques chirurgicales.

Avec le recul, il est fort possible que Selivanov, chef des Skoptsi, ait eu lui-même une fixation sur le fait d'être un eunuque, dont il trouva une explication dans la seule source de sagesse qui lui était accessible, la Bible. En tant que rituel religieux, la castration l'élevait à une position charismatique qui lui permettait de recruter des convertis qui « se faisaient eux-mêmes eunuques à cause du royaume des cieux ».

Cas d'automutilation

Même en l'absence d'un recrutement charismatique, il existe à chaque génération des sujets qui développent d'eux-mêmes une fixation sur l'état d'eunuque parce qu'ils estiment que la castration va éradiquer ce qu'ils perçoivent comme le fardeau de la sexualité. Il est arrivé qu'un sujet, après avoir désespérément cherché un chirurgien pour le castrer, se porte candidat pour une réassignation sexuelle sans ablation du pénis. D'autres se sont fixés sur un programme d'autocastration. L'autobiographie d'un de ces sujets a été publiée avec son autorisation[24]. Étant étudiant, il parvint sur une période de trois ans à une autocastration bilatérale à l'aide d'un couteau de poche et de scalpels fabriqués à partir de lames de rasoir. Son bloc opératoire était un cabinet dans les toilettes de l'université. Il utilisait de la glace et de l'Alka-Seltzer comme analgésiques, et aucun anesthésique :

« Avec l'ablation des testicules, j'attendais et j'espérais une perte substantielle de pulsion sexuelle et un retour à un état émotionnel beaucoup plus favorable. En fait, il y a eu une réduction de la libido et de la puissance sexuelle, mais ces changements sont restés assez mineurs. Par en dessous, la folie bouillonnante du désir semblait plus forte que jamais. J'ai largement attribué cela au membre génital restant et j'ai entrepris de l'attaquer avec un scalpel pour tenter d'en sectionner les nerfs. Sur plusieurs mois, j'en ai sectionné beaucoup (très probablement), y compris le nerf dorsal. L'effet en a été bien plus profond que la castration, mais a malheureusement entraîné un changement catastrophique. Apparemment, mon système nerveux ne supportait pas le choc d'être privé de l'excitation du pénis, stimulus dont il était devenu extrêmement dépendant, même si je le méprisais... J'ai connu à ce moment une perte presque totale de la capacité à ressentir du plaisir sous une forme quelconque, une terrifiante sensation de froid et de suffocation remplaçant toutes les sensations habituelles de la vie. À cette époque, j'allais à l'université dans l'Illinois, mais étant pratiquement handicapé, j'ai dû quitter l'école et j'ai fini par m'adresser à un psychiatre. C'était toutefois le signe d'un échec décevant et humiliant. »

Il finit par arrêter la chirurgie d'autodénervation à l'âge de vingt-neuf ans, et se sentit assez bien pour réintégrer l'université, où il obtint une licence en informatique. Il écrivait : « Bien qu'elle soit loin d'être parfaite, la vie semble valoir d'être vécue. En fait, elle a un tel potentiel que j'ai pris des arrangements pour être congelé en cas de décès, au cas où il devienne possible un jour de faire revivre des restes congelés. Je ne me sens plus consumé par cette passion non voulue, indésirable, ni entravé par l'autorefoulement ni même prostré par le sentiment de la perte. [...] Je sens que l'abstinence sexuelle est la meilleure solution, au moins pour certains d'entre nous, et je préfère vivre sans la pulsion sexuelle qui m'a causé tant de difficultés et était un tel fardeau pour moi. Mais il ne semble guère raisonnable de devoir en passer par tout ce drame qui a formé une si grande part de ma vie. Il doit sûrement y avoir une meilleure voie. »

Il n'est pas rare que la consommation de la fixation ouvre une période de contentement. Dans le cas présent, la satisfaction venait de la fin de la fixation sur la castration au profit d'une fixation sur la résurrection et la nouvelle naissance par la cryogénie. À l'âge de trente-huit ans, l'ancien informaticien avait fait carrière dans le marché de la préservation cryogénique des corps. Pas besoin de testicules pour générer une nouvelle naissance ! Telle est la surprenante économie de la psyché dans l'autoréhabilitation.

On n'a pas encore découvert d'étiologie satisfaisante à la fixation de cet homme. Sa propre tentative autobiographique de trouver son origine dans le développement infantile est un récit chronologique, non une explication scientifique causale. Le cerveau garde les secrets de ses propres fixations.

Morphologie attirante

Si l'on considère l'ensemble de la planète, il est parfaitement évident qu'il n'existe pas de critères universels de ce qui constitue, aux yeux des hommes comme des femmes, l'image idéalisée de l'attractivité érotico-sexuelle. Les critères de séduction varient d'une culture à l'autre et changent en fonction de la mode. Il est donc tentant de souscrire à la doctrine actuelle du constructivisme social, à savoir que l'attraction érotico-sexuelle est une entité socialement construite, transmise par un endoctrinement social de la jeune génération par l'ancienne. Le constructivisme social n'a pas de place pour un attractant érotico-sexuel qui, comme l'attractant phéromonal des sous-primates, serait intégré chez l'homme de façon innée et transmis à tous les nouveaux membres de l'espèce.

Néanmoins, il existe un dénominateur commun partagé par toutes les variantes culturelles et tous les modes d'attractivité érotico-sexuelle, à savoir la morphologie corporelle du partenaire. Pour la majorité des hommes, partout, la morphologie féminine est un attractant puissant, de même que la morphologie masculine pour les femmes. Au plan évolutionnaire, il n'est guère surprenant que l'espèce humaine, à l'instar des autres espèces, possède une méthode phylogénétique intégrée, un phylisme [25] pour l'attractivité et la réaction érotico-sexuelles, dont la fonction est d'assurer que les mâles et les femelles s'accouplent et garantissent la survie de l'espèce.

Dans la sexologie évolutionnaire, une nouvelle théorie [26] soutient que le cerveau humain possède de façon innée un mécanisme phylétique codant la reconnaissance de la morphologie corporelle comme un attractant érotico-sexuel. Il paraît clair que si l'odeur du phéromone n'est pas un attractant humain majeur, quelque chose doit prendre sa place. Chez l'espèce humaine, la visualisation du désir n'est guère discutable. La majorité des hommes sont attirés par la forme et le contour de la silhouette féminine en tant qu'attractant érotico-sexuel. De même, les femmes sont en général attirées par la forme et le contour de la silhouette masculine, et plus encore si elle est en partie habillée au lieu d'être complètement nue. Les femmes tendent moins que les hommes à se focaliser sur des régions particulières du corps, notamment les parties génitales. La modestie inculquée par la société peut empêcher l'attraction sexuelle pour des organes génitaux dénudés, mais non pour la morphologie corporelle dans son ensemble, car avec ou sans vêtements, le corps est un attractant sexuel.

Par rapport à l'attraction hétérosexuelle, ce qui définit l'attraction homosexuelle est le fait que l'attractant érotico-sexuel primaire pour un homosexuel est la morphologie corporelle isosexuelle – soit du même sexe d'origine que le sien. C'est particulièrement manifeste dans les représentations érotiques homosexuelles mâles – plus que chez les lesbiennes. Comme toute représentation féminine, la représentation érotique lesbienne s'appuie plus que celle des hommes sur l'imagerie tactile comme attractant érotico-sexuel.

Les hétérosexuels et les homosexuels se ressemblent en ceci qu'ils réagissent à la morphologie corporelle comme à un attractant sexuel. Ils diffèrent en ceci que les hétérosexuels ont une attraction intersexuée, alors que les homosexuels ont une attraction du même, ou isosexuelle. Les bisexuels ont un peu des deux ; et les asexués, qui sont peu nombreux, n'en ont aucune. Aucun critère d'attirance érotico-sexuelle autre que la morphologie corporelle n'est nécessaire pour distinguer l'hétérosexualité de l'homosexualité. Le jardin métaphorique de l'hétérosexualité donne naissance à des espèces nombreuses et variées, et il en va de même dans le jardin de l'homosexualité. Chez les homosexuels masculins, les hijras indiens, les flamboyantes drag queens de New York et le sergent de l'armée britannique non sorti du placard n'ont rien d'autre en commun que la morphologie masculine comme attractant érotico-sexuel. C'est sur ce critère seul qu'ils sont tous les trois déclarés homosexuels.

À part celle de l'héritage phylogénétique, il n'existe pas d'explication satisfaisante à l'origine de la morphologie corporelle intersexuée comme attractant éroticosexuel. L'origine de la transposition d'une morphologie intersexuée à isosexuée en tant qu'attractant éroticosexuel homosexuel reste une question sans réponse.

Ni l'attraction hétérosexuelle ni l'attraction homosexuelle ne prédisposent à une attraction paraphilique d'un type quelconque, pas plus qu'elles ne sont une protection contre elle. Les paraphilies chevauchent l'attraction hétéro-, homo- ou bisexuelle. Malgré les enquêtes effectuées, nous ne disposons pas de pourcentages précis, du fait des risques d'auto-incrimination dans une société où de nombreuses paraphilies sont poursuivies en justice.

CHAPITRE IV

Le développement de la carte affective

Éducation à la sexologie

Supposons qu'un observateur intelligent venu d'une autre planète, quelqu'un du calibre d'Alexis de Tocqueville au XIXe siècle, visite l'Amérique aujourd'hui en ayant pour mission d'écrire un rapport sur l'éducation théorique et pratique à la sexologie. Il serait surpris de la parcimonie de l'éducation sexuelle par rapport à l'information fondamentale dans la signification et le symbolisme personnel à la puberté et à l'adolescence, à savoir l'idéation et l'imagerie de l'amour et du désir codées dans la carte affective.

Comme les cartes alimentaires, les cartes du langage et maintes autres cartes informationnelles, les cartes affectives existent de façon synchrone dans le cerveau et l'esprit.

L'attraction, la proception, l'acception, la conception, l'homosexualité, l'hétérosexualité – toutes les variétés d'imagerie et d'idéation de l'excitation et de la performance érotico-sexuelles – sont codées dans la carte affective. Elles sont toutes personnalisées. Chez certains, la carte affective n'est pas seulement personnalisée, elle aussi fortement idiosyncrasique. Chez d'autres, elle est plus stéréotypée.

Les cartes affectives se manifestent dans les rêveries éveillées et les fantasmes qui accompagnent la masturbation et les rêves. Les rêves chez les garçons culminent en une pollution nocturne. D'après les preuves dont nous disposons, les filles seraient moins nombreuses que les garçons à avoir des rêves orgasmiques à l'adolescence.

Un Tocqueville moderne trouverait une quasi-absence d'éducation de la carte affective même dans des institutions de haut niveau, notamment les facultés de médecine et de droit, sans parler des collèges et des lycées qui offrent un programme purement formel d'éducation sexuelle. Les enseignants obéissent tacitement au tabou qui frappe toute information explicite, jugée pornographique et dangereuse pour la moralité des étudiants. Les matériaux visuellement explicites sont frappés d'un tabou plus fort encore que les textes imprimés. On compte parmi les tabous l'imagerie et l'idéation de l'obsession amoureuse, des rapports sexuels hétérosexuels, de la contraception, de la masturbation, de l'homosexualité et des cartes affectives paraphiliques. Les étudiants n'ont d'autre recours que de remplir de leur mieux les blancs de ces contenus tabous, par le bavardage des médias, par des circonlocutions, des paralepses (faire mention d'une chose en disant qu'elle est trop indicible pour qu'on en parle librement), et la sagesse populaire propre à leur groupe d'âge.

Le tabou sur la transmission du savoir sexuel est justifié par les idées reçues et le sens commun. L'idée reçue porte en elle la certitude de sa propre preuve. Contrairement à l'idée scientifique, elle n'a besoin d'aucune donnée matérielle, et n'a donc jamais besoin d'être révisée.

La première idée reçue de la sagesse sexuelle est que les enfants sont d'une pureté innée et d'une totale innocence sexuelle. La seconde idée reçue est que l'enseignement sexuel est redondant, puisque la maturité induit automatiquement un comportement sexué, sans qu'il soit besoin d'un quelconque apprentissage. La troisième idée reçue est que le savoir sexuel, comme la pomme d'Ève, porte automatiquement la tentation de le mettre en pratique. L'essayer, c'est l'adopter !

Tocqueville reconnaîtrait fatalement que toute éducation sexuelle (on dit aujourd'hui « éducation à la sexualité ») ne suit pas à la lettre ces trois idées reçues. Mais il ne pourrait manquer de reconnaître que l'éducation sexuelle américaine commence pour les jeunes enfants par d'effrayantes mises en garde sur le bon et le mauvais toucher qui leur font redouter leur propre corps. Pour les enfants plus âgés, l'éducation sexuelle porte essentiellement sur les œufs, le sperme et les menstrues, à quoi s'ajoutent des mises en garde sur les maladies sexuellement transmissibles (MST), notamment le sida, sur « l'épidémie des grossesses adolescentes » et sur l'abstinence jusqu'au mariage, si loin que doive être repoussé ce mariage du fait d'une éducation plus longue.

Les enfants qui atteignent la puberté avec une carte affective paraphilique ne disposent d'aucune donnée permettant de prévoir leur avenir de paraphile. Ils ignorent également où demander de l'aide, quelles peines ils encourent et quels sont leurs droits juridiques, s'il existe des traitements en cas de crise et quelles sont les causes éventuelles. Ils sont seuls, stigmatisés et ostracisés. Dans leurs manuels, ils ne sont mentionnés – quand ils le sont – que comme des pervers ou des délinquants sexuels, dont on parle comme s'il s'agissait d'extraterrestres et non du lecteur lui-même.

Les paraphilies, qu'elles soient récréatives ou pathologiques, sont codées comme une répétition dans l'idéation et l'imagerie de la phase proceptive de la carte affective, d'où peuvent s'ensuivre les phases acceptive et conceptive. Ces trois phases ont respectivement acquis leur respectabilité biomédicale dans l'ordre inverse. Au xviiiᵉ siècle, l'obstétrique et la gynécologie émancipèrent la phase conceptive de la grossesse et de l'accouchement des superstitions de la médecine populaire [1]. Plus de deux siècles après, la phase acceptive devint un objet d'étude explicite de la science biomédicale avec la publication du livre de Masters et Johnson, *Human Sexual Inadequacy* [2]. La phase proceptive entame à peine aujourd'hui sa transition de la criminologie à la science biomédicale. Il n'est donc pas surprenant qu'il reste beaucoup à découvrir sur les origines et la prédisposition au développement des cartes affectives paraphiliques.

Recherche génétique

Contrairement à l'homosexualité, il n'y a pas eu d'études sur l'incidence de la paraphilie dans la parenté ou chez les jumeaux monozygotes ou dizygotes ; il n'y a pas eu non plus de recherche de marqueurs d'un gène paraphilique, ni de rapports anecdotiques sur l'occurrence de la même paraphilie chez plusieurs membres d'une même famille. Cette absence de données tient sans doute aussi à la difficulté d'obtenir une information souvent auto-incriminante. L'une des façons de contourner cette difficulté consiste à modifier la méthodologie : au lieu de chercher une éventuelle paraphilie dans la parenté d'un paraphile connu, on cherche des paraphilies chez des hommes ayant par exemple une anomalie chromosomique connue.

Cette dernière méthode a eu des résultats dans le cas du syndrome du Y surnuméraire (47, XYY). L'étude des hommes souffrant de ce syndrome suggère en effet une incidence élevée de paraphilies [3]. Toutefois, l'association reste ténue, l'échantillon de XYY n'étant pas tiré de la population générale, mais d'une enquête cytogénétique sur des hommes enfermés dans des prisons ou des hôpitaux psychiatriques. Leur histoire paraphilique était un aspect d'une histoire plus générale d'impulsivité, comme si l'interrupteur marche/arrêt était chez eux défectueux ou manquant. Leur impulsivité allait de crises de rage irrationnelles au vol à main armée et au suicide. Un autre échantillon d'hommes 47, XYY, identifiés par le génotypage des donneurs de sang, montrait des comportements moins extrêmes[4]. Comparés aux hommes 47, XYY, les hommes 47, XXY (syndrome de Klinefelter) étudiés dans les mêmes institutions ne montraient pas une incidence élevée de paraphilies.

En l'absence de nouvelles preuves, il n'est pas possible actuellement de postuler une relation singulière de cause à effet entre des chromosomes 47, XYY ou 47, XXY et la paraphilie. La coexistence d'un chromosome surnuméraire et d'une paraphilie est plus sporadique que systématique. Cela s'applique aussi à la coexistence du chromosome X surnuméraire (47, XXY) et de la transposition de genre, notamment dans le travestisme et le transsexualisme.

Les données issues de l'étude d'autres syndromes chromosomiques pointent dans la même direction. Dans le syndrome de Turner (45, X), par exemple, la preuve d'une quelconque transposition de genre ou de paraphilie brille par son absence[5]. Dans le syndrome d'hermaphrodisme 46, XX de l'hyperplasie surrénalienne congénitale (CAH), la prévalence de transposition de genre est élevée[6] sans élévation correspondante de la prévalence de paraphilies. En fait, les paraphilies semblent virtuellement inexistantes dans la CAH.

La démarche inverse consiste à prendre une paraphilie et à chercher un marqueur génétique sur un ou plusieurs chromosomes. Ce type de recherche, qui unit la génétique moléculaire à la sexologie comportementale, a commencé avec l'homosexologie[7]. Le lien entre l'homosexualité et un gène spécifique est ténu. Deux tentatives de réplication n'ont pas été concluantes[8]. Cette méthodologie n'a pas été appliquée à la sexologie paraphilique.

Chez les animaux, mais pas chez les humains, il est possible de modifier le génome en insérant ou en inactivant un gène et en observant le développement sexologique ultérieur. Cette méthode a été appliquée à des souris génétiquement modifiées de façon à neutraliser le gène responsable de la synthèse de l'oxyde nitrique, un neurotransmetteur[9]. Les mâles ainsi privés d'oxyde nitrique (mais pas les femelles) ne savaient plus quand cesser de se battre ou de copuler. Les souris dépourvues d'oxyde nitrique attaquaient d'autres souris brutalement et à mort, et persistaient à copuler avec des femelles qui manifestaient furieusement leur opposition. Il semble que l'inactivation d'un gène permettrait une exploration plus précise de la neuroscience des cartes affectives impliquant les agressions, le viol, le sadisme et le meurtre sexuel paraphiliques.

Hormones prénatales et néonatales

Jusqu'ici, les troubles du développement ou les prédispositions étaient considérés comme congénitaux ou acquis. L'idée qu'un facteur non inné ait pu être acquis *in utero* n'entrait pas dans les explications causales. En revanche, la sexologie actuelle reconnaît que quelque chose peut être à la fois inné et acquis, en ayant été acquis dans l'environnement intra-utérin avant la naissance. Cet environnement peut transmettre, de la mère au fœtus, des infections virales et bactériennes des toxines de médicaments ou de drogues licites ou non, ou des polluants présents dans la chaîne alimentaire, l'eau ou l'atmosphère.

On sait par exemple que les substances hormonales androgènes ingérées par la femme enceinte, ou produites de façon endogène par un androgène sécrétant une tumeur chez la mère, peuvent traverser le placenta et masculiniser l'anatomie d'un fœtus féminin, produisant ainsi une forme congénitale de sexe intermédiaire ou hermaphrodisme [10].

L'équivalent de la masculinisation du fœtus féminin n'est pas la féminisation, mais la démasculinisation du fœtus masculin. Les substances œstrogènes sont connues pour leurs effets anti-androgènes. Elles peuvent être absorbées par inadvertance par la femme enceinte qui les transmet à son fœtus par le biais du placenta. Toutefois, ces substances risquent davantage d'entraîner une fausse couche qu'une sexualité intermédiaire anatomiquement démasculinisée.

La démasculinisation du comportement d'accouplement est une autre histoire, comme l'a démontré Ingeborg Ward [11]. Elle a pu montrer que le stress maternel expérimentalement induit chez les rongeurs libère des hormones anti-stress adréno-corticales qui traversent le placenta et entrent en compétition avec les propres hormones du fœtus, démasculinisant ainsi le comportement postpubertaire des jeunes mâles. En outre, elles affectent le taux de fertilité. Si l'expérience avait été autorisée sur les humains, le résultat aurait été interprété comme une capacité accrue à être dominé sur un mode homosexuel par des hommes n'ayant pas d'histoire de démasculinisation prénatale. Il reste à établir si la démasculinisation chez l'homme est bien une séquelle hormonale intra-utérine et, si c'est le cas, de quelle façon elle se manifeste sur le plan sexologique après la puberté.

Les cibles les plus récentes des recherches sur l'environnement sexologique intra-utérin sont les produits perturbateurs du fonctionnement hormonal, soit des composants chimiques hormono-like présents dans l'environnement, notamment les polychlorobiphényles (PCB). Les chercheurs de l'Arctique norvégien soupçonnent les PCB d'être responsables d'une anomalie intersexuelle du clitoris chez plusieurs ourses polaires marquées de l'île de Spitzbergen.

Les scientifiques américains et taïwanais qui se sont

intéressés aux effets des PCB sur des enfants dont la mère avait consommé pendant sa grossesse de l'huile de riz contaminée ont pu constater que les garçons naissaient avec de petits pénis [12]. Les PCB peuvent aussi affecter la fertilité chez les hommes, dont le sperme s'est réduit dans certaines régions de 30 à 50 % ou plus au cours des quarante dernières années [13]. Les PCB sont stockés dans les tissus graisseux des carnivores qui mangent la chair d'autres espèces, elles-mêmes contaminées par les PCB.

Chez l'homme, le risque à long terme d'effets paraphiliques à la suite d'une exposition prénatale, néonatale ou plus tardive à des polluants chimiques reste hypothétique. Il n'y a aucune preuve à ce jour d'un lien entre un effet prénatal quelconque et la pathologisation ultérieure de la carte affective au cours du développement. De nouvelles données pourraient bien sûr modifier ce point de vue.

Les données cliniques sur l'homme et les données expérimentales sur les animaux convergent pour démontrer que les hormones stéroïdes intra-utérines modèlent l'anatomie sexuelle du fœtus, qu'elles appartiennent au fœtus lui-même ou qu'elles lui soient transmises par sa mère par le biais du placenta et du cordon ombilical. Il faut retenir que la masculinisation est codée par la testostérone ou l'un de ses dérivés, alors que la féminisation est codée non par l'hormone féminine (œstrogène et progestérone), mais par l'absence d'hormone masculinisante.

Les données animales prénatales montrent également que les hormones stéroïdes sont responsables des différences masculin/féminin dans le cerveau sexologique et ses connexions périphériques. Le rythme prénatal de ces différenciations cérébrales varie selon les espèces. Chez certaines espèces, elles s'effectuent *in utero* ; chez d'autres, dans les jours qui suivent la naissance. L'éthique de la recherche interdisant sur l'homme les expériences qui peuvent être accomplies sur les animaux, le moment de la différenciation sexologique dans le cerveau reste incertain. Toutefois, la recherche sur l'autopsie fœtale a montré qu'elle n'intervient pas au cours des six premiers mois de la gestation, lors de la formation des parties génitales [14]. La période critique pour l'hormonalisation masculine/féminine du cerveau intervient donc soit au cours du troisième trimestre, soit au début de la période néonatale.

Une preuve en faveur de la période néonatale est l'apparition chez les bébés de sexe masculin de deux à douze semaines d'un pic d'androgène testiculaire dans le flux sanguin qui ne réapparaîtra plus avant la puberté [15]. À défaut de preuves expérimentales sur l'homme, les données sur les rats nouveau-nés indiquent que le niveau de sérotonine est plus élevé chez les femelles que chez les mâles au cours des deux premières semaines. Dans la même période, la testostérone est en revanche plus élevée chez les rats mâles que chez les femelles [16].

Chez l'homme comme chez les animaux de laboratoire, les hormones stéroïdes des gonades (testicules et ovaires) ne travaillent pas dans un complet isolement hormonal. Elles sont gouvernées par les gonadotrophines, synthétisées dans l'hypophyse qui les libère dans le sang. Les gonadotrophines sont elles-mêmes gouvernées par les gonadolibérines (GNRH), synthétisées par les cellules du cerveau dans l'hypothalamus proche. En outre, l'hormone antimüllérienne (AMH) entre en activité très tôt dans la vie fœtale des mâles afin d'empêcher la formation d'un utérus et de trompes de Fallope [17].

Il y a loin de l'hormonalisation masculine/féminine prénatale et néonatale du cerveau à la formation des cartes affectives paraphiliques et de leur idéation et imagerie dans la vie postpubertaire. On en sait davantage sur la neuro-anatomie des différences masculin/féminin dans le cerveau sexologique des animaux que sur les fonctions d'accouplement dont elles constituent l'infrastructure. Dans la sexologie humaine, cette infrastructure est loin d'être mise en carte et elle ne peut être appliquée à l'idéation, l'imagerie ou les pratiques des cartes affectives, paraphiliques ou non. Il reste que le simple fait de connaître l'existence d'un cerveau sexologique est un élément non négligeable pour les recherches sur la neurochimie du cerveau, de l'enfance à l'adolescence.

Socialisation sexologique

La transition de la vie prénatale à la vie postnatale est aussi un moment où l'hormonalisation sexologique laisse une part de sa primauté à la socialisation sexologique. Un mammifère aussi peu évolué qu'un mouton offre un exemple de la difficulté à séparer les deux [18]. Dans une station expérimentale de l'Idaho, 94 béliers furent élevés dans un troupeau ségrégué sexuellement. Entre l'âge de un et deux ans, ils se montrèrent inexpérimentés avec les brebis. Deux des béliers furent montés de façon répétée par leurs compagnons mâles. Huit béliers ne furent jamais observés montant les brebis. Deux d'entre eux se montaient l'un l'autre exclusivement – ce qui soulève la question de savoir s'ils étaient nés ainsi ou s'ils l'étaient devenus et, dans ce cas, comment et pourquoi. Les comparaisons hormonales entre les béliers dits homosexuels et les béliers et brebis dits hétérosexuels révélaient que la prévalence de récepteurs d'œstrogène dans les amygdales des béliers homosexuels était plus faible que chez les béliers hétérosexuels et comparable à celle des brebis. Cette plus forte prévalence chez les béliers hétérosexuels est compatible avec la découverte inattendue que la testostérone doit être aromatisée dans l'œstradiol de la cellule pour avoir un effet masculinisant. L'étude Perkins n'a pu révéler si la rareté des récepteurs d'œstrogène dans les amygdales s'installait *in utero* ou dans la première année de la vie, ni pourquoi si peu de béliers en étaient affectés. En tant que modèle animal, l'étude sur les moutons est pertinente pour la formation d'une carte affective homosexuelle, mais pas d'une carte affective paraphilique. Il n'existe pas de modèle animal pour les paraphilies, puisqu'il est impossible de décoder l'idéation et l'imagerie prototypiques d'un animal.

Nous n'avons aucun moyen direct de décoder le précurseur de la carte affective d'un nouveau-né humain. On peut cependant l'attribuer par inférence à la stimulation du sensorium tactile, ou haptique, par le lien mère-enfant, qui s'exprime par des étreintes, des caresses, un bercement, des tapotements et des frictions. Toutes ces activités sont des formes de toilettage qui fusionnent dans l'allaitement au sein.

La privation de toilettage entraîne un retard de croissance. Les bébés prématurés privés de toilettage sortent de couveuse au moins une semaine plus tard que les bébés ayant reçu un type quelconque de toilettage [19]. Le modèle animal pour la privation de toilettage est le rat nouveau-né. Lorsque les mères sont empêchées de lécher leurs petits, mais pas de les allaiter, la privation de ce toilettage abaisse le niveau d'hormone de croissance dans le sang des jeunes [20]. Elle abaisse aussi le niveau d'ornithine décarboxylase (ODC), une enzyme qui est un puissant régulateur de la croissance cellulaire dans le cerveau, le foie, le cœur et les reins.

Le toilettage néonatal mère/enfant est l'un des ingrédients phylogénétiquement déterminés du comportement, appelés aussi phylismes, qui remplit dans l'économie sexologique une fonction présente et future. Sa fonction présente est de promouvoir la survie de l'espèce. Chez l'homme, le phylisme du toilettage va réapparaître dans l'acte sexuel proceptif et dans les préliminaires à la copulation. La pathologie du toilettage dans l'enfance fraye la voie à la pathologie du toilettage dans la sexologie de la maturité. Il existe une preuve avérée de leur connexion dans le suivi à long terme de seize enfants souffrant d'un défaut de croissance précoce associé à la négligence ou à l'abus[21]. Cinq ont été jugés paraphiliques, cinq hypophiliques, un hyperphilique, et cinq seulement normophiliques. Si une corrélation n'est pas une preuve de causalité, elle justifie la poursuite de certaines hypothèses sur la formation et la déformation de la carte affective dans les premiers mois et les premières années de la vie.

L'hypothèse qui associe la privation de toilettage à la paraphilie est celle de la confiance non partagée. Le jeune enfant doit avoir un lien de confiance avec quelqu'un, en général sa mère, dont le toilettage nutritif est un prérequis au maintien de la vie. Lorsque la confiance n'est pas totalement partagée, ou est rendue de façon ambivalente par une mère abandonnante, il se crée un dilemme sans issue, celui de perdre dans tous les cas, que ce lien perdure ou disparaisse. Ce dilemme a des effets à long terme. Il risque de perturber toutes les relations futures qui supposent une confiance mutuelle, notamment les relations développementales dans la formation des cartes affectives.

Fonction préparatoire du jeu sexuel

Les années de la prime enfance et de l'enfance sont celles du développement et de la préparation aux fonctions très variées de la maturité, y compris les fonctions sexologiques. La fonction érectile du pénis, enregistrée à l'échographie, commence à l'âge prénatal[22]. Il n'existe pas encore de technologie qui permettrait de démontrer un phénomène équivalent chez les filles, à un âge prénatal ou postnatal. Chez les garçons, les érections spontanées commencent dès la vie néonatale, à l'état d'éveil ou dans le sommeil. Chez les deux sexes, on peut observer dès l'enfance des pressions, des frottements ou des manipulations autogénitaux. La réaction américaine culturellement stéréotypée consiste à rayer l'auto-érotisme de la géographie sexologique de la carte affective.

C'est la même condamnation culturellement stéréotypée qui intervient lorsque les enfants se livrent plus tard à des séances d'exhibition et d'examen de leurs parties génitales et à des imitations de coït. Même à un si jeune âge, leurs cartes affectives sont coulées dans un moule culturel de pruderie et de honte.

Ce modèle n'est pas universel. Dans la culture polynésienne[23] et chez les aborigènes d'Australie[24], par exemple, la réaction culturellement prescrite est la satisfaction devant un développement sexologique normal. Chez les Muria gondophones du sud-est de l'Inde, la coutume réservait traditionnellement une enceinte, le gothul, aux jeunes adolescents. Lorsqu'ils approchaient de la puberté, les jeunes gens s'y voyaient enseigner l'art de l'amour et de la copulation par des adolescents[25]. Les cartes affectives des Muria étaient culturellement encouragées à être hétérosexuelles et libres de paraphilies.

Le modelage des cartes affectives chez les enfants de notre propre culture fonctionne sur deux stratégies dissonantes de transmission du savoir sexuel. L'une est la stratégie du savoir licite, et l'autre la stratégie du savoir illicite. Par exemple : au milieu des années 1990, les jeunes gens ayant accès aux informations sur le président Bill Clinton et Monica Lewinsky connaissaient du sexe une pratique pour laquelle leurs parents au même âge n'avaient sans doute pas de nom. Les jeunes et leurs parents savent aujourd'hui que ce nom est le sexe oral. Ils savent également que ce thème ne doit pas être abordé explicitement dans le programme d'éducation sexuelle. Si les jeunes apprennent de leurs groupes de pairs que « pipe », « pompier », « sucer » ou « manger la chatte » sont des synonymes argotiques de sexe oral, ils apprennent du même coup à ne pas utiliser ces termes en présence de parents plus âgés, de professeurs, de prêtres, etc.

L'exemple du sexe oral illustre le principe général que la carte affective doit être doublement codée, une fois pour ce qui est licite, et une autre fois pour ce qui est illicite. Les deux encodages varient selon l'époque et le lieu ; ils varient aussi en fonction d'un évitement tabou du discours sexuel explicite entre les hommes et les femmes et entre la jeune et la vieille génération.

Le double encodage de la carte affective est particulièrement dangereux pour des enfants exposés à un extrême degré de dissonance entre ce qui est socialement licite et illicite. Ce danger s'accroît si l'implication personnelle dans le sexe illicite doit être tenue secrète, du fait de l'absence d'un groupe de pairs et de semblables avec qui parler et auprès de qui trouver un soutien. L'inceste parent-enfant en est un exemple classique. Il crée le dilemme sans issue d'être condamné si on révèle l'existence de cette relation, et condamné si on la garde secrète. Il n'y a pas de moyen bénin d'y échapper, pas même en parlant à un conseiller professionnel tenu par la loi de rapporter les confidences.

La distorsion de la carte affective que provoque un tel dilemme varie d'un individu à l'autre. Dans un cas, une jeune fille repoussa le moment d'échapper à l'inceste avec son père jusqu'à ce qu'elle soit en mesure de vivre seule, à l'adolescence. Elle finit un jour par acheter un aller simple pour New York, où elle fut admise dans un état d'hébétude et de confusion amnésique dans le service psychiatrique de Bellevue Hospital. Finalement, l'amnésie cessa. L'homme qu'elle épousa ensuite semblait assez vieux pour être le grand-père de leur fils. Il n'avait pas conscience de la fixation du garçon sur une transformation en fille, ni de la phobie de sa femme des rapports sexuels. Chaque fois qu'ils essayaient de faire l'amour, elle entendait une voix lui chuchoter par-dessus son épaule : « Tu baises avec ton père, tu baises avec ton père. » Une fois encore, elle s'enfuit, et disparut cette fois complètement.

Dans le développement sexologique de l'enfance, comme dans bien d'autres aspects du développement, les deux façons de réagir à un dilemme sans issue sont l'inhibition et l'adhibition. L'inhibition signifie que l'individu succombe au dilemme et reste incapable de s'en défaire. Par exemple, les enfants qui subissent une négligence et une maltraitance constantes deviennent dépendants de cet abus et de cette négligence[26], de sorte qu'il est pratiquement impossible de les sauver. Ils demandent à retourner dans le foyer où ils sont abusés, ou, s'ils sont placés dans un nouveau foyer, suscitent de nouveaux abus et une nouvelle négligence. Sur le plan sexologique, l'inhibition signifie un arrêt du développement de la carte affective et le risque plus tard d'une dysfonction copulatoire hypophilique.

L'adhibition signifie que l'individu survit au dilemme sans issue en répétant sans cesse la même mise en scène avec d'autres acteurs. Par exemple, un jeune ayant été sexologiquement traumatisé par un individu plus âgé et plus fort devient dans la cour de récréation une brute qui contraint des enfants plus jeunes et plus faibles à des manipulations sexuelles. Dans la littérature psychiatrique, cette répétition coercitive prend le nom d'*acting out*. À l'âge adulte, elle est qualifiée de trouble de la personnalité psychopathe ou sociopathe. Les enfants ayant une histoire de traumatisme sexologique qui tendent à cet *acting out* de leur propre traumatisme avec d'autres enfants ont souvent affaire au système judiciaire, qui à notre époque n'est pas encore biomédicalement équipé pour s'occuper d'eux.

Les préadolescents et les adolescents qui sont passés devant le juge pour enfants pour des délits sexuels doivent parfois subir une évaluation sexologique pour laquelle le *Personal Sentence Completion Inventory* de L. C. Miccio-Fonseca se révèle fort utile[27]. Même en l'absence de toute statistique, il semble que l'histoire sexologique des jeunes délinquants soit marquée par un écart extrême entre leur savoir sexuel licite quotidien et leur participation personnelle à une pathologie sexologique illicite. Ils ont été pour la plupart élevés dans des foyers sexuellement pathologiques ayant une histoire intergénérationnelle de coercition, de sadisme ou de promiscuité familiale. Dans certains cas, ils ont été contraints très jeunes à la prostitution. La pathologie familiale peut inclure des abus, des négligences, des violences ou des traumatismes non sexuels, comme le meurtre ou la mort par overdose d'un ami, d'un parent ou d'un membre de la fratrie. La carte affective est fragile et peut aisément être déformée au cours de son développement. Sa distorsion implique toujours le dilemme sans issue de n'avoir aucun moyen d'échapper à la situation pathogène et d'être condamné, que l'on s'efforce ou non de la prévenir.

Les adolescents qui s'enfuient de chez eux risquent de trouver que la vie dans la rue ne vaut guère mieux. Pour survivre, ils peuvent être poussés à la prostitution, au commerce de drogues, au vol et parfois au meurtre. Il s'ensuit un nouvel épisode de détention institutionnelle, qui peut se révéler encore plus pathogène que la vie dans la rue. Le problème et le coût pour la société en sont accrus, et non diminués.

Puberté précoce idiopathique

Le rôle de la socialisation dans l'idéation et l'imagerie de la carte affective est manifeste dans le cas d'enfants ayant une puberté spontanée à un très jeune âge[28], à partir de trois ans, voire plus tôt.

Bien en avance sur leurs pairs et dépourvus de tout signe de pathologie associée, les enfants ayant une précocité pubertaire idiopathique ont une horloge biologique au rythme prématuré. L'âge physique est bien en avance sur l'âge social et scolaire. L'âge de la carte affective est plus avancé que ne le laisserait penser l'âge de naissance, sans atteindre toutefois le niveau de maturité de l'âge physique.

On a constaté ces écarts dans un cas où le diagnostic

d'apparition précoce de la puberté avait été établi dès l'âge de huit mois, le premier signe étant l'apparition de poils pubiens et un surdéveloppement du pénis[29]. Deux mois après son sixième anniversaire, ce patient avait la taille d'un garçon de douze ans. L'âge des os, précocement matures, était celui d'un garçon de quinze ans, indiquant que le sujet resterait très petit à l'âge adulte. Les parties génitales étaient d'une taille adulte, et les caractéristiques sexuelles secondaires étaient pleinement adolescentes.

Dès l'âge de quatre ans, ce garçon aimait chanter dans le micro lors de l'enregistrement des entretiens. Il chantait d'une voix de basse. Deux de ses chansons favorites parlaient d'amour :

Grâce à toi il y a une chanson dans mon cœur,
Grâce à toi ma romance a commencé,
Grâce à toi le soleil brillera,
La lune et les étoiles disent que tu es mienne,
Pour toujours.
Je ne vis que pour ton amour et tes baisers,
C'est le paradis d'être ainsi près de toi.
Grâce à toi ma vie a pris un sens,
Et je peux sourire grâce à toi.
Ils ont voulu nous dire que nous étions trop jeunes,
Trop jeunes pour être vraiment amoureux.
Ils disent que l'amour est un mot,
Un mot que nous avons entendu
Mais dont nous ne pouvons pas connaître encore le sens.
Et pourtant nous ne sommes pas trop jeunes pour savoir
Que l'amour durera avec les années,
Et si un jour ils s'en souviennent,
Nous n'étions pas trop jeunes du tout.

À cinq ans et demi, bien qu'il fût incapable de soutenir longtemps son attention, il tenait sur ses rêves le discours suivant : « Je ne veux plus raconter de rêves. Je rêve de dames. Chaque jour je trouve une dame et elle n'a pas de mari. Je lui dis d'enlever tous ses habits.

Sa robe, son slip, son soutien-gorge, qu'elle enlève tout, et alors je l'embrasse à certains endroits. Sur la poitrine. Sur le derrière. Et puis sur le pire endroit au monde, sur les pieds. Et puis je leur dis de se rhabiller et de rentrer chez elles. »

Lorsqu'on lui demanda s'il aimait ces rêves, il dit : « Je les déteste. J'ai des rêves horribles. Je ne veux plus parler de mes rêves. » Sur une légère suggestion, il se remit à parler des dames : « Je les embrasse juste ici [entre les jambes] ; sur les jambes aussi, et j'embrasse leur nombril, et j'embrasse leurs joues, leur nez, leurs yeux – je les embrasse partout. Je pense que je rêve d'un rêve, là, tout de suite. Oh, c'est chaud, c'est vraiment trop chaud. » (C'était en été, au cours d'une vague de chaleur.)

À l'âge de six ans et demi, les fantasmes érotiques étaient associés à des éjaculations masturbatoires, et les rêves érotiques à des pollutions nocturnes. « Ouh ! Vous avez déjà entendu ça, dit-il avec un petit rire réticent. Les femmes ! Je pensais à celle que j'allais épouser. Je me disais qu'elle avait beaucoup d'argent et qu'elle était jolie, et que je n'aurais pas besoin de lui acheter des choses. Pourquoi est-ce que je dois m'en souvenir ? Ce n'est pas si agréable. Je ne peux pas m'empêcher d'en rêver chaque nuit. » Quand on lui demanda d'en dire un peu plus sur ses rêves, il précisa : « Seulement des femmes ! Des femmes ! Des femmes ! »

Puis il se lança dans une description, tournée sur le mode de la plaisanterie, des endroits où il les embrassait. Toute cette imagerie de la carte affective portait sur le fait d'embrasser des femmes nues. Il n'y avait pas d'imagerie érotique entre hommes, ni d'imagerie auto-érotique, ni d'imagerie érotique anale et, jusqu'à l'âge de six ans, aucune imagerie du pénis pénétrant un quelconque orifice. L'imagerie de pénétration pénienne/vaginale n'apparut que lorsque la réalité des rapports sexuels fut entrée dans son répertoire cognitif. L'imagerie pénienne/vaginale n'accompagnait pas automatiquement l'énergisation libidinale précoce de la carte affective. Dans ce cas, la connaissance de la copulation compléta l'idéation et l'imagerie du baiser suffisamment tôt dans la carte affective pour empêcher une fixation sur le baiser. Il n'y avait pas d'histoire de contact sexuel inconvenant avec d'autres sujets de quelque âge que ce soit. Le mariage et la paternité survinrent à un âge conventionnel, après une formation professionnelle.

Le seuil des huit ans

Dans ce cas, il semble que la période de développement sexologique, qui dure en général jusqu'à l'âge de seize ans ou plus, ait été condensée sur une période de huit ans. Le fait que ce garçon ait été adulte sur le plan sexologique et reproductif dès l'âge de huit ans n'eut pas d'incidence sur son développement ni sur sa carrière à l'âge adulte. Ainsi, l'existence même de la précocité sexuelle idiopathique soulève la question de savoir pourquoi l'espèce humaine a évolué de façon à accomplir en seize ans ce qui peut l'être en la moitié de ce temps. Elle nous force aussi à nous demander si notre espèce a évolué à partir d'un ancêtre hominidé qui aurait atteint la maturité reproductive en huit ans au lieu de seize aujourd'hui. Quel a pu être le gain évolutionnaire du long hiatus juvénile entre la prime enfance et la puberté ?

Ma propre hypothèse quant à ce hiatus est qu'il concerne l'évolution de la logique syntaxique et mathématique de la carte du langage humain. Le langage exigeait un cerveau plus flexible, plus versatile et moins birobotique que ne l'exige la simple communication vocale (la carte des sons) des autres espèces. La connexion sexologique est que la carte d'accouplement et de reproduction de l'espèce humaine reste robotique et stéréotypée, alors que l'idéation et l'imagerie de la carte affective sont largement variables et idiosyncrasiques. Dans l'évolution des hominidés, on peut voir la dérobotisation de la carte affective comme un compromis nécessaire pour la dérobotisation de la carte de communication prélinguistique. La dérobotisation de la carte du langage et de la carte affective exigeait en retour un hiatus entre la prime enfance et la puberté, à savoir la période de juvénilité. La période juvénile, libre des devoirs d'élevage et de maternage, laisse du temps pour le développement et l'individualisation de cartes à la logique aussi complexe que celles du langage et de l'érotisme. Dans les deux cas, l'individualisation peut s'accorder au stéréotype social ou être créativement excentrique ou pathologiquement idiosyncrasique. La période juvénile va en gros de l'âge de huit ans à l'âge de la puberté, qui est variable et plus précoce chez les filles que les garçons. Chez les filles, les premières règles (les ménarches) apparaissent vers douze ou treize ans. Pour les garçons, la première éjaculation intervient vers l'âge de treize ou quatorze ans.

Si l'on considère l'histoire sexologique d'une personne souffrant d'une paraphilie, l'âge de huit ans se révèle une fois encore un âge pivot dans le développement de la carte affective[30]. Par exemple, C. Baby, un travesti infantiliste, a publié dans un magazine un article autobiographique intitulé « La punition des couches » : « Je devrais détester les couches, mais ce n'est pas le cas. Quand j'avais sept ans, ma mère eut recours à des couches pour me punir quand je mouillai mon lit une nuit. Je refusai d'abord de coopérer, mais après qu'elle m'eut battu avec un cintre en fil de fer et une corde à linge, j'abandonnai. La couche était agréable contre mon derrière endolori, mais les couches et la fessée n'étaient que le début. Elle me fit parader tout le long de notre rue avec une jupe et des couches. Ma mère s'assura que tout le monde voyait ce que je portais sous ma jupe. Elle s'arrêta même pour prendre le café chez des voisins et je dus rester assis dehors dans mes couches. Les couches et la jupe ne m'ont pas fait mal ; l'humiliation due aux moqueries de mes pairs, oui.

J'ai appris à aimer les couches et les jupes. J'ai appris à détester ma mère. »

Des expériences non traumatisantes à l'âge de huit ans peuvent aussi avoir une influence formatrice de paraphilies sur la carte affective, comme le révèle la section intitulée « Premiers souvenirs » d'un entretien avec un homme d'environ quarante-cinq ans [31]. Il cherchait un soulagement à l'idéation et l'imagerie d'une fixation paraphilique sur des femmes amputées [32] ; bien qu'il ne l'ait jamais mise en pratique, elle l'avait privé, ainsi que ses deux épouses successives, d'une satisfaction sexuelle pleine et entière : « Je n'aime pas le contrôle qu'a sur moi cette histoire d'amputation, expliqua-t-il lorsqu'il vint demander un traitement à la médroxyprogestérone [voir chapitre VIII]. Je n'aime pas perdre le contrôle de moi-même. Je n'aime pas être contrôlé par ça, au lieu que ce soit moi qui aie le contrôle. Si je vois une personne normale marchant dans la rue, une fille attirante, je vais m'arrêter, la regarder et puis l'oublier. Mais s'il s'agit d'une amputée, je ne l'oublie pas. Les fantasmes continuent à revenir.

» Je devais avoir six, sept ou huit ans, quelque chose comme ça, et nous étions partis faire un tour de bateau sur la baie avec mes parents. Je me souviens de mon père disant qu'il devait y avoir quelque chose qui n'allait pas chez la fille de cet autre couple, qui devait avoir entre seize et dix-huit ans. Je me souviens qu'elle était assise en face de nous dans le bateau, elle essayait de préparer le pique-nique et elle n'avait que la moitié d'un bras. J'ai été fasciné par ça à ce moment. Une autre fois dont je me rappelle, c'est quand j'étais à l'école. J'avais neuf ou dix ans. Nous avions une maîtresse remplaçante. Je la revois très bien assise à son bureau et elle n'avait qu'une partie de son bras. En marchant le long de l'allée, elle est arrivée derrière moi, elle a avancé le bras et a posé son moignon sur mon épaule, et je me souviens d'en avoir été heureux. »

L'âge de huit ans est une pierre angulaire du développement, à quelques mois près. Par exemple, c'est l'âge où les dents définitives commencent à sortir[33]. La croissance et la maturation des dents n'ont aucune synchronicité avec la croissance des os. L'âge des os dépend de l'avancée hormonale de la puberté. Chez les enfants ayant une puberté précoce idiopathique, l'âge des os avance avec l'âge hormonal – l'âge chronologique – non avec l'âge dentaire. Cette différence entre l'âge des os et l'âge des dents vient étayer l'hypothèse qu'un aspect de l'histoire évolutionnaire humaine a consisté à repousser l'âge de la maturité sexologique de l'âge de huit ans dans le temps préhumain à l'âge de seize ans aujourd'hui.

La huitième année marque sur d'autres plans encore une transition de la dépendance infantile à la compétence et à l'autonomie juvéniles dans l'idéation et l'imagerie. Sur le plan du langage, huit ans est l'âge du jeu de mots et de la compréhension du double sens des blagues, devinettes, calembours, rébus ou énigmes. Le principe de constance « un mot/un sens » laisse place à l'inconstance de deux sens ou plus, même si le son reste le même : « Toc, toc. Qui est là ? Jean. Jean qui ? Jean Bon. »

La fin du principe de constance signifie que les choses n'ont plus besoin d'être ce qu'elles semblaient être, comme un *b* à l'envers devient un *d*. On n'a pas toujours besoin d'obéir aux règles fixées : il existe des ruses pour les contourner. Dans le cas de la carte affective, il y a des ruses pour circonvenir de façon déviante les règles officielles tout en leur obéissant ostensiblement – par exemple, se masturber sans l'aide des mains.

L'importance des huit ans pour la formation de la carte affective se marque également dans les rêves. Selon les recherches de Foulkes, entre sept et neuf ans « les récits de rêves des enfants se caractérisent par une autoparticipation assez substantielle et crédible [...] Des séquences d'images disparates sont intégrées dans une narration cohérente avec un sens accru de ce qu'est un objectif[34] ». La narration cohérente peut être projetée dans un rêve sentimental et/ou érotique, ou dans un fantasme masturbatoire. Elle peut être pathologique ou non.

Un autre phénomène lié à l'âge de huit ans est celui du membre fantôme. Si un enfant est amputé avant l'âge de cinq ou six ans, il ne connaît pas l'expérience du membre fantôme, contrairement à ceux qui sont amputés à l'âge de sept ou huit ans[35]. Le phénomène du fantôme est une représentation qui concerne l'image corporelle et le réseau neuronal du schéma corporel dans le cerveau. Les représentations kinesthésiques et tactiles de l'image corporelle surviennent dans les rêves d'orgasme (pollutions nocturnes) et dans les fantasmes de masturbation et de coït. Les rudiments de leur idéation et de leur imagerie dans la carte affective remontent au-delà de la puberté.

Dans la mesure où la chanson d'amour est un attractant sexuel, il faut remarquer que c'est à l'âge de huit ans qu'apparaît l'oreille absolue en musique. Selon Gottfried Schlaug, qui a mené des études par IRM sur des musiciens, ceux qui avaient l'oreille absolue étaient plus dominés par l'hémisphère gauche que les autres. En outre, ils avaient entamé très tôt leur éducation musicale, avant l'âge de sept ans. Chez ces musiciens précoces, ceux qui devaient avoir l'oreille absolue l'auraient avant l'âge de dix ans ou jamais[36].

Les données transculturelles offrent une autre confirmation de l'âge de huit ans comme pierre angulaire de la formation de la carte affective. Chez les Muria gondophones de l'Inde mentionnés au chapitre III, c'est vers l'âge de huit ans que les enfants s'en vont dormir la nuit dans le gothul, l'enceinte réservée aux jeunes gens, où leur carte affective est formée à l'idéation et l'imagerie hétérosexuelles.

L'importance de cet âge est tout aussi manifeste dans la tradition, déjà mentionnée au chapitre II, des Sambia de Nouvelle-Guinée[37]. Pour s'assurer qu'un garçon va devenir non seulement un bon mari, mais aussi un guerrier féroce et meurtrier, il est enlevé vers l'âge de huit ans à l'influence adoucissante des femmes et des bébés pour être élevé uniquement par les hommes dans la grande maison des hommes. L'initiation à l'état de guerrier comporte des stades qui ressemblent fort à un bizutage abusif. L'idéation et l'imagerie de la carte affective deviennent hétérosexuelles après un stade péripubertaire et adolescent de fellation culturellement forcée. Pour entrer dans la puberté et assurer leur fertilité future, les petits garçons doivent sucer une provision de lait masculin au pénis de garçons postpubertaires qui ne sont pas encore en âge de recevoir une épouse. Jusqu'à leur mariage, les garçons doivent éviter toute contamination par un contact avec les femmes ou avec leur odeur. Une fois qu'il est un guerrier marié, le jeune homme ne répand sa semence que dans des rapports sexuels de pénétration avec sa femme. Le paradoxe de la tradition Sambia est qu'elle institutionnalise une bisexualité séquentielle avant le mariage, de façon à assurer une carte affective masculine hétérosexuelle à l'âge adulte.

Dans la culture occidentale, la carte affective des enfants de quatre à cinq ans se développe aussi à travers des attachements sentimentaux ludiques. Ce sont surtout des amours entre garçons et filles, mais pas toujours. Même à cet âge, les premières imitations de lien sentimental peuvent être isosexuelles. Chez les garçons (l'échantillon des filles était trop limité), on a pu montrer sur un suivi à long terme que ces prémisses sont le prédicteur de toute une vie d'attraction isosexuelle (homosexuelle)[38]. De même, le jeu sentimental préparatoire entre garçon et fille est prédicteur de toute une vie d'attraction hétérosexuelle (allosexuelle). Il est rare que les amours enfantines durent longtemps, bien que certaines arrivent à traverser les années de préparation enfantine et adolescente et soient finalement officialisées par une cohabitation et/ou un mariage. Là encore, l'âge de huit ans semble significatif. C'est l'âge où la préparation de la carte affective peut se transformer en une authentique expérience d'obsession amoureuse, avant même le bouleversement hormonal de la puberté[39]. Une obsession si précoce est en général associée à une stimulation génitale et à une hétérosexualité sans pathologie, sauf si la carte affective a été soumise à des influences perturbantes.

Formation d'un lien collusionnel

Dans la chronique pédiatrique du développement d'un nourrisson, on conserve par convention une trace de l'âge auquel différentes étapes sont atteintes. Ces étapes sont la capacité à s'asseoir, à se lever, à faire un premier pas tout seul, à dire un mot, assembler deux mots, apprendre la propreté, etc. Les étapes sexologiques, comme le premier comportement de flirt infantile, ne sont pas enregistrées, pas plus que le premier attachement amoureux.

À la puberté, on enregistre la date des premières règles pour les filles, même si l'on omet la pousse des seins. Pour les garçons, les étapes sexologiques de la puberté, notamment la première éjaculation et la première pollution nocturne, sont systématiquement omises. L'étape du premier attachement est également négligée chez les deux sexes, même si elle est souvent reconnue par les pairs et soumise à leurs taquineries. Les gens plus âgés reconnaissent l'étape du premier attachement sentimental en l'appelant l'âge de la coquetterie ou l'âge bête. Les parents en parlent d'un ton condescendant comme d'une amourette, ou la condamnent comme un engouement.

Le désintérêt de la sexologie développementale pour l'étape de la première relation sentimentale laisse un sérieux blanc dans les données sur l'origine de l'assortiment ou de la dissonance des cartes affectives. On a longtemps débattu – notamment dans les manuels de mariage du XIXᵉ siècle – pour savoir si le même attire le même ou si les contraires s'attirent. Un scénario plus plausible est que le premier attachement sentimental est une étape développementale dans laquelle la carte affective encore non finie de chaque partenaire trouve un accommodement réciproque avec celle de l'autre. Le processus de réciprocité ne se limite pas au premier attachement amoureux, mais l'issue de celui-ci jettera son ombre sur tous ceux qui suivront. Le ratio d'accommodation peut être de 50/50, mais il est plus probablement déséquilibré, avec une carte affective s'accommodant plus que l'autre, selon le degré de réciprocité dès le début de la relation. Si l'accommodation est trop unilatérale et la réciprocité insuffisante, le lien risque de devenir antagonique et de se terminer par un échec.

L'idée d'une accommodation réciproque des cartes affectives répond au phénomène de relation collusionnelle, patent dans certaines paraphilies. Il n'est pas rare, par exemple, que les femmes ou les amies de travestis fétichistes adoptent par collusion le travestissement et le maquillage de leur partenaire et apparaissent ainsi en public avec lui. Certaines de ces femmes ou amies affichent bravement leur tolérance et leur loyauté, même si c'est à l'évidence pour la forme. D'autres au contraire ont une carte affective réellement réciproque, de sorte que les deux partenaires tirent un grand plaisir érotico-sexuel de ce jeu collusionnel, comme ce fut le cas de Monica Jay au cours de sa brève mais très intense histoire avec un travesti [40].

Un autre exemple de collusion est celui de la femme d'un métallurgiste, lequel ne pouvait atteindre l'orgasme dans les rapports sexuels sans l'avoir abreuvée d'injures sadiques. Leur relation commença brusquement lorsqu'elle avait seize ans et lui vingt-deux. Ils se rencontrèrent alors qu'il était en visite dans sa ville natale et se marièrent trois semaines plus tard. Aucun des deux n'avait jamais eu de rapports sexuels, et ils restèrent fidèles l'un à l'autre pendant plus de vingt-cinq ans de mariage.

Lors de leur mariage, le mari n'avait manifesté aucun signe de sadisme. Mais selon son propre témoignage, ils eurent dès leur première semaine de vie conjugale une dispute au cours de laquelle il la gifla et eut un orgasme immédiat. Ce fut la première fois qu'il comprit clairement que le fait d'administrer une punition était partie intégrante de sa capacité à avoir un orgasme.

Rien ne semblait indiquer dans l'histoire sexologique de la femme la présence d'une carte affective paraphiliquement masochiste avant son mariage. Son mari, en revanche, avait grandi dans le sadisme. Dans son enfance, il avait partagé sa chambre avec son père, et savait que celui-ci se rendait parfois dans la chambre où dormait sa mère, en faisait sortir les enfants plus jeunes, et se mettait à la gifler et la fouetter.

Le père punissait violemment ses enfants. Il commençait par les envoyer dehors pour casser des branches d'arbres. « [Puis] il nous faisait rentrer dans la maison, et celui qu'il allait punir, il le déshabillait complètement, il le mettait au milieu et il nous disait ce qu'il allait lui faire. Et il nous battait jusqu'au sang. Il prenait une boîte de sel, il en saupoudrait nos plaies et il nous faisait asseoir là pendant une heure ou deux après qu'il en avait fini avec nous. »

Le fait de battre, de faire saigner et de saler des plaies s'intégra dans l'idéation et l'imagerie de la carte affective du fils aîné, Denton, qui allait devenir un mari sadique. Au bout de vingt-cinq ans de mariage, cette imagerie menaça de se matérialiser sous forme d'actes réels. À en croire le mari lui-même, il avait le projet d'ôter un panneau de la porte de la salle de bains pour y installer une sorte de pilori où insérer la tête de sa femme. Il avait déjà acheté une longue chaîne avec laquelle lui fouetter le dos jusqu'au sang avant d'appliquer du sel sur ses plaies, avec des pauses pour des coïts en levrette, suivis d'autres coups de fouets. Il ne voulait pas que sa femme meure, mais de crainte que cela n'arrive, il était en quête d'une forme quelconque d'assistance. Sa femme était incapable de l'aider à trouver cette assistance, car il lui aurait fallu admettre publiquement ce qu'elle considérait comme une honte privée.

Sa honte privée incluait vingt-cinq ans de tolérance masochiste à ce que son mari appelait des châtiments : crachats, gifles et pinçons sadiques ; lui tirer les cheveux jusqu'à les arracher ; lui enfoncer des épingles de sûreté dans la peau du dos ; lui poser des agrafes dans le sexe. Il la contraignait à l'injurier : « Salaud, sale ordure pourrie, cracheur, tireur de cheveux. » Plus elle faisait de bruit, mieux c'était pour lui. Il n'y avait ni sexe oral ni sexe anal.

Elle avait fini par endurer ces actes sadiques et même par les solliciter pour en finir au plus vite avec l'acte sexuel, puisque son mari ne pouvait avoir d'orgasme autrement. Elle n'avait jamais eu de plaisir dans le sexe et ne s'y était jamais beaucoup intéressée. Le « comportement au lit » était une chose qu'il lui fallait tolérer. Quand son mari lui parla de son fantasme de pilori et de fouet, elle le classa dans la même catégorie que le reste de son « comportement au lit ».

Ce qui fit déborder le vase fut un autre scénario où son mari remplaça le fouettage sadique par une coupe de cheveux. Il lui couperait les cheveux très court, mèche par mèche, jusqu'à ce qu'elle soit pratiquement chauve. Sa femme était très fière de ses longs cheveux. Les perdre serait une autre façon d'afficher publiquement sa honte. Là, il avait passé les bornes.

Selon son mari, ils entamèrent le 18 octobre ce qui allait devenir un marathon de vingt-huit heures durant lequel il lui coupa les cheveux à quatre reprises et lui épila totalement les sourcils. Plus elle protestait, plus grande était son excitation érotique, au point d'avoir dix orgasmes par pénétration vaginale.

À la suite de cet épisode, sa femme demanda une

assistance psychiatrique. Douze jours plus tard, il fut admis dans un programme de traitement à l'hormone anti-androgène (voir chapitre VIII), la médroxyprogestérone [41]. Le traitement réduisit la fréquence et la force de l'idéation et de l'imagerie sadiques, et arrêta les pratiques sadiques. Une fois libérée des demandes conjugales de compliance au lit, l'épouse se sentit de plus en plus perdue. Son ancienne relation collusionnelle avec son mari laissa place à une lutte de pouvoir où ni l'un ni l'autre ne voulait céder.

Le masochisme collusionnel sans désir masochiste, comme c'est le cas ici, n'est pas du masochisme à strictement parler. Il se définit plus précisément comme un masochisme docile, proche du goût du martyre.

Il y a des cas où la reconnaissance de cartes affectives assorties n'est pas progressive, mais immédiatement explicite. Par exemple, les clients des bars S/M portent des couleurs, des bijoux ou des clés codés pour les « dominants » et les « dominés ». Ils peuvent en outre mettre des annonces très spécifiques dans des magazines confidentiels, ou sur des sites Internet. Ces annonces leur permettent de trouver un partenaire bien assorti, fait au tour, et n'ayant nul besoin d'une période d'accommodation mutuelle.

Même en l'absence de toute intimité avec la carte affective de l'autre, deux complets étrangers peuvent se sentir puissamment attirés l'un par l'autre en tant que ravisseur et captif, et s'enfermer dans une relation de couple collusionnelle d'une puissance intense. Ce type de lien est désormais connu sous le nom de syndrome de Stockholm. Lors du cambriolage d'une banque dans cette ville, l'une des employées retenue en otage et l'un des cambrioleurs devinrent si proches qu'elle rompit son engagement avec son ancien ami et resta fidèle à son ravisseur pendant toute la durée de son emprisonnement.

Le pouvoir que peut avoir une personne à modeler la carte affective d'une autre ressemble au lavage de cerveau. Chez les prisonniers politiques, le lavage de cerveau s'effectue par le biais de la torture, de l'abus, de la négligence, de l'isolement physique et sensoriel. L'identification à l'agresseur peut être la seule promesse de salut.

Si l'on ne comprend pas le phénomène de Stockholm et le lavage de cerveau, il est impossible de comprendre le cas étrange et célèbre d'Arthur Goode et Jimmy Mannus. Goode était un jeune homme chétif de vingt et un ans, avec une longue histoire, remontant à l'âge de trois ans, de comportement paraphilique prépsychotique et psychotique, surtout la pratique de fellations avec de jeunes garçons. À la fin de son adolescence, il fit l'objet d'un simple diagnostic de pédophilie et non, comme il l'aurait dû, de sadisme pédophile avec idéation et imagerie de meurtre sexuel – une paraphilie multiple rare.

En 1976, en l'absence de preuves suffisantes sur de multiples molestations d'enfants et le meurtre d'un garçon de dix ans, Goode était revenu au Maryland en liberté conditionnelle, avec obligation de rester en contact avec l'hôpital de Floride où il avait été soigné. Il s'y conforma un temps, mais ne tarda pas à prendre un bus pour Baltimore. Dans la banlieue, il descendit du bus après avoir vu Jimmy à un angle de rue, en train de plier les journaux qu'il s'apprêtait à livrer. Il persuada Jimmy d'abandonner ses journaux pour le suivre. C'était le lundi 15 mars. Ils vécurent en vagabonds, accomplissant de petits travaux quand ils avaient besoin d'argent. Le samedi suivant, ils se trouvaient à un arrêt d'autobus d'une banlieue de Virginie en même temps que Kerry Dorman. Selon le témoignage de Jimmy au tribunal, Goode entama la conversation avec Kerry. Ils prirent ensuite le bus tous ensemble et s'arrêtèrent quelques kilomètres plus loin dans un centre commercial où ils achetèrent des hamburgers. Ils mangèrent dans une zone boisée avant de s'enfoncer plus loin dans la forêt. Arthur éclaircit une zone de broussailles et, d'un air vraiment mauvais, dit à Kerry qu'il allait lui jouer un petit tour et lui ôter ses vêtements. Kerry se mit à crier, mais Goode lui mit son pantalon sur la tête, le plaqua face contre terre et l'étrangla avec sa ceinture. Jimmy entendit Kerry crier puis ce fut le silence. Goode écouta, n'entendit aucune respiration, et prit le portefeuille et les vêtements de Kerry pour les dissimuler quelque part. Goode dit à Jimmy qu'il aurait voulu avoir une hache pour décapiter Kerry ou un rasoir pour le découper en morceaux. Il disait qu'il voulait tuer d'autres enfants, en plus de Kerry et d'un garçon de dix ans qu'il avait tué en Floride, avant que la police ne l'attrape. Il menaça de tuer Jimmy et ses sœurs si celui-ci essayait de s'enfuir ou de raconter ce qu'ils avaient fait.

Goode tenait si bien son captif sous sa coupe que le garçon fut incapable de saisir les occasions qui se présentaient à lui de demander de l'aide, par exemple lorsque Goode et lui lavèrent les vitres d'une maison de banlieue. Le soir même de ce 23 mars, la propriétaire de la maison reconnut la photo anthropométrique de Goode au journal télévisé. Il se trouvait qu'elle l'avait prié de lui retéléphoner le matin très tôt pour d'autres petits travaux. Quand Goode et Jimmy arrivèrent le lendemain matin vers sept heures, la police les attendait. Ce n'est qu'avec ce soutien extérieur que Jimmy put échapper au sortilège où le maintenait Goode, avec sa carte affective pédophile. En prison, Goode ne cessa d'affirmer qu'il aimait les garçons qu'il avait tués, et son souhait final fut de tenir un garçon de dix ans et de faire l'amour avec lui une dernière fois avant de passer sur la chaise électrique.

Symptômes-retard

Une nouvelle collusion peut être introduite dans une relation déjà collusionnelle. C'est ce qui est arrivé à l'auteur de l'histoire autobiographique intitulée *The*

Armed Robbery Orgasm [42]. C'était un masochiste qui rencontra dans un bar de filles une partenaire dont l'aspect et la conduite correspondaient parfaitement à son idéal d'une dominatrice. Elle le couchait sur ses genoux et le fessait nu jusqu'à ce qu'il atteigne un état d'abandon extatique. Elle le tenait en lui refusant l'accès à son corps, ou en lui donnant une nouvelle fessée, tant qu'il n'avait pas obéi aux conditions qu'elle lui imposait. Elle avait une histoire de vols à main armée qu'il n'avait pas. Il accepta sans protester quand elle lui demanda de se faire son complice pour aller cambrioler de petites boutiques, pendant qu'elle attendait dehors dans la voiture. Son acte ultime de domination fut de le dénoncer à la police. Elle purgea une courte peine de prison, tandis que lui prenait une peine de quinze ans – non pour masochisme, mais pour vol à main armée.

Dans ce cas, le cambrioleur avait la fixation d'être fessé avec une badine par une dominatrice plus jeune que lui ayant l'apparence et la corpulence de sa mère et de sa sœur aînée, et d'être contraint par sa dominatrice à se prostituer pour gagner sa vie. Chacune de ces quatre fixations a un nom, à savoir le masochisme (être dominé, humilié, fessé ou battu), l'éphébophilie (être attiré par les adolescents ou les jeunes adultes), la symphorophilie (être excité par le danger et les catastrophes) et la chrématistophilie (être contraint de dépenser sans compter ou à être volé pour des services sexuels).

Aucune de ces fixations par elle-même ne pourrait être diagnostiquée comme une paraphilie, mais les quatre ensemble ne constituent pas quatre paraphilies : cela impliquerait l'existence de quatre cartes affectives, ce qui reviendrait à dire par exemple qu'une personne ayant quatre infections différentes de la bouche possède quatre bouches, une par infection. Chaque individu n'a qu'une bouche, de même qu'il n'a qu'une seule carte affective. Cette unique carte affective peut être simple ou multiple pour la fixation paraphilique. Dans les cartes affectives multiples, chaque fixation paraphilique vient s'interconnecter autour d'une fixation primaire. Dans le cas du vol à main armée, la fixation primaire était le masochisme. Le sujet lui-même faisait remonter sa fixation masochiste aux punitions administrées par sa mère quand il était petit garçon et, en son absence, par sa sœur aînée. Quand il avait une érection au cours de la punition, sa sœur le frappait sur le pénis, ce qui eut pour effet d'introduire l'éphébophilie hétérosexuelle dans sa carte affective en développement. Le fait de payer de grosses sommes d'argent à une prostituée séparait l'impureté du désir de l'inceste. Cette chrématistophilie ne fut reconnue dans sa carte affective que lorsqu'il fut en âge de gagner sa vie. Peu après, la symphorophilie (éventualité d'une catastrophe, comme d'être tué au cours d'un vol à main armé) fut identifiée à son tour. Le sexe rémunéré et le vol à main armé ne s'étaient pas révélés dans l'idéation et l'imagerie de la carte affective de la jeunesse, mais plus tard, comme une extension de l'obéissance masochiste en collusion avec une dominatrice dont le pouvoir tenait à sa rareté. En effet, il ne s'agissait pas d'une sadique d'occasion, mais d'une femme ayant une carte affective authentiquement sadique, correspondant à la carte affective multiple de son client. En termes de diagnostic, cette carte affective multiple était fondamentalement masochiste.

L'obtention du personnel et du financement pour une étude prospective de la naissance à l'âge de vingt-cinq ans suppose une énorme logistique, même s'il est possible d'identifier les prémisses dès l'enfance. Nous avons décrit ailleurs le suivi de sept enfants en psycho-endocrinologie pour des troubles non encore identifiés comme prédicteurs d'une paraphilie [43]. Au début de l'âge adulte, ces enfants montrèrent la présence d'une idéation et d'une imagerie paraphiliques dans leurs cartes affectives. Un échantillon de sept sujets est insuffisant pour découvrir des précurseurs juvéniles récurrents de futures paraphilies, mais il permet de mettre en évidence l'origine précoce de chaque paraphilie et la cohérence de son histoire.

Les annales du travestissement sont pleines de rapports rétrospectifs sur des garçons qui se travestissaient dans leur enfance, tant pour soulager leur stress que pour obtenir une érection et une sensation d'orgasme sans éjaculation. Après la puberté, le travestissement s'accompagnait de masturbation et d'éjaculation. Un échantillon plus restreint de garçons n'indique aucun signe prodromique dans les jeux juvéniles de de ce qui deviendra l'idéation et l'imagerie paraphiliques. Par exemple, Nelson Cooper (voir chapitre II), qui nous a laissé son autobiographie [44], avait une fixation juvénile sur des jeux d'étranglement avec des filles de sa famille, bien avant que l'auto-asphyxie ne devienne un trait saillant de sa carte affective d'étudiant. À l'université, l'apparition de l'auto-asphyxie fut précipitée, a-t-il déclaré depuis, par une obsession pour les exploits largement médiatisés de John Wayne Gacy, le tueur en série de Chicago qui avait étranglé plusieurs adolescents.

Un autre signal précurseur infantile de troubles paraphiliques futurs est le fait de démembrer et de torturer des animaux. Le cas célèbre de Jeffrey Dahmer en est un exemple [45]. Étant enfant, il collectionnait les animaux tués sur la route pour les exhiber. Jeune adulte, il devint un tueur en série sadique qui assassina, démembra et dévora en partie de jeunes homosexuels qu'il rencontrait dans des bars gays et ramenait chez lui pour une brève relation sexuelle. Il avait un fantasme élaboré qui le poussait à construire une sorte d'autel ou de temple où il disposait et adorait les restes de ses victimes.

Lorsqu'il existe des signes prodromiques dans l'enfance d'une carte affective paraphilique, ils sont en général négligés jusqu'à l'adolescence, au moment où le prodrome cède la place au syndrome. Imaginez la détresse d'un adolescent inscrit au tableau d'honneur du collège, assidu au catéchisme et champion local de sport, qui par ailleurs épie en secret les fenêtres de la maison voisine pour voir deux sœurs adolescentes se déshabiller. Quand il se masturbe, les deux filles, dans son imagerie, sont des séductrices. Pour éviter une catastrophe immorale, elles doivent mourir. Pendant des mois, ses fantasmes de masturbation intègrent une imagerie où il se voit les attaquer, les violer et les poignarder à mort. Il n'a aucun moyen d'arrêter cette imagerie. Il a trop honte pour se confesser et demander de l'aide. Et puis, un soir, ses parents rentrent chez eux après un concert pour découvrir que le double meurtre a eu lieu. Nul ne peut croire qu'il est le premier suspect, mais c'est bien lui. Le meurtrier sexuel n'est pas un extraterrestre, c'est le jeune homme de la maison voisine.

Dans un cas de ce genre, l'imagerie de la carte affective ne se révèle pas en un seul tableau, comme une fresque sur un mur. Elle se révèle plutôt progressivement, comme un rouleau de soie peinte où l'on voit avancer le récit à mesure qu'on le déroule. Toutes les scènes sont là, du début à la fin, mais chacune doit attendre son tour pour être révélée. Le temps nécessaire pour dérouler complètement le rouleau peut se compter en semaines, en mois ou en années.

Dans certains cas, le rouleau ne se déroule jamais totalement, à savoir que la paraphilie n'atteint jamais le stade où elle passerait du fantasme à la performance réelle. À cet égard, l'idéation et l'imagerie paraphiliques ont leur propre autonomie encore inexpliquée, qui échappe au contrôle personnel et à la volonté morale. Par exemple, les fantasmes paraphiliques d'enlèvement et de possession sexuelle sont fréquents chez les femmes, mais il est rare qu'ils soient poussés jusqu'à une exposition réelle au risque d'attaque, d'enlèvement et de viol.

Il est possible que certaines personnes traversent l'adolescence avec une idéation et une imagerie de la carte affective subliminalement intactes, bien que virtuellement dormantes, sorte de période d'incubation qui dure jusqu'à l'âge adulte où la carte affective s'épanouit. L'ère victorienne idéalisait la dormance ostensible pour les filles. Cet idéal regagne actuellement du terrain dans la doctrine politique et ecclésiastique de l'abstinence jusqu'au mariage. Traditionnellement, la responsabilité de l'abstinence est attribuée aux filles plutôt qu'aux garçons.

Il existe toutefois des jeunes gens ayant une période d'idéation et d'imagerie dormante entre le début d'une puberté physiologiquement normale à l'adolescence et leur première expérience d'obsession amoureuse dix ans plus tard. À la fin de la période de dormance, ils ne se rappellent aucune histoire de masturbation ou de pollutions nocturnes, ni d'attirances sentimentales hétéro- ou homosexuelles. Sans explication, la dormance se transforme soudain en action affirmée avec la première expérience amoureuse. La relation amoureuse risque alors d'être trop possessive et déséquilibrée.

En l'absence d'un échantillon de population suffisant, on ignore jusqu'à quel point l'idéation et l'imagerie peuvent être masquées dans la carte affective au cours de cette période de dormance relative. On sait toutefois que ce masquage existe. Dans le cas d'un homme marié, la phase démasquée de sa paraphilie était celle du triolisme. Le mari poussait sa femme à avoir une liaison avec un homme noir – pour faire complément à leur blancheur –, ce qui devait maximiser son excitation et favoriser sa puissance érectile. D'une façon illicite et déviante, il poursuivit l'un des collègues de travail de sa femme et s'arrangea pour que cet homme ait une liaison avec elle. Puis il accusa sa femme d'adultère, accusa l'homme noir de viol adultère et le dénonça à son travail. Pendant ce temps, il répondait à des annonces du journal local dans l'espoir de trouver une autre femme qui satisfasse son fantasme paraphilique de triolisme.

Érosion gériatrique

Aucun changement consistant dans le contenu de l'idéation et de l'imagerie de la carte affective n'est lié au vieillissement en soi. Il y a toutefois un déclin de la fréquence de déploiement et d'exhibition de la carte affective, ainsi que de l'urgence de sa performance. Ce déclin peut être un avantage significatif pour les sujets ayant une histoire d'emprisonnement pour délits sexuels, dans la mesure où il limite le risque de répétition du délit. Parmi la population non paraphilique, l'âge du déclin de la carte affective dépend de l'individu et est imprévisible, tout comme l'âge du déclin de la fonction érotique génitale. Chez les femmes, le déclin de la carte affective peut intervenir bien après la ménopause [46].

S'il intervient avec l'âge des changements paraphiliques dans le contenu de l'idéation et de l'imagerie de la carte affective, il faut invariablement suspecter un changement correspondant dans le fonctionnement du cerveau sexuel. Le changement le plus classique est une érosion de la conformité aux critères sexologiques auxquels adhérait jusque-là l'individu, comme se masturber ou s'exhiber en public, faire des avances à des étrangers ou des proches dans des situations sociales inappropriées, caresser ses petits-enfants ou d'autres jeunes d'une façon érotiquement suggestive, avoir un vocabulaire sexuel indécent dans un environnement inapproprié, bien que de façon non explosive comme dans le syndrome de Tourette, etc. Ces signes d'érosion de la carte affective peuvent être les symptômes précliniques d'une maladie dégénérative du cerveau, par exemple la maladie d'Alzheimer ou la chorée de Huntington [47], et parfois la sclérose en plaques et certains cas de tumeur au cerveau.

CHAPITRE V

Paraphilies : personne et espèce

Mythologies

Au Moyen Âge, les paraphilies étaient attribuées à la possession par le démon. L'homme était la seule espèce connue pour manifester des paraphilies, et cette unicité était attribuée à la spécificité spirituelle de l'espèce humaine vis-à-vis du péché et du salut. Le mythe de la possession démoniaque est pratiquement moribond, mais il connaît encore bien des sursauts, comme en témoigne la réapparition sporadique des pratiques d'exorcisme dans la réalité comme au cinéma.

Dans la sexologie populaire, comme dans la sexologie professionnelle, les diverses mythologies sur la formation des cartes affectives paraphiliques, si peu consistantes soient-elles, se sont révélées tenaces. L'une d'elles professe que les paraphiliques, blasés des rapports sexuels ordinaires, se tournent vers des pratiques de plus en plus exotiques et bizarres – ce qui revient à dire que boire du lait ou des sodas conduit à l'alcoolisme.

Le mythe de la lassitude s'oppose au mythe de la contagion sociale, selon lequel les gens se mettent à pratiquer une paraphilie donnée lorsqu'ils rencontrent des gens qui la pratiquent déjà, ou lorsqu'ils lisent des informations sur elle sur Internet ou dans la presse. La pornographie est le grand croquemitaine de ce mythe[1]. Sa réfutation est assez évidente, par exemple dans le cas de l'auto-amputation paraphilique (voir chapitre IV). L'exposition à des centaines d'heures de vidéos mettant en scène cette paraphilie (apotemnophilie) ne convertit pas un spectateur choisi au hasard à l'idéation et à l'imagerie de l'auto-amputation. Un spectateur ayant une carte affective prodromique d'amputéisme sera en revanche fasciné par ces images.

Le mythe hormonal de l'origine des paraphilies a pour lui une plus grande respectabilité scientifique, dans la mesure où l'hypophyse et les hormones gonadales qui commandent la différenciation sexuelle anatomique et physiologique jouent un rôle de premier plan dès la vie embryonnaire. Il reste que leur rôle dans la différenciation et la gouvernance sexuelle de l'idéation et de l'imagerie de la carte affective est loin d'être établi : il s'appuie sur un simple raisonnement par analogie, à savoir que l'hormone masculine suscite tous les comportements masculins, et l'hormone féminine tous les comportements féminins[2]. Appliqué aux paraphilies, ce raisonnement analogique a permis d'associer le sadisme sexuel, l'agression, le viol et le meurtre à un excès d'androgène[3] – point de vue renforcé par le succès de la thérapie hormonale anti-androgène pour le contrôle des paraphilies (voir chapitre VIII). Toutefois, si l'anti-androgène aide à contenir l'idéation et l'imagerie de la carte affective, il ne s'ensuit pas que l'androgène est responsable de la carte affective paraphilique dès le départ : il a pu activer la carte affective sans l'avoir construite.

Empiriquement, on n'a trouvé aucun marqueur endocrin séparant nettement les sujets dotés d'une carte affective paraphilique du reste de la population. Cela n'exclut pas l'éventualité qu'une étude endocrine plus systématique des paraphilies révèle un jour un tel marqueur. Il peut exister des hormones ou des substances proches qui ne seront découvertes qu'avec l'émergence d'une nouvelle technologie. De même, il peut exister des perturbateurs hormonaux qui, sous la forme de polluants industriels et agricoles, entrent dans la chaîne alimentaire et perturbent sélectivement la carte affective. Parmi les plus connus aujourd'hui, on trouve les polychlorobiphényles (PCB), largement répandus dans le monde [4]. En l'absence de nouvelles données, l'idée que les hormones ou les substances proches jouent un rôle causal dans la formation de l'idéation et de l'imagerie paraphiliques doit être considérée comme un mythe hormonal.

Le mythe immunologique est du même ordre que le mythe endocrin, à ceci près que la possibilité d'une connexion entre le système immunitaire et l'idéation et l'imagerie de la carte affective paraphilique reste totalement hypothétique. Les anecdotes cliniques dont nous disposons ne semblent pas montrer une affinité particulière des troubles paraphiliques pour les sujets atteints de syndromes immunologiques, notamment les syndromes auto-immunes. Si une telle affinité était découverte, le facteur immunologique responsable pourrait être transmis par le génome. Il pourrait également passer de la mère au fœtus par le biais du placenta et avoir une longue période d'incubation. Blanchard et Klassen ont avancé l'hypothèse qu'après une série de grossesses de garçons, une mère a pu accumuler des anticorps à l'antigène fœtal H-Y de ses fils [5]. Ils ont appliqué cette hypothèse à leur découverte que les homosexuels masculins ont plus de frères aînés et moins de sœurs aînées que les hommes non homosexuels [6]. On ignore si les anticorps maternels sont dormants ou actifs.

Les déterminants viraux des troubles de l'immunodéficience peuvent exercer leur influence avant ou après la naissance. Le VIH (virus d'immuno-déficience humaine) qui provoque le sida ne semble avoir aucune association spécifique avec les paraphilies.

Les personnages publics embarrassés par la publicité

d'une arrestation pour exhibitionnisme ou tout autre délit paraphilique peuvent invoquer le mythe toxique à titre de circonstance atténuante. L'alcool, étant légal et socialement acceptable, est la drogue la plus souvent invoquée pour construire une défense toxique. D'autres drogues, licites ou non, peuvent être impliquées, pourvu qu'elles brouillent le jugement et limitent la capacité d'attention du sujet. Ces drogues peuvent être le facteur déclenchant d'un épisode paraphilique particulier, mais elles ne peuvent rendre compte de l'origine de l'idéation et de l'imagerie paraphiliques dans la carte affective – d'où le terme de mythe toxique.

Le mythe du « soignez-vous vous-même » est largement répandu dans la mythologie des paraphilies. Les travestis adolescents qui trouveraient trop stigmatisant de « sortir du placard » s'accrochent à l'idée qu'ils se soigneront tout seuls en se mariant, ou, quand cela rate, en se débarrassant de toute leur garde-robe. Le mythe du « soignez-vous vous-même » s'applique à toutes les paraphilies. Il doit peut-être sa persistance au fait que certaines paraphilies ont des périodes d'apparente rémission, pour ne flamber que plus fort sous la pression du stress quotidien ou d'un traumatisme aigu. Dans des conditions d'incarcération ou de traitement forcé, l'affirmation d'autoguérison d'un paraphile se conforme à la doctrine et à la politique de traitement de l'institution, au point d'en reprendre les mêmes incantations et les mêmes platitudes. Par exemple, dans les années de gloire du freudisme, un violeur récidiviste purgeant une peine à perpétuité était convaincu qu'il avait cessé d'être une menace pour la société, parce qu'il avait « trouvé ses Œdipiens ».

Le viol paraphilique (raptophilie lorsqu'il est dérivé du latin, et biastophilie dans la dérivation grecque) s'accompagne d'un autre mythe paraphilique, le mythe de la violence. Dans les années 1960, à l'époque du « faites l'amour, pas la guerre », les tenants de la libération sexuelle et du mouvement de libération des femmes divisaient l'idéologie et l'imagerie de la carte affective entre consensuelle et affectueuse d'une part, coercitive et agressive d'autre part. Cette division a donné naissance au mythe de la violence, selon lequel la violence sexuelle paraphilique, l'agression, le meurtre, le sadisme, la molestation et l'abus sont reconstruits comme des crimes violents et des affirmations de pouvoir totalement dénués de sexualité. Le mythe de la violence se porte encore fort bien dans les écoles, les manuels scolaires et les livres de préparation au mariage. Il est politiquement correct mais scientifiquement incorrect. L'affirmation scientifiquement correcte sur les paraphilies attribuées à la violence seule est qu'elles combinent sexualité et agression.

En 1897, Freud remplaça sa théorie prépsychanalytique de la séduction par sa théorie psychanalytique du complexe d'Œdipe. Lorsque la théorie de la séduction connut une renaissance presque un siècle plus tard, elle donna naissance au mythe de la séduction dans les cas d'abus et de molestation des enfants[7].

Selon ce mythe, une histoire de molestation sexuelle peut commencer très tôt, dès l'âge de dix-huit mois, ou à n'importe quel moment plus tard dans l'enfance. L'accusé est en général le père. À l'âge adulte, la victime putative peut n'avoir aucun souvenir de l'épisode de molestation. Néanmoins, le souvenir refoulé est tenu responsable d'une grande variété de symptômes somatiques et psychiques. La cure putative de ces symptômes exige un rappel détaillé de l'histoire de la molestation, facilité au besoin par la suggestion hypnotique. Un faux souvenir mène à de fausses accusations et au syndrome de faux souvenir. De nombreuses familles ont été dévastées par les faux souvenirs. Des parents, des pasteurs, des enseignants ont été emprisonnés sur la base d'accusations fausses, qui comportaient parfois des descriptions précises de cultes sataniques avec des bébés sacrifiés sur l'autel de Satan. L'un des corollaires du mythe de la séduction est le mythe soutenant que les enfants ne disent jamais de mensonges sur les événements sexuels censés s'être produits dans leur vie innocente.

Premières théories

Les gens frappés par une maladie chronique ou terminale demandent souvent : « Pourquoi moi ? » D'autres, ayant été exposés aux mêmes facteurs de risque, vivent apparemment sans problèmes. Cette question appelle deux explications : l'une est ontogénétique, l'autre phylogénétique. L'explication ontogénétique concerne l'histoire et le développement de la pathologie d'un sujet donné. L'explication phylogénétique concerne l'histoire et l'évolution de la susceptibilité à cette pathologie particulière dans la totalité d'une espèce. Pourquoi, par exemple, les paraphilies semblent-elles n'exister que chez l'espèce humaine et non pas chez les autres primates ou sous-primates ? La question ne vaut pas que pour les paraphilies. Pourquoi, par exemple, le VIH affecte-t-il uniquement l'espèce humaine, de sorte qu'il n'existe pas de modèle animal exact de la maladie ? Il n'existe pas non plus de modèle animal spécifique de paraphilie.

Les paraphilies n'ont pas de déterminant ontogénétique unique permettant de prédire le développement de l'idéation et de l'imagerie paraphiliques dans la carte affective. Il reste qu'au cours du premier siècle de la sexologie médico-légale, plusieurs théories du déterminisme ont été largement appliquées à toute la psychiatrie. Elles incluaient notamment l'antique théorie de la dégénérescence liée à la perte du fluide vital, due surtout à la masturbation (voir chapitre II). Plus populaire encore était la théorie d'une tare héréditaire apportée dans la famille selon le principe lamarckien de l'hérédité des caractères acquis. Des générations de parents, eux-mêmes tarés par l'alcool, les drogues, les poisons minéraux, l'épilepsie, la malaria, la tuberculose, la pellagre, les infections vénériennes, etc., intensifiaient le degré de tare héréditaire dans la lignée.

Le psychiatre français Benedict Morel proposa en 1857 une variante de la tare héréditaire [8]. Il postula un arrêt évolutionnaire ou une régression continue depuis la chute d'Adam, parfaite création de Dieu. Cette idée de régression évolutionnaire fut reprise par le criminologue italien Cesare Lombroso, qui l'appela « atavisme » et l'associa aux tares morphologiques congénitales [9].

Le grand tournant de la sexologie médico-légale fut 1886, année où Richard Krafft-Ebing publia son ouvrage si contesté et si célèbre, *Psychopathia sexualis*.

Psychopathia sexualis était déjà le titre d'un livre publié en Allemagne en 1844 par Heinrich Kaan, médecin personnel du tsar. Kaan mentionnait notamment l'amour des garçons, la masturbation homosexuelle réciproque, le viol des cadavres, le coït avec les animaux et le contact avec les statues (agalmatophilie ou pygmalionisme, dont l'inverse est la saliromanie, la profanation de statues et de peintures de nus féminins). Il proposait une explication causale circulaire : une disposition héritée pour des fantasmes morbides (*phantasmia morbosa*) induit l'excès sexuel, y compris l'auto-abus, qui intensifie le fantasme morbide, lequel est encore intensifié par la dégénérescence induite par l'ingestion de nourritures riches et épicées ; le fait de dormir dans un lit de plumes sensuel au lieu d'un matelas dur ; le port de vêtements étroitement corsetés ; l'absence d'exercice et de grand air, et l'excès de loisirs. Toutes ces sources de dégénérescence, surtout la masturbation, étaient prises au sérieux dans la médecine du XIXᵉ siècle.

Pour rester dans la vogue intellectuelle de l'époque, l'explication causale de Krafft-Ebing de la pathologie psychosexuelle s'appuyait sur la tare héréditaire qui, alliée à d'autres sources de dégénérescence, était responsable d'un cerveau et d'un système nerveux dégénératifs.

Ce schéma, bien qu'inconciliable avec la spécificité des pathologies psychosexuelles, permit à Krafft-Ebing de postuler que seul un cerveau dégénératif serait incapable de résister à des influences pathologiques subsidiaires, comme celles qui sont obtenues par le principe d'apprentissage associatif de stimulus/réponse.

Alfred Binet, psychologue français resté célèbre pour avoir inventé les tests d'intelligence, fut le premier à utiliser le principe d'apprentissage associatif pour expliquer l'origine des paraphilies. Il s'intéressa plus particulièrement au fétichisme et ouvrit la voie à la théorie actuelle de modification du comportement, le behaviorisme. Krafft-Ebing releva le défi théorique de Binet en répliquant que seul un cerveau dégénératif pouvait laisser s'établir un fétiche. Dans la même veine, Krafft-Ebing intégra à son propre schéma la régression évolutionnaire, ou atavisme, pour expliquer le sadisme et le masochisme comme des reculs vers un stade évolutionnaire primitif de développement. Il appliqua la même explication à « l'hermaphrodisme psychique » – soit le transgenrisme et l'homosexualité d'aujourd'hui.

Le principe de Krafft-Ebing d'un cerveau taré par une dégénérescence héréditaire était redondant à l'explication d'une pathologie psychosexuelle provoquée par une lésion cérébrale due à une blessure à la tête, à un choc ou à l'épilepsie. Dans les dernières éditions de *Psychopathia sexualis*, Krafft-Ebing abordait brièvement trois cas d'idiotie, deux cas d'atteinte au cerveau, cinq cas de syphilis avancée et douze cas d'épilepsie. Les trois cas d'idiotie se caractérisaient par une faiblesse mentale congénitale, et les dix-neuf autres par une faiblesse mentale acquise. De ces dix-neuf patients, il disait : « Les perversions de l'instinct sexuel semblent peu fréquentes, et ici les actes immoraux semblent tenir à une sensibilité sexuelle accrue ou non inhibée qui n'est pas anormale en soi. » Krafft-Ebing introduisait donc une nouvelle explication causale, à savoir la perversion de l'instinct sexuel, impliquant que l'instinct sexuel existe *sui generis*. Il ouvrait ainsi la boîte de Pandore du déterminisme intrapsychique et posait la question encore non résolue des causes organiques ou psychogènes de la pathologie psychosexuelle.

Le déterminisme intrapsychique

Krafft-Ebing mourut en 1902, assez tard pour laisser le legs de la *Psychopathia sexualis* à Freud, mais trop tôt pour nous laisser sa réaction à la publication en 1905 des *Trois essais sur la théorie sexuelle*. On peut toutefois supposer que Krafft-Ebing aurait reconnu que sa propre explication de la psychopathologie sexuelle ne pouvait absorber le principe freudien du déterminisme intrapsychique, comme elle l'avait fait pour le principe du déterminisme associatif de Binet.

Dans le vocabulaire de Freud, les psychopathologies sexuelles étaient des « perversions », nom qu'elles portent encore dans l'essentiel de la psychanalyse contemporaine [10]. L'explication freudienne des perversions a pour postulats les principes de récapitulation et de réversion évolutionnaires.

Le principe d'Ernst Haeckel selon lequel l'ontogenèse récapitule la phylogenèse a été popularisé à l'époque de Freud par Wilhelm Boelsche, un romancier qui était aussi un vulgarisateur scientifique. Haeckel avait écrit sur la gastriculation, processus qu'il avait étudié sur les éponges marines, par lequel la masse cellulaire s'invagine pour former un estomac primitif avec une bouche et, plus tard, un orifice anal – lequel devient ensuite, chez les organismes plus complexes, les parties génitales. Boelsche popularisa la théorie gastrique (*gastrea*) comme le modèle de l'évolution phylogénétique de la sensibilité sexuelle de la peau externe à la bouche gastréale et, de là, au cloaque primitif, l'anus, et enfin aux parties génitales [11]. Boelsche alla plus loin encore, établissant un parallèle dans l'évolution phylogénétique entre morphologie et méthode de reproduction, celle-ci commençant par la fusion orale et progressant par le biais d'un échange cloacal vers l'union génitale. Récapitulés dans le développement individuel et reconstruits comme instinctuels, ces stades évolutionnaires constituent, dans la théorie freudienne, les stades développementaux de la sexualité infantile « perverse-polymorphe » : les stades oral, anal, phallique et génital.

Dans l'explication intrapsychique de Freud de la perversion, la réversion évolutionnaire suivait un principe dualiste : la fixation, en cas d'arrêt du développement, et la régression, lorsque le développement avait progressé et était revenu en arrière. Si le résultat de la fixation et de la régression était la persistance d'un stade antérieur de la perversité polymorphe infantile, il serait qualifié de perversion (Freud ne différenciait pas syndrome par syndrome tout ce qu'il classait sous le nom de perversions). En revanche, si la perversion était modifiée et masquée par la surimposition du refoulement, le résultat serait qualifié de névrose.

Pour être complète, l'explication intrapsychique de la perversion doit rendre compte de la sélectivité de la fixation et de la régression, qui ne pervertissent qu'une minorité d'individus. Il existe plusieurs options – dégénérescence, tare héréditaire, ou neuropathologie, par exemple. Toutefois, ces options ne sont pas intrapsychiques mais extrinsèques, et Freud tenait à tout prix à une théorie strictement intrapsychique.

Il y a aussi l'option d'une interférence traumatique avec le développement, éventuellement provoquée, dans le cas de la sexualité, par une stimulation sexuelle prématurée ou illicite. L'interférence traumatique n'est pas cohérente avec une explication exclusivement intrapsychique, puisqu'elle est d'origine extrinsèque et donc un exemple de déterminisme associatif – dans le cas par exemple d'une excitation génitale prématurément associée au fait d'être masturbé par une gouvernante, ou séduit sur un mode incestueux par un adulte. Comme on l'a dit, en 1895, Freud donnait créance à ces deux possibilités. Alors qu'il n'abandonna jamais formellement la possibilité d'un effet dommageable de la masturbation, il renonça totalement à sa formulation de la névrose hystérique résultant d'une séduction dans l'enfance. Le tournant de Freud en 1897 vers sa théorie œdipienne du déterminisme intrapsychique était bien exclusivement intrapsychique. Cela est connu depuis longtemps et a parfois donné lieu à d'acrimonieux débats [12].

Au sein d'un système intrapsychique d'explication, il existe un nombre logiquement fini de principes intrapsychiques susceptibles d'expliquer la fixation et la régression intrapsychiques. L'un est le principe intrapsychique du déterminisme idiopathique, selon lequel il est préordonné que la fixation et la régression n'interviendront que chez certains individus. Un second est le principe intrapsychique de séquence chronologique, selon lequel il existe un ordre phylogénétique d'apparition des différents stades du développement intrapsychique, dont l'éventuel bouleversement induit la fixation ou la régression. Un troisième est le principe intrapsychique de périodicité, selon lequel le développement intrapsychique est phylogénétiquement préordonné pour intervenir d'une façon fluctuante, cyclique, périodique ou pulsatile, à défaut de quoi il y aura fixation et régression.

Aucun de ces trois principes n'apparaît dans le système d'explication intrapsychique de Freud, bien que l'on sache par ses lettres à Wilhelm Fliess qu'il s'était intéressé de près au principe de périodicité avancé par Fliess avant de renoncer à l'utiliser [13].

Un quatrième principe d'explication intrapsychique de la fixation et de la régression est le principe de conflit ou d'incompatibilité entre deux composants ou plus de la psyché, l'un étant plus puissant ou dominant que l'autre. On sait, toujours par les lettres de Freud à Fliess, que le principe de conflit avait un rôle majeur dans deux des formulations évolutionnaires de Fliess : celle de la bisexualité intrapsychique intrinsèque, et celle de l'attraction sexuelle par l'olfaction et le nez, opposée à la vision et aux yeux. Le principe de conflit, transmuté en principe de conflit intrapsychique, avait un rôle de premier plan dans le système de déterminisme intrapsychique de Freud. Ce principe s'applique au conflit instinctuel et hiérarchique entre le ça instinctuel, le moi et le surmoi. Freud se montre équivoque sur une origine exclusivement intrapsychique du surmoi. Ses combats intrapsychiques majeurs portent sur la bisexualité et le complexe d'Œdipe.

Dans le domaine de la bisexualité, le combat intrapsychique se déroule entre hétérosexualité et homosexualité. Chaque camp peut l'emporter. Par définition, l'homosexualité est une perversion. La défaite de la perversion entraîne donc une alliance avec le refoulement. L'homosexualité refoulée ne disparaît pas, mais devient une homosexualité latente, qui peut réapparaître sous la forme d'une symptomatologie névrotique, la paranoïa par exemple. Il manque deux principes à ce paradigme de déterminisme intrapsychique : l'un pour expliquer pourquoi et chez qui l'hétérosexualité l'emportera, et un autre pour expliquer pourquoi et chez qui l'homosexualité, une perversion en terminologie psychanalytique, l'emportera sans se transformer en névrose. Le principe du conflit intrapsychique ne remplit pas sa promesse d'expliquer l'homosexualité en tant que perversion.

En ce qui concerne le complexe d'Œdipe, le combat intrapsychique se déroule entre sexualité infantile et abstinence infantile. Le triomphe œdipien sur son rival, à savoir le parent du même sexe, deviendrait la perversion de l'inceste avec le parent de l'autre sexe. La tragédie de n'être pas victorieux est compensée par une alliance œdipienne avec le refoulement, et le châtiment de la défaite est l'angoisse de castration. Sous la menace de cette angoisse, la sexualité ne peut resurgir que sous la forme d'une symptomatologie névrotique. Là encore, le principe de conflit intrapsychique ne nous dit pas qui parvient à survivre sans névrose à la rivalité œdipienne.

Un moyen de sortir du dilemme de l'homosexualité latente comme de l'angoisse de castration consiste à opérer une révision doctrinale par laquelle l'homosexualité latente et/ou l'angoisse de castration deviennent les forces intrapsychiques servant à expliquer toutes les paraphilies (les perversions de la psychanalyse) comme s'il s'agissait de névroses. C'est ce qu'a fait Benjamin Karpman [14], un psychanalyste ayant une grande expérience des délinquants sexuels paraphiliques, qui a adopté le terme de névroses paraphiliques : « Les homosexuels latents peuvent avoir recours aux paraphilies, ou encore leur vie sexuelle peut manifester une pathologie sans recours aux paraphilies. Virtuellement, toutes les paraphilies sont issues de l'homosexualité inconsciente ; ces perversions donnent lieu à un certain nombre de crimes sexuels. La fellation, le cunnilingus, la pédérastie [c'est-à-dire le coït anal], lorsqu'ils sont pratiqués dans un cadre hétérosexuel, expriment des tendances homosexuelles inconscientes [15]. »

Karpman écrivait aussi que « l'inceste inconscient traverse toutes les névroses, psychoses et paraphilies [16] ». Il n'était pas excessivement dogmatique sur le complexe d'Œdipe et l'angoisse de castration. En revanche, dans une brève présentation de la théorie psychanalytique de la déviation sexuelle, Kline [17] suivit Otto Fenichel et sa version de l'angoisse de castration : « Le fétiche est une tentative de nier l'absence de pénis ; le travesti masculin combine l'identification homosexuelle avec sa mère avec le déni du fétichiste qu'une femme n'a pas de pénis ; l'exhibitionnisme est une tentative de déni de la castration, et les voyeurs sont fixés sur des expériences qui ont excité leur peur de la castration. »

Comme le montrent ces deux exemples, le danger du déterminisme intrapsychique est qu'il est trop aisément converti en dogme. Un dogme est validé par le nombre de ses adhérents – et de ses victimes – plutôt que par son degré d'efficacité empirique.

Chroniques des cartes affectives

Quand parut le premier des sept volumes des *Studies in the Psychology of Sex* de Havelock Hellis, en 1897, l'édition fut entièrement confisquée pour obscénité. Sa publication en anglais fut alors transférée de Londres à Philadelphie où le dernier volume parut en 1928. L'achat en fut strictement réservé aux médecins et aux juristes jusqu'aux années 1930, les histoires de cas étant jugées trop explicites pour le grand public. Elles rapportaient des biographies sexuelles de citoyens ordinaires, pas seulement de représentants de la population clinique et criminelle, et ce sans aucun biais théorique particulier. Albert Moll, dans *The Sexual Life of the Child*[18], a approché la sexologie de l'enfance d'une façon tout aussi empirique, mais sur une moindre échelle.

Il y a de multiples obstacles à surmonter pour chroniquer le développement des cartes affectives, qui vont de l'obtention du consentement informé et d'un échantillon dépourvu de biais au financement des études de suivi. Néanmoins, nous ne manquons pas de preuves, quand les données sont disponibles, d'une articulation cohérente dans le développement séquentiel et multiple d'une carte affective. Cette articulation s'effectue cependant avec un fort degré d'idiosyncrasie dans le rythme, la force, la durée et le nombre de variables non résolues.

L'idiosyncrasie personnelle n'exclut pas un certain degré de similarité dans le développement séquentiel de certaines cartes affectives ayant le même diagnostic paraphilique. À partir de données issues de divers centres de sexologie, il devrait être possible d'établir si les violeurs avec violences, par exemple, ont une prévalence élevée d'histoire d'incitation incestueuse – pas forcément un coït incestueux, mais le fait de dormir, jusqu'à la puberté et au-delà, dans le même lit que la mère ou une autre femme plus âgée, et d'être sexuellement excité sans consommation.

De même, il faudrait savoir s'il existe chez les pédophiles séducteurs une forte histoire d'incitation dans l'enfance à une relation de séduction non coercitive avec un partenaire pédophile masculin ou féminin. Alternativement, il pourrait en résulter une attirance accrue pour des partenaires beaucoup plus âgés (gérontophilie). Les questions ne manquent pas sur une éventuelle régularité dans les récits de formation de la carte affective dans toutes les paraphilies.

La géographie de la carte affective est comme celle du visage en ceci que tous les visages sont uniques et reconnaissables, tout en ayant l'apparence générique d'un visage. Même des jumeaux identiques ne peuvent espérer avoir des cartes affectives qui soient la copie exacte l'une de l'autre. Si les questions d'éthique sur le clonage humain sont surmontées un jour, les répliques humaines clonées offriront un nouveau réservoir de données permettant de distinguer dans la carte affective l'identité clonée de l'idiosyncrasie. On en trouve une analogie dans le langage : chacun des deux clones humains aura une langue maternelle, mais celle-ci dépendra de la langue maternelle de ceux qu'il écoute et avec qui il communique.

L'étude de la sexologie développementale des clones humains reste elle aussi de l'ordre de la science-fiction. En attendant, on se contente de reconnaître et de formuler tous les principes possibles à partir d'un examen systématique des chroniques de cartes affectives.

Les chroniques de cartes affectives paraphiliques[19] ont fait apparaître le principe d'une disjonction entre amour et désir comme un trait définissant de la paraphilie. C'est la même disjonction qui caractérise l'histoire et le statut ecclésiastique de la sexualité dans la culture occidentale. L'amour est divin ; le désir est satanique. L'amour est pur et destiné à la procréation ; le désir est impur et destiné au plaisir dans le péché. L'amour est sentimental et au-dessus de la ceinture ; le désir est charnel et situé au-dessous.

Les paraphilies représentent des formules pour préserver le désir dans un compromis avec l'amour. Il existe plus de quarante paraphilies, leur nombre exact dépendant du nombre de subdivisions reconnues – au sein du fétichisme, par exemple. En tout, les paraphilies se regroupent en sept grands stratagèmes pour préserver le désir pécheur de son antithèse : l'amour sanctifié.

Chaque grand stratagème encode un paléodigme, à savoir un antique paradigme de la sagesse populaire remontant peut-être à l'âge de pierre [20]. La mise en œuvre d'un stratagème peut parfois être remplacée par le déroulement du film mental d'une performance précédente ou par le visionnage d'une publicité ou d'une vidéo maison. Les sept grands stratagèmes sont les suivants.

Grands stratagèmes : paléodigmes

SACRIFICE ET EXPIATION

Ce grand stratagème encode le paléodigme du péché et de son expiation ou de sa rédemption par le biais du sacrifice. Dans ce cas, le péché est l'expérience du désir dans l'excitation érotico-génitale et l'orgasme. Le sommet du sacrifice paraphilique est le crime sexuel en série. Son contraire ou antipode est le risque de se donner accidentellement la mort, notamment par auto-asphyxie érotique ou auto-électrocution. Deux cas d'issue létale auto-érotique impliquant du matériel agricole ont été rapportés par O'Halloran et Dietz [21]. On peut les résumer de la manière suivante : un homme développa un attachement sentimental pour un tracteur, allant jusqu'à lui donner un nom et composer des poèmes en son honneur. Il s'auto-asphyxia accidentellement en se suspendant par le cou, en laissant des indices de son goût pour la distorsion des perceptions au cours de l'asphyxie. Un autre sujet se livrait à l'esclavage sexuel et au fétichisme travesti, mais ne s'asphyxia pas volontairement. Il mourut lorsqu'il fut cloué accidentellement au sol sous une pelle mécanique après s'y être volontairement suspendu par les chevilles. Nous comparons ces cas avec d'autres issues fatales d'actes auto-érotiques impliquant la distorsion des perceptions, le travestissement, un outillage ou dispositif, et une asphyxie posturale par compression de la poitrine.

Le risque d'une mort accidentelle érotique peut aussi être mis en scène avec un ou plusieurs partenaires cooptés. Un jeune masochiste alla chercher des gros bras au bord d'une rivière et les persuada de participer à un rituel consistant à l'asperger de crème à raser et de ketchup (un souvenir de sa puberté) et à le frapper sur la tête et au visage à coups de bottes tout en l'injuriant. Il enregistra cet épisode pour se le repasser plus tard tout en se masturbant. Le sacrifice paraphilique peut aussi prendre la forme d'une punition infligée ou reçue au cours d'un rapport sadomasochiste. Le jeûne peut également être une forme de sacrifice ou de rédemption.

MARAUDAGE ET PRÉDATION

Ce grand stratagème encode le paléodigme de capture et possession d'un autre être humain par la force, l'incitation ou la séduction. Dans l'histoire militaire, lorsque les armées victorieuses violaient les femmes de l'ennemi, le viol était défini non comme la coercition sexuelle des femmes, mais comme l'appropriation de la propriété d'un autre homme, puisqu'elles appartenaient soit à leur mari, soit à leur père. Dans l'usage contemporain hétérosexuel, le terme de « viol » a changé de sens pour signifier la pénétration vaginale forcée d'une femme, qui peut être une épouse, une maîtresse ou une petite amie, qui se refuse à un homme (le viol d'un homme par une femme est rarement admis).

Le viol ainsi redéfini n'a plus qu'un rapport périphérique avec le syndrome clinique nommé raptophilie ou
biastophilie. Dans le syndrome paraphilique de raptophilie, l'excitation érotico-génitale du raptophile et son
orgasme éventuel tiennent au fait d'avoir ou d'avoir eu
une partenaire captive, contrainte de céder à la sexualité
dans des conditions de menace, d'agression et d'atteinte
physique.

MERCANTILISME ET VÉNALITÉ

Ce grand stratagème encode le paléodigme d'obtention de biens ou de services par le troc et l'échange,
l'exemple spécifique en étant le paiement du prix de la
mariée, ou dot, dans un mariage arrangé. Dans une
paraphilie mercantile ou vénale, l'excitation érotico-
génitale et l'orgasme du paraphile tiennent au fait de se
voir soutirer une forme quelconque de paiement. Dans
le commerce de l'orgasme, le désir est une marchandise
achetée et vendue, sans considération d'amour et d'affection. Dans certains mariages, les partenaires satis-
font une paraphilie mercantile en endossant les rôles de
la prostituée et du client, avec un échange d'argent.
Dans certains cas, le client est un autre homme et le
mari s'excite en regardant.

FÉTICHISME ET TALISMANISME

Ce grand stratagème encode le paléodigme de la possession d'un objet ou d'un artefact dont le pouvoir
extraordinaire permet à son propriétaire de contrôler
les événements et de faire advenir ce qui serait autrement impossible. Un fétiche ou talisman paraphilique
est un objet ou un artefact qui, en tant que stimulus
d'excitation érotico-génitale et d'orgasme, est un substitut de son possesseur. Il existe deux catégories de
fétiches et de talismans paraphiliques. L'une englobe les
artefacts toucher-sentir ou hyperphiliques dérivés du

contact humain, notamment avec la peau et les cheveux. Les autres sont les artefacts goûter-sentir, ou artefacts olfactophiliques issus des goûts ou des odeurs du
corps humain, surtout ceux de la sueur et des parties
génitales. Un fétiche peut être altéré pour un usage érotique. Par exemple, un fétichiste de la chaussure avait
percé un trou de masturbation dans le talon de la chaussure de femme qu'il avait volée.

STIGMATISME ET ÉLIGIBILITÉ

Ce grand stratagème encode le paléodigme d'amour à
première vue – l'irrésistible attraction qui pousse un
sujet vers un étranger, même à distance, comme si la
rencontre avait été décidée de tout temps par un destin
inexplicable. Certains l'expliquent par l'alchimie de
l'amour. En l'absence de tests scientifiques capables
d'établir la chimie corporelle de l'amour, il est préfé-
rable d'expliquer cette attraction par la soudaine reconnaissance d'un élément chez cet étranger qui réciproque
exactement l'idéation et l'imagerie de la propre carte
affective du sujet. Un exemple extrême en est la carte
affective de l'acrotomophilie, qui décrète que le partenaire doit être un amputé (voir chapitres IV et VII).
L'observateur acrotomophilique du moignon amputé
est frappé de désir. Parmi les autres critères d'éligibilité
paraphilique, on compte la race, l'ethnicité, la religion,
l'allégeance politique et la richesse. L'âge est un autre
critère d'éligibilité. Dans la pédophilie, l'éphébophilie et
la gérontophilie paraphiliques, l'attractant de la carte
affective est respectivement juvénile, adolescent et âgé.

SOLLICITATION ET APPÂTS

Ce grand stratagème encode le paléodigme de ce que
l'on appelle dans le royaume animal un accouplement
conspécifique, lorsque les animaux sont en période de
rut ou en chaleur. Il peut prendre la forme d'une danse

ou d'un rituel nuptial, ou d'une présentation des organes sexuels qui est une invitation manifeste à copuler. À part dans les spectacles vivants et les films de divertissement érotique, la danse nuptiale chez l'espèce humaine est plus susceptible d'être un bal de débutantes ou une boîte disco que l'exposition des parties génitales. La sollicitation et le déploiement des appâts deviennent paraphiliques quand, au lieu d'être une invitation à la cour, préliminaire à un investissement bilatéral érotosexuel, ils prennent un caractère unilatéral et forment en soi le facteur déclenchant de l'orgasme. Ainsi, la personne sollicitée n'a qu'à regarder et se voit épargner la souillure du contact génital. Beaucoup de gens craignent que l'exhibitionniste ou le voyeur paraphilique ne puisse être aussi un violeur. Cette combinaison existe bien, mais le viol paraphilique appartient à la catégorie du maraudage et de la prédation, qui ne chevauche pas en général la sollicitation et la présentation d'appâts paraphiliques.

PROTECTION ET SAUVETAGE

Ce grand stratagème encode le paléodigme du sauvetage et de la délivrance. Celui ou celle qui est sauvé(e) est victime du désir d'un autre (voir aussi chapitre VII). Un protecteur paraphilique est celui dont le désir ne s'exprime que s'il sauve un(e) partenaire d'un partenaire incompétent ou abusif. Ce scénario paraphilique survient dans certains cas d'adultère et certains cas d'inceste. Dans ces derniers cas, un parent est de connivence pour se débarrasser de l'affection indésirable de son conjoint. Certaines prostituées, même rémunérées, peuvent être des agents de sauvetage. Le stratagème de protection et de sauvetage peut être hétérosexuel, homosexuel ou bisexuel.

Les paléodigmes illustrent le principe que l'information codée dans la psyché et le cortex cérébral peut influencer le comportement, même si le sujet concerné n'identifie pas la connexion entre le paléodigme et le comportement. Un paléodigme n'est pas causal en soi. Il reste que dans des syndromes caractérisés par un comportement sélectivement ritualisé dont la performance implique un autre sujet, les paléodigmes peuvent avoir une grande valeur explicative.

Du biorobotisme à la paraphilie

Les sept grands stratagèmes illustrent la diversité de l'imagerie et de l'idéation susceptibles d'être incorporées dans la carte affective, même si la plupart n'ont pas de relation apparente aux éléments biorobotiques (phylismes) de l'accouplement et de la procréation des mammifères. Le terme « phylisme » désigne un élément comportemental, phylogénétiquement déterminé, inné à tous les membres d'une espèce. Un phylisme se caractérise par un système inné de détection ou de reconnaissance, et un système inné de réaction qui fonctionnent en synchronie dans une phase développementale déterminée de façon innée, laissant ensuite une empreinte très durable, voire indélébile. C'est la littérature sur l'éthologie qui nous en offre les exemples les plus classiques[22] : un oison ou un caneton qui sort de l'œuf reconnaît un stimulus qui se dandine et est en général sa mère (mais pas toujours), le suit et en est imprégné. Lorsque Lorenz lui-même personnifia la mère, les jeunes furent imprégnés par lui en tant que mère de substitution.

Les systèmes phylismiques de stimulus-réponse n'ont pas besoin d'être appris. Ils sont stéréotypiquement les mêmes pour tous les membres de l'espèce et fermés à la variation individuelle. Par exemple, le modèle ritualisé d'accouplement canin chez les chiens errants urbains a la qualité d'être biorobotique. L'accouplement des mammifères quadrupèdes est plus biorobotique que celui des primates, et le moins biorobotique de tous est

celui des primates humains. Dans leur grande variabi-
lité, les cartes affectives humaines ne sont pas seulement excentriques, mais parfois carrément bizarres
dans leur mode de déviance par rapport aux fondements
du biorobotisme reproductif.

Seule l'espèce humaine a la capacité de narrer les
contenus idéationnels et imagistiques de ses cartes
affectives à un interlocuteur, alors que les autres espèces
doivent se contenter du langage corporel et d'un répertoire limité de sons. En d'autres termes, l'être humain a
non seulement une carte affective, mais aussi une carte
du langage qui va avec. Comme on l'a déjà suggéré (voir
chapitre IV, « Le seuil des huit ans »), il n'est pas exclu
qu'il existe un lien évolutionnaire entre ces deux cartes.

Selon cette hypothèse, l'évolution de la carte du langage a transcendé chez l'homme la biorobotique des
cartes de sons du cerveau prélinguistique des mamma-
liens. L'évolution du langage syntaxique, de la logique
symbolique et du raisonnement numérique requérait
une flexibilité et une versatilité dépassant la capacité des
cartes biorobotiques, ce qui a entraîné une émancipation de toutes les cartes biorobotiques, y compris la
carte d'accouplement. L'écart entre la carte de sons
robotique et la carte du langage émancipée a pu être
comblé par la carte du chant prototypique. L'émancipation du système robotique de glapissements, glousse-
ments, hululements, hurlements, grondements, cris,
cliquettements, jacassements et autres sons d'alarme,
d'avertissement, de menace, d'accouplement ou de
nutrition n'aurait pas suffi à former la carte du langage
sans un mélange avec les cadences mélodiques, l'in-
flexion, le rythme, l'intonation syllabique, le roucoule-
ment, le chantonnement, le chant, le phrasé et la
mimique de la carte du chant. La première expression
du langage humain a fort bien pu être la berceuse ou la
chanson d'amour. La chanson et la danse sont des ingrédients de la carte affective partout dans le monde,
notamment dans la culture adolescente. Les cartes de la

musique et du discours sont différemment représentées dans la latéralité hémisphérique du cortex cérébral[23].

La séquence évolutionnaire qui s'en est suivie dépend peut-être du début de l'émancipation de la locomotion à quatre pattes. La locomotion bipède a pu elle-même évoluer, non selon la doctrine néo-darwinienne d'une accumulation de mutations au hasard dans l'ADN, mais selon la théorie plus récente de l'endosymbiose. Il s'agit d'un changement évolutionnaire dû à une proximité prolongée de divers petits organismes bactériens. Finalement, deux ou plus fusionnent leur ADN dans le noyau d'une cellule unique[24]. Un exemple classique de symbiogenèse est la fusion d'un champignon et d'algues vertes pour former un lichen.

Les quadrupèdes ont le nez à la hauteur des organes génitaux. Leur excitation érotico-sexuelle dépend plutôt de l'odeur que de la vue, en synchronie périodique ou saisonnière avec les cycles hormonaux ou phéromonaux. En revanche, l'espèce humaine bipède est émancipée du nez en faveur des yeux et du toucher, de toute position de coït exclusivement dorso-ventrale (chez les chiens), ventro-ventrale (dite du missionnaire) ou autre, et de toute cyclicité périodique ou saisonnière.

Avec une histoire évolutionnaire d'émancipation du biorobotisme, chaque carte affective de chaque individu était libre d'intégrer dans sa propre formation une idéation et une imagerie externes, dérobotisées, issues d'autres cartes du cerveau non sexuelles – par exemple le fétichisme, la violence ou l'automutilation. C'est ainsi que les sept grands stratagèmes paléodigmatiques de modification paraphilique de la carte affective sont devenus une possibilité humaine.

Théorie du processus d'inversion

La recherche sexologique sur le cerveau, notamment sur l'imagerie cérébrale, a un long chemin à parcourir avant que nous soyons en mesure de retracer la formation et l'activation des cartes affectives paraphiliques. Entre-temps, l'hypothèse la plus prometteuse est que l'idéation et l'imagerie paraphiliques commencent à se greffer ou s'amalgamer dans une carte affective dès l'enfance et se consolident après la puberté. Des siècles de stigmatisation, de criminalisation et de châtiments brutaux n'ont pas réussi à débarrasser l'espèce de ses paraphilies, même des plus grossières. Les règles de la récompense et de la punition ne s'appliquent tout simplement pas. Il n'y avait pas d'explication à cet échec jusqu'à ce que Richard Solomon [25] formule et teste de façon expérimentale la théorie du processus d'opposition [26].

La théorie de l'apprentissage par processus d'opposition renverse la théorie du conditionnement classique par stimulus/réponse. Le processus d'opposition convertit le négatif en positif, la tragédie en triomphe, l'aversion en dépendance. On trouve deux exemples récréatifs d'inversion du processus d'opposition dans le saut à l'élastique et la pratique des montagnes russes. Le novice dont l'appréhension est d'abord proche de la terreur va découvrir au bout de quelques essais que sa terreur se transforme en joie intense et en extase, comme si le cerveau libérait un flot d'endorphines, ces opiacés naturels. L'excitation revient ensuite à chaque nouvel essai, remplaçant totalement la terreur.

Appliqué à la paraphilie, le codage de l'idéation et de l'imagerie de la carte affective, qui devrait être négatif, s'inverse et devient positif. L'idéation et l'imagerie désapprouvées et punies si elles se traduisent en action se réaffirment de façon répétitive et réclament avec insistance une performance vécue, quelles qu'en soient les conséquences, même lorsque la vie et la mort sont en jeu, comme dans le vol à main armée paraphilique [27] ou l'auto-asphyxie paraphilique [28].

L'inversion du processus d'opposition se manifeste dans l'hybristophilie, la paraphilie de fixation sur des partenaires connus pour avoir violé, tué, volé, ou commis d'autres crimes. On l'identifie plus souvent chez la femme que chez l'homme. Sous sa forme la plus nocive, la femme provoque une soudaine crise de rage chez son partenaire, puis le fait arrêter et emprisonner pour violence domestique. Ensuite, elle lui rend visite en prison et le frustre sexuellement par son indisponibilité. L'argot des prisons appelle les paraphiles de ce type des « groupies du couloir de la mort ».

L'inversion du processus d'opposition présentée ici concerne une femme ayant d'abord consulté en endocrinologie pédiatrique pour un arrêt de croissance dû à une déficience d'hormone de croissance, due elle-même à des abus et une négligence dans l'enfance[29]. Le niveau d'hormone de croissance et la croissance elle-même se normalisèrent à la suite d'un transfert dans un foyer bienveillant. Connu sous le nom de syndrome de Kaspar Hauser[30], ce type réversible d'hypopituarisme est aussi appelé « nanisme psychosocial ». Dans le cas présent, la première histoire de négligence et d'abus pathologique n'avait pas été suspectée et n'avait fait l'objet d'aucune enquête au cours de multiples visites cliniques. La fillette avait neuf ans et demi quand le dossier médical nota laconiquement que la situation familiale s'était compliquée d'un incendie qui avait détruit le foyer familial et infligé au père des brûlures mortelles. À l'âge de vingt ans, la patiente en fit le récit suivant : « Une nuit, ils [ses parents] se lancèrent dans une nouvelle dispute. Elle l'avait surpris sur son bateau avec une autre femme. Elle avait jeté un verrou à la tête de la femme et lui avait ouvert la tête [...]. Quand ils rentrèrent à la maison, ils se disputèrent à nouveau. Il était ivre quand il s'endormit cette nuit-là. Elle prit de l'essence, en renversa sur lui et frotta une allumette. »

Désormais sans foyer, la mère et ses quatre enfants furent recueillis par la famille et des amis jusqu'à ce que, quatorze mois plus tard, la mère soit condamnée à la prison à vie. Les problèmes comportementaux de la patiente – par exemple écrire des mots sexuellement explicites à des frères jumeaux de dix ans – la firent expulser des foyers d'accueil. Elle avait quinze ans lorsque sa grand-mère paternelle la recueillit. Quand elle était en colère, cette femme l'appelait « une pute comme sa mère, une foutue idiote, une imbécile ». « Elle disait que je me conduisais comme ma mère et que je lui ressemblais. »

La jeune fille rendait régulièrement visite à sa mère en prison. Elle disait qu'elle avait toujours ressenti de la culpabilité de la mort de son père à cause de quelque chose qu'elle aurait pu faire mais qu'elle n'arrivait pas à identifier. À partir de la fin de l'adolescence, elle connut une escalade de problèmes de sexe, de délinquance, de dépression, d'automutilation et de suicide.

À dix-neuf ans, elle eut une fille. La mère et l'enfant furent abandonnées par le père adolescent. La mère fut incapable de combiner ses responsabilités de mère célibataire avec la prostitution, son unique source de revenus. Une institution sociale locale se chargea de l'adoption de la petite fille à l'âge de seize mois, d'une évaluation sexologique de la mère et d'une éventuelle réhabilitation. Au cours de cette évaluation, elle révéla l'idéation et l'imagerie masochistes de sa carte affective : « J'avais seize ans quand j'ai rencontré ce type noir et j'ai commencé à faire l'école buissonnière. On est allés chez lui, et pendant qu'on faisait l'amour, il m'a giflée, une fois. Ça ne m'a pas fait mal. Ça m'a excitée. Ça faisait du bien. Mais ce n'est qu'à l'âge de dix-huit ans que je m'y suis vraiment mise. Je sortais régulièrement avec Mark qui habitait dans le même foyer que moi, et on se battait à coups de poing quand on faisait l'amour, ou avant de le faire. C'était meilleur quand il me giflait. Je crois que ça l'excitait aussi. »

Il y avait un antécédent infantile de cette éroticisation de la bagarre. Cela remontait aux constantes disputes de ses parents, dont la patiente gardait le souvenir à partir de l'âge d'environ cinq ans : « Mon père et ma mère se disputaient constamment. Et parfois, je trouvais que ça avait un aspect sexuel. Une fois, ils se disputaient dans la salle à manger. Ma mère portait ce déshabillé noir vraiment suggestif, et mon père était là, debout, en train de la traiter de salope. Et il l'a giflée. »

Quand ils se disputaient, il la giflait et la poussait en criant après elle : « Parfois, quand je fais l'amour avec un type et que je lui demande de me gifler, s'il le fait, je suis excitée sexuellement et je me rappelle quand ma mère était là, debout, dans ce déshabillé noir, avec mon père en train de lui crier dessus et prêt à la frapper. »

À douze ans, elle se trouva exposée au harcèlement sexuel d'un frère d'adoption de seize ans ; la mère de celui-ci réagit en menaçant la jeune fille d'une hystéroctomie « s'il arrivait quelque chose ». Elle souffrit aussi d'une humiliation sadique et de coups de la part d'une amie du même âge qui se montrait provocante avec les garçons. À vingt ans, les attraits de la vie dans la rue n'avaient plus de secrets pour elle : « Je suppose que c'est l'excitation que j'aime. Les macs qui essaient de vous avoir, les flics qui vous courent après, les dealers qui vous chassent. Les flics vous surveillent tout le temps, parce qu'ils savent que vous vous prostituez et que c'est illégal. C'est déjà une excitation en soi. Pareil pour les bagarres. Certaines des filles restent là en cercle, à regarder. Une fille qui n'est pas une prostituée va passer en voiture et se moquer de nous. Une prostituée va la tirer hors de la voiture et se mettre à lui taper dessus, et toutes les prostituées vont s'y mettre à leur tour. Ça, c'est excitant. La menace d'être mise en prison est excitante, mais pas le fait d'y aller vraiment... Juste le fait d'y entrer et d'en sortir, et tout là-dedans est excitant. La ville, la nuit, et la façon dont les gens peuvent devenir dingues par moments, c'est tout ça qui est excitant, je suppose. »

Des clients qu'elle ramassait, elle disait : « Ils me traitaient comme de la merde une fois qu'ils en avaient fini avec moi... Il y avait un miché avec qui c'était plus jouissif pour moi parce qu'il était mon genre, et ça compte. C'était un jeune Noir, et il me plaisait bien. »

Son attirance pour les clients noirs tenait au fait qu'ils étaient plus agressifs : « Je sens bien qu'ils savent mieux comment s'exprimer quand ils font l'amour. Je me sens attirée par eux. C'est presque une obsession... Je n'en ai rencontré aucun qui n'ait pas une grosse queue. On la sent mieux. C'est plus agréable pour moi. »

Son idéal était d'avoir un homme noir qui la maltraiterait et la giflerait sur le visage, les bras ou les jambes : « Il y a eu cette histoire avec un dealer de drogue nommé Black Jack. Un jour, dans un bar, il m'a demandé si je voulais baiser avec lui... Je suis montée dans sa chambre. On s'est déshabillés et on a commencé à baiser. J'avais l'impression que plus il était excité, plus il devenait violent ; et juste avant qu'il atteigne l'orgasme, il s'est mis à me frapper. Quand on a eu fini, j'ai dit, bon, pourquoi tu as fait ça ? Et il a dit, eh bien, parce que ça m'excite plus. »

Pour elle aussi, c'était excitant. Elle n'en souffrait pas, mais en ressentait une excitation sexuelle. En fait, elle arrivait à atteindre l'orgasme par le simple fait d'être giflée, sans intromission. Elle n'avait pas de difficulté à atteindre l'orgasme et pouvait le répéter deux ou trois fois en quinze ou vingt minutes. Une fois qu'elle avait fini, elle était prête à recommencer au bout de dix minutes. Elle estimait que si elle avait voulu établir un record, elle aurait pu satisfaire vingt-cinq hommes entre neuf heures du matin et trois heures de l'après-midi. En réalité, son nombre maximum de clients avait été de trois ou quatre en une soirée.

En conclusion de son test, la patiente écrivit : « La pire chose que j'ai faite a été de me prostituer. » Se contredisant, elle affirma aussi qu'elle ne voyait rien de mal à être une prostituée. C'était plutôt de se faire payer qui la mettait mal à l'aise, pensait-elle. Elle se disait parfois qu'elle aurait dû payer, surtout ces hommes qui, honorant sa demande de la gifler, lui donnaient les orgasmes les plus extatiques sans être eux-mêmes excités par le fait de gifler une masochiste.

Pour l'avenir, la patiente déclarait candidement que la prostitution comme style de vie continuait à l'attirer. Bien qu'elle n'eût pas d'autres perspectives de soutien financier, elle avait le projet d'une nouvelle grossesse : « Là, je suis mal, parce que je viens de donner mon premier enfant à l'adoption. Si je retombe enceinte, je continue à me dire que je serai enceinte d'un Noir et que cette fois je garderai mon enfant. Les services sociaux n'auront rien à voir là-dedans. J'ai l'impression qu'avoir un enfant est... C'est quelque chose que je pourrais avoir, qui m'aimerait et dépendrait de moi. »

Aucune technologie ne permet de retrouver des données sur un éventuel codage génétique du masochisme. En revanche, certaines données dans l'histoire de cette jeune femme indiquent dès son plus jeune âge une infrastructure masochiste codée par l'environnement dans sa carte affective en développement où, par un processus d'opposition, la tragédie de la violence est devenue le triomphe érotisé de l'extase masochiste.

Les cartes affectives paraphiliques sont déterminées de façon multiple et séquentielle. Les déterminants que l'on parvient à établir ne sont pas répliqués à l'identique dans chaque cas similaire. Toutefois, la circonstance commune à tous les cas peut fort bien être le dilemme sans issue entre des alternatives inconciliables. Dans le cas que je viens de citer, le dilemme de la jeune fille était d'être condamnée si elle condamnait sa mère pour avoir immolé son père, à qui elle était très attachée, et condamnée si elle acceptait sa mère, à qui elle était également attachée, en tant que meurtrière. Le compromis paraphilique dans la carte affective de la fille fut l'érotisation du meurtre de son père violent par sa femme dans le triomphe masochiste d'atteindre des super-orgasmes en subissant les violences des hommes qu'elle ramassait en tant que prostituée.

Sexologie du lobe temporal

Une carte affective paraphilique se formule et se révèle de façon autonome, comme un rêve ou un cauchemar. Elle n'exige pas l'intervention de la conscience, de l'intention volontaire ou de la planification. Contrairement à une leçon, elle n'est pas apprise, et ne peut être écartée par une résolution morale ou la puissance de la volonté.

Un début de littérature sur l'épilepsie du lobe temporal et la sexualité handicapée apparut à partir de 1950[31]. Elle s'intéressait en premier lieu à l'impuissance masculine. L'hypophilie prévalait sur l'hyperphilie et les paraphilies. Parmi ces dernières, le fétichisme prévalait. Si les crises du lobe temporal étaient traitées par une lobectomie temporale, il en allait de même pour le fétichisme. Huws et ses collègues ont publié un rapport de cas sur le fétichisme et l'hypersexualité dans lequel l'IRM montrait des lésions des lobes frontal et temporal du cerveau[32]. Monga et ses collègues ont rapporté trois cas, deux femmes et un homme, pour lesquels le scanner révélait une histoire de lésions post-traumatiques du lobe temporal asssociées à des crises, une sexualité altérée et, pour les deux femmes, une perte de contrôle de l'appétit[33]. Langevin et ses collègues ont conclu que 40 % des sadiques paraphiliques manifestaient de légers signes d'anomalies du lobe temporal[34].

Lehne a publié un cas d'épilepsie du lobe temporal particulièrement significatif en ceci que les crises et les paraphilies avaient été absentes de l'histoire sexologique pendant trente et un ans, après quoi elles étaient apparues en concomitance avec une « fracture du crâne ouverte sur l'os frontal droit[35] ». Le patient était tombé de bicyclette en heurtant un rocher. Il resta dans le coma pendant un mois et dut subir un traitement pour hydrocéphalie, encéphalie diffuse et hémiparésie. Il dut suivre une rééducation sur le plan du langage, de la lecture, de l'écriture et du calcul, et pour l'empêcher de se masturber en public. Il demeura apathique et en retrait, tout en conservant un électroencéphalogramme (EEG) normal et des crises d'épilepsie intermittentes accompagnées d'un affaissement typique du visage, d'un regard absent et d'un état de confusion postictal.

Cinq ans après l'accident, le patient fut réhospitalisé pendant cinq mois et, deux ans plus tard, pendant encore quatre mois. À ce moment, « l'EEG était anormal avec un ralentissement diffus, plutôt à droite qu'à gauche, et une suspicion d'activité dans la région centrale du lobe droit, mais sans pointe-onde ». Le patient souffrait d'un soudain comportement sexuel inacceptable de nature paraphilique, à savoir des tentatives de voir les seins de sa belle-fille de dix-sept ans et, sporadiquement, de les caresser. Il cherchait à la voir se déshabiller en regardant par la fenêtre de sa chambre et de sa salle de bains, et par un trou qu'il avait percé dans le mur.

La jeune fille elle-même disait : « Il était dans les vaps chaque fois que ça arrivait. Le pire qui se soit passé, c'est quand il m'a attrapé les seins, sans me faire mal physiquement. Il devenait toujours très pâle et son œil droit devenait rouge et vitreux. Chaque fois, c'était comme une crise. Il regardait à travers vous. Je pouvais toujours dire quand il allait se passer quelque chose. »

Aucun contact génital ne fut jamais tenté. Selon le propre récit du patient, il n'était pas excité sexuellement. La présence d'autres membres de la famille n'empêchait pas un épisode de voyeurisme, mais il arrêtait si on lui disait de le faire. Toute la famille reconnaissait les signes de la crise. Seule cette belle-fille était visée : il ne s'intéressait ni à ses deux sœurs ni à sa mère, même s'il n'est pas exclu qu'il ait épié d'autres jeunes filles. Il aurait passé une fois des coups de téléphone obscènes, mais nous manquons de détails.

Il y a quatre composants à cette paraphilie induite par une atteinte au cerveau : la vue (voyeurisme), le toucher (toucheurisme), la fixation sur les seins (dite partialisme fétichiste) et la scatologie téléphonique (téléphonico-philie). Cette paraphilie est donc de type multiple, et non simple. Le voyeurisme en est le principal composant. Comme elle n'inclut ni excitation génitale ni érotisme, elle est qualifiée d'incomplète ou partielle. Elle se limite à la phase proceptive érotico-sexuelle, la phase de l'approche et des préliminaires. La phase acceptive de la relation sexuelle n'est pas impliquée.

La loyauté et l'affection entre mari et femme n'en étaient pas affectées. Avant l'accident, la fréquence de leurs rapports sexuels était de une à trois fois par semaine ; elle n'a pas été enregistrée après l'accident.

Ce cas illustre le principe paraphilique de disjonction entre l'amour et le désir. La relation loyalement affectueuse du patient et de sa femme n'était pas abolie par l'idéation et l'imagerie paraphilique du désir – à savoir regarder les seins d'une jeune femme nubile.

Au bout de sept ans d'un traitement essai/erreur, le patient fut dirigé sur un traitement à la MPA, alors nouveau pour les crises paraphiliques du lobe temporal [36]. Le traitement permit de garder sous contrôle la paraphilie et l'épilepsie ; l'amour et le désir furent réunis. Lorsque le dosage fut abaissé de 25 %, les symptômes de paraphilie et de crises revinrent, jusqu'à ce que l'on relève à nouveau les doses.

Si la technologie de l'imagerie du cerveau [37] permet dans l'avenir une surveillance précise des voies cérébrales paraphiliques impliquées dans des cas comme celui-ci, il faudra sans doute synchroniser la procédure de surveillance avec une réelle crise paraphilique. Une technologie assez sophistiquée devrait aussi permettre de tester l'hypothèse que le trouble paraphilique peut être le premier signe détectable d'un trouble cérébral plus pervasif.

Nous avons actuellement l'exemple d'un homme ayant une forme particulière de pédophilie, pour laquelle il tenta avec succès un traitement à la MPA [38]. Lorsqu'il partait pour un voyage d'affaires, le sujet se retrouvait inexplicablement à une mauvaise destination après une crise paraphilique. L'une de ces crises le fit un jour arriver en retard d'une heure à un rendez-vous à la clinique, alors qu'il avait plutôt coutume d'être en avance d'une demi-heure. Ce retard lui donna l'occasion de décrire ce qui s'était passé. Deux cars scolaires transportant de jeunes adolescents avaient emprunté une bretelle d'autoroute juste devant lui. Comme un automate, il avait pris la sortie suivante. « Quand il y a quelqu'un avec moi, disait-il, il veut savoir pourquoi, et il faut que j'explique ce que je fais – et je ne peux pas l'expliquer. Alors il est plus facile de poursuivre une conversation et de continuer à rouler pour éviter que ça arrive. »

En prenant la sortie suivante, il ressentit une prémonition familière, consistant à voir le clocher d'une église de village et à tourner autour jusqu'à ce qu'il trouve un garçon proche de la puberté avec qui il engagerait la conversation. Tout en parlant, toujours comme un automate, il agresserait violemment le garçon à coups de pied et de poing, avant de prendre la fuite.

Le scénario de l'église était tiré de son enfance avec sa mère, qui souffrait d'une psychose hallucinatoire diagnostiquée et persuadait son fils que le Tout-Puissant lui parlait. Sous traitement à la MPA, sa paraphilie pédophilique s'améliora. Il maintint par téléphone un suivi annuel pendant un quart de siècle. À l'âge de cinquante-deux ans, il était totalement handicapé par la maladie de Parkinson.

Les annales cliniques de la paraphilie comptent trop de cas associés à des signes de troubles neurologiques et cérébraux, sévères ou légers, pour les attribuer à de simples coïncidences. Un exemple en est le mari sadique qui envisageait de convertir la porte de la salle de bains en une sorte de pilori où passer la tête de sa femme pendant qu'il la fouettait (voir chapitre IV). Tout le corps de cet homme était secoué de tics : il tournait le cou, clignait des yeux, grimaçait et avait un langage désarticulé. Parfois, son bras droit partait brusquement en l'air. « Ça arrive de temps en temps, disait-il, n'y faites pas attention. »

L'instabilité du système nerveux peut aussi être en cause. Par exemple, l'étouffement paroxystique de l'auto-asphyxie paraphilique peut être associé à une histoire d'étouffement asthmatique paroxystique. Le côlon peut aussi être impliqué, comme dans un cas (non publié) de constipation dont la cure la plus efficace consistait à pratiquer de multiples fellations en public, avec un fort risque d'arrestation.

Parmi les adolescents arrêtés pour de graves délits sexuels, nombreux sont ceux dont l'histoire sexologique comporte des avertissements prémonitoires du système nerveux central et autonome d'un état de fugue imminent[39]. Il s'agit en général de migraines, de vertiges, de sensations d'évanouissement, d'une sensation générale de chaleur, de tremblements des mains, de spasmes de l'estomac et de diarrhées. On mentionne chez cette même population des blessures accidentelles à la tête, des troubles du langage et de l'apprentissage, et un déficit de l'attention. Le *Personal Sentence Completion Inventory* de Miccio-Fonseca[40] permet de saisir ces premiers signes et symptômes.

CHAPITRE VI

Fugue et états altérés

Fugue paraphilique

L'épilepsie psychomotrice [1] est synonyme d'épilepsie du lobe temporal. On qualifie les crises de psychomotrices quand elles ont leur origine dans l'un des deux lobes temporaux du cerveau (au niveau de la partie supérieure de l'oreille). Contrairement à une crise de grand mal avec perte de conscience, une crise psychomotrice se caractérise par un état altéré de conscience. Dans le cas d'une crise à bas bruit, le fonctionnement moteur et psychique peut sembler normal à un proche observateur. La durée de la crise se mesure habituellement non en heures, mais en minutes, bien qu'elle puisse être plus longue. L'électroencéphalogramme (EEG) n'est pas toujours anormal. On n'a pas coutume d'associer l'épileptologie psychomotrice à la sexologie paraphilique et aux états altérés de conscience, ni de rechercher l'éventualité d'un tel lien, que ce soit avant, pendant ou après un état altéré.

Dans le cas de Lehne (voir chapitre V), le patient souffrit pendant sept ans de crises d'épilepsie et d'un trouble sexuel à la suite d'une atteinte au cerveau, sans que les deux troubles soient liés. En fait, le trouble sexuel fut interprété à tort comme un inceste, raison pour laquelle le patient fut placé en liberté surveillée et se vit interdire de vivre chez lui. Avec le recul, les données de ce cas indiquent clairement que du point de vue sexologique, il souffrait d'un état altéré de conscience lorsqu'il faisait des avances à sa belle-fille. Les membres de sa famille reconnaissaient aussitôt certains indices, notamment le regard fixe, comme le signe d'une crise. Ce fut confirmé par l'anomalie bilatérale de sa fonction cérébrale révélée par l'EEG. En outre, tant l'EEG que les signes comportementaux d'un état altéré de conscience pouvaient être améliorés par un traitement à l'hormone MPA (voir chapitre VIII).

Ce cas n'est pas unique, mais, même s'il l'était, il nous alerterait sur une éventuelle altération de la conscience dans d'autres exemples de paraphilie sans histoire connue de lésion cérébrale ou d'anomalie de l'EEG.

La fugue paraphilique est le nom de l'état altéré de conscience associé à la paraphilie, identifiable à partir de données comportementales observables, des propres rapports verbaux des patients, et parfois de mesures de la fonction cérébrale effectuées au cours d'un état de fugue.

Le mot « fugue » vient du latin *fuga*, qui signifie « la fuite ». En musique, une fugue est un type de composition polyphonique. En psychiatrie, selon le *Oxford English Dictionary*, une fugue est « une fuite ou une perte de conscience de sa propre identité, impliquant parfois un vagabondage loin de son foyer et survenant souvent en réaction à un choc ou un stress émotionnel ». Une fugue paraphilique est associée à une idéation, une imagerie et un comportement érotico-sexuel licites ou illicites de type pathologique. Pendant la durée de la fugue, le paraphile s'est fui lui-même pour se transformer en quelqu'un d'autre.

Dans le code pénal, les états de fugue paraphilique sont ignorés ou niés. Comme les règles de M'Naghten sur la folie, ils remettent en cause le postulat légal de culpabilité personnelle, quelles que soient les circonstances atténuantes éventuellement retenues pour des actes de ce genre. Le grand public suit en général la loi en tenant les paraphiles pour des sujets pleinement responsables de leurs actes, qui se servent de l'état de fugue comme d'un prétexte pour éviter la punition. Même les sexologues sont susceptibles de prendre plutôt le parti du système judiciaire que de la science biomédicale dans les cas de fugue paraphilique.

Cet état peut être ressenti comme subjectivement stressant, ce qu'exprime sans ambiguïté un paraphile de l'amputation : « Quand je vois un amputé, j'ai une drôle de sensation dans l'estomac. Si je m'apprêtais à dîner, je perds l'appétit. J'ai une sensation de chaleur. Je rougis. J'ai l'impression que c'est la seule chose que je puisse regarder. Il pourrait y avoir des sirènes d'incendie partout autour, que la seule chose que je regarderais serait cette personne. Je deviens nerveux. Je deviens anxieux. La sensation dans mon estomac semble tout emporter. Dans ces moments-là, je suis incapable de me concentrer sur quoi que ce soit d'autre. C'est encore pire si je suis pris par surprise. Si je vois cette personne par surprise, j'ai l'impression pendant une minute que plus rien n'existe autour de moi, à part elle. Et au bout de quelques secondes, le choc initial – je pense que c'est le terme – commence à se dissiper et j'essaie de me contrôler. C'est à peu près ça... Ce qui m'inquiète, c'est le travail à l'extérieur. Je suis contremaître. Je ne veux pas me trouver dans une position où j'aurais à prendre une décision, où je serais en train d'en prendre une, et où je perdrais pour une seconde le fil de ma pensée par rapport au boulot en voyant un amputé. C'est arrivé plusieurs fois mais j'ai récupéré assez vite, du moins je le crois, et on n'a rien remarqué... Je ne crois pas avoir une érection complète. Oh, peut-être, après tout. Pas tout le temps. Parfois j'ai une demi-érection, parfois une érection complète, mais disons qu'il y a toujours une demi-érection. Si je suis au boulot, bien sûr, je ne peux pas me masturber, ou si je suis dehors avec ma femme, mais en général, c'est le genre de soulagement que je cherche. J'ai l'impression que je suis au bord d'exploser. Elle dit que je deviens extrêmement calme. Ce qui me soulage, c'est soit un rapport sexuel, soit la masturbation[2]. »

Les entretiens menés avec des délinquants sexuels paraphiliques révèlent très souvent la preuve d'un état altéré de conscience ou état de fugue. Leurs mots ne sont jamais les mêmes, car il n'y a pas d'expressions idiomatiques pour désigner cet état en langage courant. À la suite d'une blessure à la tête lors d'un accident de moto, un patient devint d'abord un violeur en série puis un tueur en série[3]. Il déclara que lorsqu'il se préparait à aborder et tuer une autre prostituée après avoir eu des rapports avec elle, c'était comme s'il se mettait sur pilote automatique, incapable de s'arrêter sans une intervention extérieure.

Dans le cas du pédophile qui développa une maladie de Parkinson[4], le premier indice permettant d'inférer un état altéré de conscience fut le fait qu'il pensait conduire de Washington jusque dans l'Ohio et qu'il se retrouva dans le Dakota du Sud. Il ne pouvait expliquer ce qu'il faisait là. Il n'avait aucun souvenir du voyage mais savait qu'il avait dû conduire lui-même, puisqu'il avait des reçus de carte de crédit indiquant le nom des stations d'essence où il avait repris du carburant. Le jour où il arriva en retard à son rendez-vous à la clinique, il semblait encore dans un état altéré ou état de fugue au moment où il passa enfin la porte de mon bureau, à en juger par ses tremblements, ses suées, son souffle court et le ton effrayé de sa voix. Il dit qu'il avait la bouche sèche et que son cœur battait la chamade.

Dans le cas de Frank/Joey, Frank, le patient, âgé de dix-neuf ans, était hospitalisé pour quelques semaines quand un membre du personnel observa qu'il entrait dans un état de stupeur lorsqu'il regardait la télévision. Au moment où elle constata le fait, l'image à l'écran était celle d'un jeune garçon. Interrogé, Frank expliqua que l'image du jeune garçon allait se transformer en Joey, l'alter ego meurtrier de Frank. La propre imagerie paraphilique de Joey allait alors sortir de l'émission et prendre le contrôle de tout l'écran jusqu'à ce que l'état de fugue de Frank soit interrompu ou s'arrête de lui-même [5].

Cet autre patient, un musicien, caractérisait son propre état de fugue exhibitionniste en ces termes : « Je sais que je deviens distant. J'ai vu qu'à d'autres occasions je devenais distant. Je me concentre sur le fait de vouloir le faire, sur l'endroit où je peux le faire, des choses comme ça. À ce moment, vous pourriez me poser des questions et je pourrais ne pas vous entendre ; et vous, étant médecin, vous en tireriez des conclusions...

» C'est quelque chose dont le besoin devient si fort qu'on est vraiment poussé à le faire. On bloque tout ce qui pourrait vous empêcher de le faire, parce qu'on le veut tellement fort... Dans ce cas, je conduisais très lentement, et le besoin d'aller le faire surgissait brusquement de nulle part : tu peux t'arrêter ici, aller dans ce magasin et t'exhiber. J'ai dû passer devant dix ou quinze endroits où j'aurais pu le faire, en essayant de ne pas le faire. Pendant que je conduisais, je savais que si je ne m'arrêtais pas, je ne pourrais pas le faire. Alors j'ai poursuivi ma route. Mais ça continuait à résonner au fond de moi : Arrête-toi là, arrête-toi là. Arrête-toi là. Vas-y. Tu peux le faire, et l'impression que j'avais au fond de moi, c'était que si je ne le faisais pas, je manquerais quelque chose de très, très grand. Alors j'ai continué. J'ai conduit jusqu'à Glen Burnie, en essayant de ne pas le faire, en laissant passer tous ces endroits. Et c'est devenu tellement fort, il fallait absolument que je le fasse. Il fallait que je sorte et que je le fasse.

» Quand je suis entré dans le magasin, j'ai descendu la fermeture Éclair de ma braguette et je me suis mis en position de m'exhiber. Mon pénis était prêt à être exhibé, et comme je marchais dans le magasin, il est simplement sorti tout seul. Je n'ai pas choisi une personne en particulier, comme je le fais d'habitude, pour me masturber devant elle. Je n'ai rien fait de tout ça parce que je luttais encore, en m'efforçant de ne pas le faire. Je me suis contenté de passer entre les rayons. Mon esprit me disait de voler quelque chose, et puis je partirais. Je sortirais de là. Alors j'ai pris la première chose qui m'est tombée sous la main, qui s'est révélée être un bracelet. Je l'ai mis dans ma poche, et je me suis préparé à partir. C'était suffisant pour me donner envie de partir. J'ai refermé ma braguette et je suis sorti. »

Sur le parking, les policiers l'arrêtèrent pour attentat à la pudeur, suite à la plainte d'une cliente. Ce même soir, il enregistra par téléphone un récit détaillé de ce qui s'était passé, et une semaine plus tard il enregistra l'entretien d'où est tiré ce passage.

Cette arrestation ruina sa carrière de musicien alors qu'il venait de signer un contrat d'enregistrement. Il revenait tout juste d'une tournée en Europe et se sentait capable de repousser encore un traitement au MPA jusqu'à ce que ses finances s'améliorent. Mais en l'absence de traitement, il faisait invariablement une rechute d'exhibitionnisme paraphilique.

Dans le cas du sadique au fantasme de pilori (voir les chapitres IV et V), le patient affirma d'abord avoir été soumis à des « sortilèges » alors qu'il était hospitalisé et loin de sa femme. Les deux premières fois, il avait « essayé de baiser dans sa main » pour accompagner l'imagerie sadique. La troisième survint après une visite de sa femme. Il posa son pantalon sur une chaise et « imagina » qu'elle était sa femme. Il se mit alors à battre la chaise vide avec sa ceinture. Il eut une érection et faillit éjaculer avant que le sortilège ne se dissipe.

Nelson Cooper, l'ancien asphyxiophile dont j'ai déjà évoqué le cas, connaît l'équivalent de fugues paraphiliques qui, comme des cauchemars, se présentent avec des détails d'une extrême vivacité. Les personnages de ces épisodes sont le plus souvent des actrices des séries télévisées qu'il regarda dès l'âge de quatre ans. Les acteurs et leur série lui reviennent avec une précision photographique. Il peut arriver que l'une des intrigues tourne autour d'une noyade ou d'une strangulation. Plus souvent, l'intrigue récurrente est qu'une actrice familière se noie ou en étrangle une autre. Cette même imagerie fait souvent intrusion, sans être sollicitée, dans un fantasme de masturbation au moment où l'orgasme approche. La masturbation est d'une fréquence hyperphilique, malgré les médications.

Il n'y a pas d'histoire de performance réelle de l'imagerie. En fait, Nelson Cooper n'a aucune histoire de rencontre sociale ni de contact sexuel d'aucune sorte, sauf dans ses rêves et ses fantasmes, où il est toujours hérétosexuel. Il est d'une timidité qui le rend socialement inapte sur un mode schizoïde, ce dont il se plaint. Il est obsédé par les femmes, en tant qu'attractants sexuels avec qui il aimerait avoir des rapports, mais il est littéralement paralysé.

Voici une douzaine d'années, il est passé par une période de fascination pour une fugue paraphilique d'auto-asphyxie. Elle commençait traditionnellement par un rêve érotique où il prenait conscience d'une érection insistante. Dans la phase suivante, il était debout en bikini devant un miroir, s'étranglant lui-même avec un collant de danse féminin, toujours en érection mais sans orgasme. Sur le point de perdre connaissance, il s'effondrait sur son lit. Puis l'imagerie devenait celle de deux femmes, l'une étranglant ou noyant l'autre, jusqu'à ce que la masturbation culmine en orgasme. Avec un traitement à la MPA, l'imagerie et les pratiques d'autoasphyxiophilie cessèrent et ne réapparurent pas lors de l'interruption du traitement trois ans plus tard. Diverses autres médications psychoactives lui furent prescrites pour ses problèmes généraux de santé mentale, mais avec des résultats très limités.

Lors de sa première arrestation, Ken, l'exhibitionniste, avait vingt-six ans[6]. Il déclara au tribunal : « J'ai l'impression d'être deux personnes différentes. »

Exhiber son pénis et se masturber était une forme de sollicitation qui avait dérapé : « C'est vraiment stupide. S'exhiber est stupide, de toute façon. [...] Si je connaissais la réponse à ça, je ne serais pas assis ici, pas vrai ? [...] Vous croyez que je connais la réponse, mais ce n'est pas vrai. Quand je me suis exhibé dans la rue à des femmes qui se sont enfuies, j'en ai été plus excité que si elles étaient restées là. Et si elles restaient et me disaient des choses sales, me criant quel type minable et pourri j'étais, ça m'excitait aussi. Alors c'est peut-être pour ça que je le fais. »

Au bout de six ans, le traitement au MPA fut arrêté parce qu'on le soupçonnait d'être responsable de troubles de la vue liés à une hypertension. Au bout d'un an, il y eut une rechute, et l'alter ego exhibitionniste, n'ayant plus de frein, se remit à rôder dans les rues.

Somnosexisme et somnambulisme

Le cas de Nelson Cooper montre que l'idéation et l'imagerie paraphiliques passent la frontière entre le sommeil et l'état d'éveil. En dormant, Nelson Cooper avait deux types d'expériences érotiques : l'une qu'il appelait un cauchemar et l'autre un rêve ordinaire. Le cauchemar ressemblait à un délire d'une précision photographique où il se masturbait sur l'imagerie paraphilique d'une femme en étranglant une autre jusqu'à ce que la victime succombe, sur quoi il hallucinait un orgasme. Alors il se réveillait pour découvrir que le scénario tout entier n'avait été qu'un délire. Il ne s'était pas masturbé, n'avait pas eu d'érection, n'avait pas éjaculé et n'avait pas envie de commencer à se masturber. Le rêve érotique ordinaire chevauchait le fantasme de masturbation dans lequel il avait une érection et une éjaculation. Le contenu du scénario paraphilique qui l'accompagnait pouvait varier, mais, à l'approche de l'orgasme, basculait automatiquement sur une scène où deux femmes se battaient et où l'une avait le dessus sur l'autre. Les combattantes étaient des amies ou des personnages des séries télévisées dont il connaissait chaque détail depuis l'enfance.

Un cas comme celui de Nelson Cooper soulève la question de la relation entre fugue paraphilique et somnambulisme ou, plus précisément, celle des relations sexuelles pendant l'épisode de somnambulisme (somnosexisme). Bien que nous manquions de données systématiques sur le somnosexisme, il existe diverses anecdotes sur des partenaires qui s'endorment pendant qu'ils font l'amour, ou sur un mari endormi qui réveille sa femme en lui demandant de toucher son pénis en érection et de jouer avec, et n'a aucun souvenir de l'épisode le lendemain matin ; ou encore sur un(e) partenaire qui prend l'initiative d'un rapport sexuel et le réalise avec un(e) partenaire endormi(e) qui ne se réveille pas.

Le somnosexisme apparaît aux yeux du plus grand nombre comme une blague plutôt qu'un problème susceptible de retenir l'attention médicale, scientifique ou judiciaire. Un cas qui retint l'attention médicale fut celui d'un homme qui vint consulter lorsque sa compagne réalisa une nuit qu'il ronflait puissamment tout en faisant l'amour[7]. Il pouvait ainsi avoir chaque nuit une relation sexuelle complète tout en dormant. L'acte comportait diverses positions, du sexe oral (des deux côtés), une éjaculation, un orgasme, et durait jusqu'à une demi-heure. Par la suite, il n'avait aucun souvenir de l'épisode. En revanche, il se rappelait toujours les rapports sexuels du matin, engagés régulièrement après leur réveil.

Il connaissait en outre des épisodes de somnambulisme, parfois sans but, et parfois liés au fait de manger en dormant, quand il allait dans la cuisine grignoter ce qu'il trouvait dans le frigo. Parfois, il rapportait de la nourriture au lit pour sa compagne. Souvent, mais pas systématiquement, un épisode de ce type précédait le somnosexisme.

Le sexe éveillé et le sexe en dormant étaient d'un style très différent. Le sexe en dormant, selon sa compagne, « était un peu plus bizarre, et sans doute pas normal ». Il était plus agressif, dominant, et jouait davantage sur les morsures érotiques et les mots grossiers, ce que sa compagne aurait davantage apprécié le matin.

Rosenfeld et Elhajjar présentent un second cas, celui d'un homme de quarante-cinq ans ayant souffert de somnambulisme et d'automatismes somnambuliques depuis l'enfance. Il fut arrêté une nuit à deux heures du matin, toujours en état de somnambulisme, après avoir brièvement caressé les parties intimes d'une amie de sa fille adolescente qui dormait dans un sac de couchage au rez-de-chaussée. De façon typique pour un somnambule, il était désorienté et confus en s'éveillant et n'avait aucun souvenir de ce qui s'était passé. Il fut inculpé de délit sexuel. Un autre automatisme somnambulique qui peut être qualifié à tort d'attentat à la pudeur, à savoir l'exhibitionnisme, survient quand un somnambule qui est allé se coucher nu est retrouvé en état de somnambulisme, toujours nu, sur la voie publique.

Dans « Sleep and sexual offending », une monographie très complète de plusieurs cas parue en 1996, Peter Fenwick écrit notamment : « Le comportement sexuel peut persister au cours du sommeil paradoxal et est associé au somnambulisme. Ce comportement sexuel peut être simple ou complexe et ne dure en général que quelques minutes. Dans les cas simples, le somnambule peut caresser le corps de sa partenaire ; ces mouvements peuvent avoir un aspect plus sexuel s'il caresse les parties génitales de la partenaire. On n'a pas rapporté de rapports sexuels chez les somnambules, mais comme on reconnaît désormais que l'épisode de somnambulisme fusionne avec un état dissocié, il est théoriquement possible pour un somnambule aux derniers stades du somnambulisme d'être excité sexuellement et d'avoir un rapport sexuel. Dans les cas plus complexes, un somnambule peut quitter son lit et, s'il y a d'autres dormeurs dans la maison, aller les trouver dans leur lit ou avoir un contact sexuel avec d'autres membres de la maisonnée[8]. »

L'un des cas de Fenwick illustre la continuité et la complexité du somnambulisme et du somnosexisme. Un jeune homme avait toujours été somnambule et se trouvait alors en liberté surveillée. La nuit de son délit sexuel somnambulique, il était allé au pub local boire une pinte de bière, avant de rentrer chez lui à onze heures. Il habitait au dernier étage et avait pour voisins une jeune femme qu'il connaissait un peu et son compagnon. « En arrivant chez lui ce fameux soir, écrit Fenwick, le patient alla se coucher en caleçon, et comme c'était une chaude nuit d'été, il laissa sa fenêtre grande ouverte. Celle-ci s'ouvrait sur un rebord large d'une trentaine de centimètres qui faisait le tour de la maison. Environ une heure plus tard, toujours endormi, il enjamba sa fenêtre et rampa le long du rebord jusqu'à la fenêtre de l'appartement voisin. Celle-ci était également ouverte et il pénétra dans la cuisine. Il traversa celle-ci pour passer dans la chambre de sa voisine. On releva plus tard des indices montrant qu'il avait manipulé le réveil posé sur la table de nuit avant d'aller s'allonger à côté du lit, les mains sous les draps afin qu'elles reposent sur les parties génitales de la jeune femme.

» Il resta endormi jusqu'à ce que celle-ci se réveille et trouve une main sur son sexe, qu'elle prit d'abord pour celle de son compagnon qui dormait avec elle. Puis elle réalisa que la main venait de l'autre côté du lit, se redressa, vit l'homme endormi et appela son compagnon en criant. Le bruit réveilla le somnanbule, qui se leva en pleine confusion, erra dans la chambre, ouvrit la porte avec difficulté, retraversa la cuisine et repartit sur le rebord. Mais cette fois, il tomba d'une hauteur de trois étages dans un parterre de fleurs. Il s'en tira avec quelques blessures sans gravité.

» Ce cas présente tous les caractères d'un incident somnambulique. Il se réveillait toujours dans une phase de sommeil paradoxal une heure environ après s'être endormi. Il avait une longue histoire de somnambulisme et était fatigué et stressé au moment de l'incident. Il avait aussi bu une pinte de bière. Le plus important est son curieux comportement dans la chambre de la jeune femme. S'il avait été éveillé, il aurait vu que son compagnon était avec elle, et que ce n'était pas le moment d'aller dormir à côté de son lit avec la main sur son sexe. Son excitation confusionnelle est également caractéristique d'un réveil au cours d'une phase de sommeil paradoxal.

» Devant le tribunal, un expert vint apporter les preuves du somnambulisme. Le jury eut du mal à comprendre que l'on puisse se livrer en dormant à un acte aussi complexe et rendit un verdict de culpabilité. L'inculpé fut placé sous surveillance judiciaire. »

La pratique d'une forme quelconque d'activité sexuelle avec un partenaire endormi existe non seulement dans le sexe somnambulique, mais aussi dans la somnophilie (du grec *somnos*, « sommeil »), une paraphilie connue aussi sous le nom de syndrome de la Belle au Bois dormant. Le somnophile n'est pas endormi, mais se trouve dans un état de fugue paraphilique comparable à la transe. Fedoroff et ses collègues en rapportent brièvement un cas, relevé dans un dossier judiciaire : « P., un ouvrier divorcé de quarante-trois ans, présentait une longue histoire d'"intrusion dans les chambres de pensions pour dames". Il était extrêmement excité par le fantasme d'une partenaire qu'il pourrait contrôler totalement. Il avait beau se défendre d'être particulièrement excité par le fait que ses victimes étaient endormies, il admettait que si celles-ci se réveillaient et se mettaient à participer activement (ce qui n'était pas rare, insistait-il), il perdait tout intérêt. Bien qu'il niât être excité par une agression physique de ses partenaires, il aimait les lier et les forcer à se soumettre à ses préférences sexuelles. Il attira l'attention de la police après avoir passé huit ans à former une jeune parente à devenir une parfaite esclave sexuelle en l'assaillant de façon répétée pendant qu'elle dormait. Cette "formation" avait commencé à l'âge de trois ans. Il se révéla que l'agresseur était aussi dépendant à l'alcool, souffrait d'une dépression sévère et d'un trouble antisocial de la personnalité[9]. »

Dans le cas présent, la coercition n'est pas un caractère essentiel de la somnophilie. Néanmoins, si la femme endormie se réveille, elle a toute raison de craindre d'être enlevée ou violée. Son premier mouvement est d'appeler la police pour qu'elle arrête l'intrus, ce qui peut être assez facile, puisqu'il s'éloigne d'un pas nonchalant, sans aucun plan de fuite.

Être endormi est en soi un état altéré de conscience. Donc, au sens très littéral, les épisodes de somnosexisme sont exécutés dans un état de ce type, qui correspond dans ce cas à l'état de fugue paraphilique. Dans le cas présent, aucune des activités sexuelles réalisées pendant le sommeil ne pouvait toutefois être qualifiée de paraphilique, même si elle était moins inhibée qu'à l'état d'éveil. Le sexe en dormant n'interférait pas avec une vie et une profession normales.

Alter ego

La disjonction entre le désir paraphilique et la loyauté et l'affection non paraphiliques peut parfois s'élargir dans la carte affective au point de devenir une disjonction entre deux personnalités, l'une paraphilique et l'autre non, chacune d'un âge différent. Ce phénomène est bien illustré par le cas d'un officier de marine travestophile, devenu ensuite un transsexuel, rapporté dans un article intitulé « Deux noms, deux garde-robes, deux personnalités [10] ». Il est également illustré par le cas de Frank (voir plus haut), ce non-paraphilique dont l'alter ego était le paraphilique Joey. La transformation de Frank en Joey put être observée alors qu'il regardait l'image d'un jeune adolescent sur un écran de télévison.

Frank lui-même avançait une version sécularisée de la réincarnation pour expliquer son coup de téléphone à ses voisins pour leur dire qu'il voulait enlever et tuer leur fils de six ans, Calvin : « Je voulais me tuer et tuer Calvin, et en somme être né Calvin. Je ne sais pas comment ça aurait marché. Je ne voulais pas seulement être Calvin ; mais Jeff et Kay semblaient de si bons parents pour Calvin que j'aurais voulu leur être confié. Je les voulais comme parents. J'étais suicidaire à l'époque, et je me sentais si près de passer à l'acte que je me suis dit : "Allons jusqu'au bout." Alors on aurait dit que mes désirs s'accéléraient et que mes sentiments s'intensifiaient et je n'ai pas... Je voulais être Calvin, mais tout au fond de moi, je ne voulais pas vraiment lui faire de mal. Alors j'ai commencé à envoyer des lettres, des lettres de menace, et à passer ces coups de fil... Je disais que j'allais enlever Calvin, que j'allais le tuer. »

Au début de l'adolescence, Frank avait connu une longue période d'intense obsession religieuse : « J'avais l'impression qu'il fallait non seulement prier soixante-dix fois par semaine, mais que si on se rappelait une chose que Dieu avait faite pour nous, ou quelque chose de bien, il fallait tout laisser tomber et prier, Le remercier ou s'excuser auprès de Lui, dans la seconde même. J'avais dessiné un document à peu près de la taille de cette table. Il était rempli de règles que je devais suivre et de prières... Par exemple, on n'a pas le droit d'écrire en vieil anglais, sauf pour la religion. On n'a pas le droit de se servir d'un stylo vert, sauf pour la religion. [...] J'en étais à cinq cents prières par semaine... J'étais tellement écrasé par ça... J'ai prié Dieu pour qu'il m'aide et qu'il ralentisse un peu tout ça. »

Vers l'âge de dix-huit ans, Frank consacra moins de

temps à la prière au profit des fantasmes d'enlèvement et de meurtre de Joey, devenus explicitement érotisés et accompagnant la masturbation. Jusque-là, les fantasmes de Joey s'étaient plutôt accompagnés d'une érection induite par des images vivantes ou des photos de jeunes garçons et par l'idée de les toucher. « C'était sexuel, disait Frank, mais je ne savais pas que c'était sexuel. Je ne savais pas ce que c'était. »

L'histoire sexuelle de Frank avait consisté jusque-là en une absence totale d'apprentissage sexuel, tant chez lui qu'avec ses pairs, qui l'avaient moqué et stigmatisé parce que son comportement ne se conformait pas à leurs critères. Il y avait eu, à l'âge de six ans, un incident traumatique de voyeurisme dans la salle de bains, confus dans son souvenir mais confirmé par ses parents, et il avait été battu trois fois, dont une parce qu'il se masturbait en prenant son bain.

Frank entrait dans l'adolescence quand Joey fit son apparition en tant qu'alter ego. Joey n'avait que six ans et ne grandit jamais. Joey était destiné à être enlevé, assassiné et réincarné en quelqu'un de meilleur. Il devait d'abord mourir par suicide, mais ce projet échoua au moins par trois fois. Puis sa mort s'effectua en images. La technique consistait à déchirer des magazines de mode ou à prendre des photos de jeunes garçons en short et en tee-shirt, et à surimposer sur ces images une feuille de papier calque sur laquelle il peignait des blessures et du sang – et, un jour, un meurtre sexuel. Ces images composites servaient de stimulus à des fantasmes de masturbation sadomasochistes et de meurtre sexuel. Le stimulus pouvait représenter soit Joey, soit le garçon qui avait posé pour l'image ou la photo. Une fois dissociés, ni le papier calque ni l'image ne trahissaient leurs secrets meurtriers. Calvin, le petit voisin, faisait partie des garçons dont la photo avait été utilisée sous le papier calque.

Ces images finirent par devenir un substitut insuffisant au contact érotico-sexuel. Ce fut alors que Calvin et ses parents commencèrent à recevoir des coups de téléphone et des lettres. C'était Joey qui appelait, mais l'on reconnut à sa voix qu'il s'agissait de Frank, le voisin religieux qui fréquentait la même église que Calvin et ses parents. À la suite de cet appel, Frank fut emmené au poste de police : « Je me suis dit, c'est l'occasion rêvée de prendre un fusil... et de me faire sauter la cervelle. Mais je ne voulais pas le faire avant de m'être confessé, parce que je ne voulais pas être désigné comme un assassin d'enfant, un meurtrier d'enfant. Je voulais que les gens comprennent d'où je venais... J'ai vidé mon sac... La conversation a été enregistrée... Ce que je voulais tout du long, c'était aller en prison. J'ai dit que je voulais être arrêté et aller en prison... et je voulais me tuer. »

Codage bimodal de l'esprit et du cerveau

Pour ceux qui l'ont rencontré, Frank/Joey était une seule et même personne dans un seul corps, dotée d'un seul esprit et d'un seul cerveau. Lui-même savait que mentalement était clivé de façon bimodale entre Frank et Joey. Frank était codé positivement comme le bon garçon tranquille, religieux, ambitieux et pur sur le plan sexuel. Joey était codé négativement comme le mauvais garçon impur qui se masturbait sur des fantasmes de désir sadique et le meurtre du petit voisin de six ans.

Frank et Joey illustrent bien un principe général des cartes cérébrales, à savoir qu'elles ont une bipotentialité au départ et sont ensuite codées de façon bimodale. Pour qu'une conduite soit assimilée et codée positivement comme conforme à une norme de correction, la conduite non conforme et incorrecte doit être elle aussi assimilée, mais codée négativement. Le positif et le négatif ne sont pas des images en miroir en parfaite symétrie, car il n'existe en général qu'une seule norme ou stéréotype de conformité, mais plusieurs alternatives de non-conformité. Le codage bimodal positif et négatif s'applique à toutes les cartes cérébrales, aux cartes de nourriture, de langage, de genre – tout ce qui peut être mis en carte.

Il n'y a aucune garantie que le codage bimodal sera orthodoxe, ni qu'il restera stable sur une période de temps donnée ou sur toute la vie. Le codage non orthodoxe est dans la nature même des cartes érotiques paraphiliques. Ce que d'autres condamnent comme non orthodoxe et négatif, le paraphile le ressent comme positif. Ce n'est pas que le paraphile soit incapable de distinguer entre l'orthodoxe et le non-orthodoxe, mais plutôt que, pour des raisons inexplicables, le codage est inversé en vertu du processus d'opposition (voir chapitre v).

Le processus d'opposition peut s'affaiblir, comme ce fut le cas pour Frank/Joey quand il téléphona et écrivit aux parents de sa future victime pour les mettre en garde. Puis, comme il n'est pas rare chez les paraphiles, Frank fit une confession. « J'ai vidé mon sac », dit-il.

Il se passa la même chose dans le cas de Ken, l'exhibitionniste-voleur. Il fut arrêté sur la base de preuves incriminantes trouvées dans sa voiture. Au commissariat, il devait rappeler des années plus tard : « J'ai vidé mon sac et je leur ai raconté tout ce que j'avais fait. C'est comme ça que j'ai pris vingt-huit ans. J'étais content, parce que tôt ou tard j'aurais vraiment fini par faire du mal à quelqu'un [s'il avait été interrompu au cours d'un cambriolage]. Je me suis balancé moi-même. »

Une confession paraphilique complète suppose que le codage habituel des schémas paraphiliques a été temporairement inversé de positif à négatif. Le paraphile est d'accord avec ses poursuivants et se condamne lui-même. Outre une confession complète, il y a d'autres façons plus subtiles de détecter une paraphilie. Par exemple, un meurtrier sexuel paraphilique portant deux noms, Dennis et Dude, et ayant une fixation de masturbation fétichiste sur les sous-vêtements de sa mère avait plusieurs emblèmes de mort tatoués sur les bras, les épaules et le pénis. Il portait des thèmes héraldiques percés de dagues, dont deux étaient emblasonnés de noms de filles, un autre portant l'emblème de l'Irlandais sauvage et un autre ces mots : « Jamais plus ». Les autres dessins représentaient des griffons, dont l'un portait « MORT à tous mes douze ». Un autre dessin encore représentait la Faucheuse brandissant une énorme faux.

Un autre exemple est celui du sadique qui portait des bijoux en or imitant des menottes miniatures et d'autres accessoires du sadomasochisme, une ceinture à clous et une cravate serrée à l'étrangler. Un autre sadique apparut à une réception avec sa femme soumise vêtue d'un corsage transparent sous lequel on distinguait ses tétons percés d'anneaux d'or reliés par une chaîne en or. Obéissant à son mari, elle quêta son autorisation pour chaque bouchée de nourriture qu'elle avala et, sur son ordre, consentit à montrer en privé ses piercings génitaux. Dans un autre cas, un adolescent asphyxiophile portait un nœud coulant miniature et s'en servait pour entamer la conversation.

Le codage bimodal de l'esprit et du cerveau est illustré non seulement par des confessions auto-incriminantes et des indices subtils, mais aussi par le phénomène de confession du crime paraphilique de quelqu'un d'autre. C'est ce qui s'est passé dans le cas de Dennis/Dude. Après que Dude, drogué, eut été arrêté et inculpé de meurtre, sa mère entendit son colocataire parler au téléphone avec la police, affirmant que c'était lui qui avait commis ce crime. La police disposant d'éléments factuels qu'il n'aurait pu ni inventer ni fabriquer, aucune charge ne fut retenue contre lui. Sa confession était fausse.

Ce phénomène d'emprunt du délit sexuel de quelqu'un d'autre appartient à la catégorie de la folie à deux. Dans la folie empruntée, l'un des deux emprunte les illusions et les schémas de l'autre et devient en quelque sorte un clone psychique de l'autre. On en a vu un cas extrême voici quarante ans en Nouvelle-Zélande, lorsque deux adolescentes assassinèrent la mère de l'une d'elles en lui frappant la tête avec une brique enveloppée d'une chaussette [11]. Elles partageaient l'illusion que ce meurtre empêcherait le divorce et l'émigration de la famille, qui allait provoquer la rupture de leur amitié. Cette affaire fut rappelée à l'attention du public par un film sorti en 1994, *Heavenly Creatures*. La seule fille que l'on parvint à retrouver avait été réhabilitée et menait une vie tranquille d'auteur de romans policiers.

Dans le cas des faux aveux pour le meurtre commis par Dennis/Dude, on ignore dans quelle mesure les deux jeunes gens partageaient les mêmes fantasmes de meurtre sexuel. On sait seulement qu'ils avaient le même style de vie et prenaient tous les deux des drogues dures, notamment de la phéncyclidine (PCP), qui induit la psychose.

Un autre exemple est celui d'un jeune homme atteint du syndrome du Y surnuméraire (47, XYY), caractérisé par une forte impulsivité [12]. Avec deux de ses amis homosexuels, ils rentrèrent un soir avec un garçon qu'ils avaient dragué dans un bar gay. Ils voulaient le dévaliser. Il s'ensuivit une bagarre au couteau : « J'ai carrément pété les plombs », devait-il déclarer ensuite. Puis, pour exonérer ses deux amis, « parce qu'ils ne supporteraient pas la prison aussi bien que moi », il prit sur lui toute la responsabilité de l'agression et se fit emprisonner. Quatre ans plus tard, alors qu'il purgeait une longue peine d'isolement pour avoir agressé deux gardiens, il menaça de se suicider s'il n'était pas transféré dans l'aile hospitalière, loin du bruit d'une émeute pénitentiaire. Là, il pourrait voir l'amant qu'il avait pris en prison. Son transfert ayant été refusé, il se pendit, comme il avait menacé de le faire.

Le codage cérébral bimodal, comme on l'a dit, ne se limite pas au codage des cartes affectives et de leurs paraphilies. Il s'applique au contraire bien au-delà des limites des cartes affectives, paraphiliques ou non, à tous les schémas ou cartes cérébraux qui exigent une discrimination entre les éléments qui doivent entrer dans la carte et ceux qui doivent en être exclus. Le bilinguisme en offre un bon exemple. Les enfants qui grandissent en parlant exclusivement anglais à leurs parents, et uniquement espagnol à leur nounou et leurs camarades de jeu doivent coder pour l'anglais une carte de langage excluant l'espagnol, et une autre carte pour l'espagnol excluant l'anglais. Ils ont ainsi deux cartes de langue maternelle.

En revanche, le codage bimodal de la disparité entre masculin et féminin commence *in utero* sous l'influence des hormones sexuelles, alors que la conformité ou la non-conformité aux critères culturels de masculinité ou de féminité est soumise à des déterminants postnataux. Ces stéréotypes postnataux diffèrent d'une culture à l'autre, en dépit de leurs similarités. Répondre aux critères d'identité/ rôle du genre masculin ou féminin exige d'avoir une carte ou un schéma cérébral pour chacun, l'un marqué « à moi » et l'autre « à eux » (avec des gens situés dans l'entre-deux).

Le codage bimodal s'applique même à des pratiques de routine comme la nutrition. Les critères de l'étiquette varient d'une culture à l'autre et au sein d'une même culture. Ainsi, les restaurants américains non orientaux ne fournissent pas de baguettes, pas plus qu'ils ne servent de riz ou de condiments que l'on puisse pétrir de la main droite pour les porter directement à sa bouche, comme on le fait en Inde. En revanche, on peut manger avec les doigts lors d'un cocktail ou d'un pique-nique, alors qu'il faut des couverts pour un dîner formel. La nourriture elle-même est codée de façon bimodale entre comestible et toxique, nationale ou étrangère, végétarienne ou carnivore, biologique ou chimique.

Le codage cérébral bimodal s'applique partout où les valeurs humaines sont dichotomisées entre orthodoxes et hérétiques, approuvées et désapprouvées, soumises et insoumises, correctes et incorrectes, bonnes ou mauvaises, licites et illicites, morales et immorales, conformes et non conformes, etc.

Le renversement du codage bimodal peut survenir *de facto*, comme lorsqu'on ordonne une exécution militaire, alors que la mise à mort civile est criminalisée sous la qualification d'homicide ou de meurtre. Il n'est pas besoin d'une guerre pour inverser le code bimodal de mise à mort : cette inversion peut survenir dans le cadre d'une vie individuelle sous l'influence de déterminants qui restent encore à déchiffrer complètement.

Deux ou plusieurs cartes codées de façon bimodale peuvent s'inverser simultanément. Trois renversements simultanés constituent un syndrome, dépourvu de nom clinique, de mensonge, vol et sexe pathologiques. Dans ce cas, le mensonge n'est pas la recherche d'un prétexte pour se disculper. Il est plutôt comme un roman, une fiction racontée pour amuser et intriguer. Son nom savant est la *pseudologia fantastica*, une fabulation qui semble assez logique mais demeure une fiction.

Une histoire aussi manifestement fictionnelle fut racontée à la ronde par une adolescente souffrant d'un syndrome de Turner (45, X). Elle avait été humiliée à l'école quand une amie l'avait trahie en révélant aux autres que du fait de ce syndrome, elle n'avait pas d'ovaires et ne pourrait donc jamais avoir d'enfants. Les garçons de l'école se mirent alors à parler d'elle comme d'un « bon coup », puisqu'il n'y avait aucun risque de grossesse. Après les vacances d'été, elle revint à l'école en racontant qu'elle n'était plus la même, mais sa cousine-sosie qui avait eu de fabuleuses expériences en tant que star de cinéma pendant les vacances. Cela ne fit qu'empirer les persécutions de ses pairs.

Le triple syndrome de mensonge, vol et sexe est bien illustré par l'histoire d'un jeune homme en pleine ascension sociale qui, alors qu'il étudiait au séminaire, raconta sur lui-même une histoire fantastique, sur quoi il fut prié de partir. Son histoire de voleur à l'étalage devint publique après qu'une enquête de police eut révélé dans son appartement un amoncellement klepto-maniaque de bijoux volés. Le composant sexuel de son syndrome apparaît dans le fait qu'une fois qu'il eut perdu toute chance d'avoir une bonne éducation et un métier rentable, il se livra à la prostitution.

La fabulation est liée à l'imposture qui peut aisément passer inaperçue si elle n'est pas corroborée par des observateurs extérieurs ou des documents écrits. Il convient donc, lorsqu'on entreprend l'histoire sexolo-gique d'une paraphilie de délit sexuel ou autre, de compléter le récit de l'informateur par d'autres sources, notamment le récit de personnes fiables n'ayant pas de rapports avec le patient. Une histoire vraie est celle d'un transsexuel homme-femme très élégant et intellectuelle-ment supérieur qui prétendit être la mère d'un candidat au transsexualisme de dix-huit ans et raconta au per-sonnel médical une fiction sur le transgenrisme du garçon.

L'érosion du souvenir des événements passés depuis longtemps, leur téléscopage et l'omission des détails produisent une histoire cohérente, mais qui n'est pas conforme à ce qui s'est réellement passé. Il n'en est que plus nécessaire d'obtenir des dossiers historiques.

La fabulation est universelle chez les jeunes enfants au cours de la période où ils différencient progressive-ment l'imagerie et l'idéation de l'imaginaire de celles des rencontres et des événements historiques réels. C'est pourquoi la fiabilité et la validité des témoignages de jeunes enfants au tribunal, notamment dans les cas de violence et de négligence sexuelle ou non, sont équi-voques. Ils sont aussi susceptibles de s'incriminer faus-sement eux-mêmes et de couvrir leurs parents ou d'autres adultes que de porter contre eux de fausses accusations sous la forme d'une *pseudologia fantastica*.

Deux syndromes emboîtés

Ces deux syndromes sont le goût du martyre et l'exhibitionnisme paraphilique, dont étaient atteints respectivement une femme et son mari, Katie et Ken[13]. Ils semblaient le modèle du couple fait l'un pour l'autre. Comme jamais auparavant, chaque partenaire ressentait le bonheur d'être réellement désiré et indispensable, chacun étant le sauveur et le protecteur de l'autre. Il l'avait sauvée de l'abandon et de l'abus, et elle l'avait sauvé du rejet social et de la stigmatisation en tant que délinquant sexuel. Ce n'était pas toujours facile, ils avaient eu tous les deux des épisodes de rechute, mais ils étaient trop certains d'être dépendants l'un de l'autre pour jamais se séparer.

Dans son enfance, le père de Katie s'était tué en tombant, et un an plus tard, son frère aîné s'était noyé. Sa mère, incapable de réagir, fit alors adopter Katie, âgée de trois ans, et son frère cadet par sa sœur sans enfants. Le garçon fut favorisé. La petite fille devint victime de maltraitances. Elle affirma se souvenir plus tard du jour où sa belle-mère s'était approchée d'elle avec une aiguille et du fil alors qu'elle était dans la baignoire et, lui piquant la vulve, l'avait menacée de la coudre si elle continuait à se toucher. Quand Katie eut onze ans, sa belle-mère mourut d'un cancer. Peu après, son beau-père, dont elle était la préférée, entama des approches sexuelles. Quand il se remaria, Katie ne s'entendit pas avec sa nouvelle belle-mère. À l'âge de quatorze ans, elle s'enfuit de chez elle et vécut dans une série de foyers et de familles d'accueil. Lors d'un de ces placements, elle rencontra un adolescent au comportement perturbé et l'épousa à l'âge de seize ans. C'était un mari physiquement brutal et un travesti. Ils restèrent ensemble trois ans jusqu'à ce qu'il soit mis en prison, la laissant sans ressources avec sa fille jusqu'à l'apparition de Ken.

L'histoire de Ken, obtenue rétrospectivement par un autorapport, est assez brève. Enfant, il était sujet à de graves crises de colère et souffrait de troubles de l'apprentissage et d'un retard scolaire. Il quitta l'école à l'âge de seize ans. Il grandit dans ce que l'on appellerait aujourd'hui une famille dysfonctionnelle. Son père avait mauvais caractère et battait violemment ses enfants. Il aurait été arrêté une fois pour exhibitionnisme alors qu'il était ivre. Plusieurs personnes de sa famille avaient eu des démêlés avec la justice, dont une femme pour meurtre. Dans l'enfance, ses cousines et lui jouaient à s'exhiber leurs parties génitales. À la puberté, une cousine adolescente l'introduisit aux rapports sexuels, qu'ils poursuivirent jusqu'à ce qu'elle tombe enceinte à l'âge de dix-neuf ans. Il fut soupçonné d'être le père. Une fois, au début de l'adolescence, ses amis et lui avaient exhibé leur pénis à des filles qui passaient à cheval dans le parc ; leur seule réaction avait été l'amusement. À part cet épisode, il n'expliquait pas ce qui l'avait amené à devenir exhibitionniste. Étant jeune mari et père, il avait accompli deux ans de service militaire sans histoires, à l'exception d'un vol de voiture pour lequel la plainte fut retirée. Il ne buvait pas, ne fumait pas, ne se droguait pas.

Il rencontra sa première femme alors qu'elle avait quatorze ans et lui seize. Ils se marièrent trois ans plus tard. Au cours des sept années suivantes, ils eurent six enfants, trois de plus qu'elle ne le souhaitait. « Elle dit que je l'ai violée pour les trois derniers, et c'est sans doute vrai », disait Ken. Il attribuait son retrait des rapports sexuels au fait qu'elle était « une lesbienne refoulée » qui avait fini par « sortir du placard ». C'est à cette période de sa vie qu'il se mit en danger pour la première fois en tant que délinquant sexuel. Le mariage se termina par un divorce après qu'il eut été condamné à vingt-huit ans de prison. Il avait vingt-six ans quand il fut emprisonné pour la première fois. Après avoir purgé dix ans de sa peine, il fut remis en liberté conditionnelle. À quarante ans, il épousa sa seconde femme, âgée de vingt ans. Ils eurent un enfant avant qu'il soit de nouveau incarcéré pour outrage à la pudeur. Ensuite, ils divorcèrent.

Il fut remis en liberté conditionnelle une seconde fois et arrêté de nouveau, toujours pour exhibitionnisme. Il fut alors condamné à une peine de sursis, avec obligation de suivre des séances de thérapie de groupe dans un programme judiciaire. C'est ainsi qu'il suivit le programme – alors nouveau [14] – pour délinquants sexuels, où les séances de thérapie s'accompagnaient d'un traitement aux hormones anti-androgènes (voir chapitre VIII).

En attendant l'autorisation officielle de transfert sur le programme de MPA, il rencontra Katie, alors âgée de vingt ans, qui jugea qu'il ressemblait à son beau-père. Ils se mirent en ménage et se marièrent trois ans plus tard. Il avait alors quarante-trois ans. Le mois même de leur mariage, il commença à prendre des injections de 400 mg de MPA, et elle subit une ablation de la vésicule biliaire. Elle pesait à l'époque 122 kilos pour 1,66 mètre. Ce poids avait fluctué au cours des cinq années précédentes jusqu'à tomber à 91 kilos. Après son opération, elle retomba à ce poids pendant dix-huit mois, avant de remonter peu à peu jusqu'à 136 kilos au cours des cinq années suivantes. Puis elle maigrit de nouveau, jusqu'à peser 68 kilos deux ans plus tard, lorsqu'elle fut admise à l'hôpital. Son objectif était d'atteindre 59 kilos.

Tandis que son poids changeait dans un sens ou dans l'autre, elle se plaignait de vomissements chroniques après avoir ingéré des liquides ou des solides, ce qu'elle attribuait à « un nerf qui saute dans mon estomac ». Finalement, il devint évident qu'elle prenait un laxatif et induisait le vomissement en se mettant les doigts dans la gorge, jusqu'à ce que le vomissement devienne spontané. Parfois, elle ne crachait qu'un liquide aqueux.

À mesure qu'elle perdait du poids, son mari se mit à en gagner. La MPA eut pour effet secondaire d'accroître son appétit, surtout pour les aliments sucrés. De 70 kilos pour une taille de 1,80 mètre, son poids passa à 98 kilos. Comme sa femme, il se mit à vomir. Il l'attribuait à une accumulation de mucus dans sa gorge s'il mangeait des choses sucrées, provoquant une toux et des vomissements persistants. Ses vomissements étaient toutefois épisodiques et non chroniques comme ceux de sa femme.

Les vomissements de sa femme furent intégrés dans la routine quotidienne, comme une chose dont il fallait s'accommoder, au même titre que manger et éliminer. Les choses restèrent en l'état jusqu'à ce qu'à l'âge de trente ans, elle demande une évaluation neurologique et psychiatrique. Outre ses vomissements, elle souffrait de douleurs dans les jambes, de constipation, de gonflements du visage, de maux de tête et, surtout, de crises épileptiformes. Les crises ne comportaient pas de convulsions, mais une perte apparente de conscience de dix à quinze minutes, suivie de confusion et d'amnésie de l'épisode.

Le travail sur ces crises ne fournit pas de données décisives permettant de poser un diagnostic différentiel de crises ou de pseudo-crises. Indépendamment de l'étiologie, leur danger tenait à ce qu'elles survenaient pendant le sommeil, ou dans des lieux où la patiente pouvait tomber et se blesser à la tête. Il était impossible de tester une médication antiépileptique, puisque les médications orales risquaient d'être vomies. Finalement, les crises furent suffisamment contrôlées pour que la patiente puisse prendre un travail de vendeuse et augmenter le maigre salaire de son mari, concierge d'immeuble.

Le mari de son côté, temporairement sans MPA, se montra plus belliqueux dans la protection de sa femme. Il menaça de tout casser à l'hôpital s'il n'était pas satisfait de la façon dont elle y était traitée, notamment par une patiente psychotique.

Les divers symptômes de la patiente servaient à susciter la protection de son mari, qui voyait en elle quelqu'un qu'il avait sauvé d'une maltraitance. Ils s'accordèrent à dire qu'il n'y avait guère eu que trois épisodes où, pour une raison triviale, il avait perdu le contrôle de lui-même et l'avait physiquement agressée.

Avec le traitement à la MPA, il déclara que ses accès de rage étaient plus contrôlables.

Seuls ou ensemble, le mari et la femme étaient capables de parler ouvertement de leur vie sexuelle. Sur l'orgasme, la femme déclara lors d'un entretien : « J'ai une sensation de picotements dans les doigts et dans tout le corps. Tout mon corps me picote, voyez. C'est une espèce de sensation insupportable, comme si on voulait crier, un truc comme ça, voyez. Ça fait vraiment du bien. C'est comme ça. Je tremble, en fait. Mon corps tremble. Et puis, quand ça s'en va, je suis fatiguée... Je n'ai pas un orgasme chaque fois que je fais l'amour. Ken pense que je devrais, mais je ne pense pas que ce soit anormal... Si je suis vraiment d'humeur à faire l'amour, je sais que je peux avoir un orgasme, si je suis vraiment chaude, voyez. Mais il y a eu des fois où j'étais vraiment comme ça et où je n'ai pas eu d'orgasme. »

Elle aimait recevoir du sexe oral et moins en donner, mais c'était en partie parce que son mari ne s'était pas rasé ou lavé avant, et qu'il avait une odeur attribuée à ses hémorroïdes, dont l'opération était sans cesse repoussée. Ils ne pratiquaient pas le sexe anal. Il ne s'intéressait pas aux caresses et aux baisers, ce dont elle ressentait une grande frustration et un sentiment d'abandon. Néanmoins, elle restait certaine qu'elle ne voulait pas le perdre, et lui entendait bien ne pas la perdre.

Au début de leur relation, il y avait eu une longue période où elle était devenue indifférente sexuellement à Ken, à cause d'un mensonge qu'il avait inventé à titre d'alibi. Arrêté pour exhibitionnisme, il prétendit qu'il ne s'exhibait pas, mais suivait une femme chez elle pour faire l'amour avec elle. Sa femme crut à cette histoire et se sentit trahie.

L'imagerie de la trahison intervint ensuite pendant plusieurs mois à chaque fois qu'ils essayaient de faire l'amour. Elle attribuait son manque d'intérêt au fait d'être trop affaiblie par les vomissements pour s'intéresser aux relations sexuelles. Son mari fit écho à cette explication, surtout après avoir entamé son traitement à la MPA qui, selon lui, abaissait ses performances sexuelles parce qu'il le fatiguait trop. Les érections étaient moins fréquentes, mais pas totalement supprimées. L'éjaculation était beaucoup moins fréquente. L'orgasme ne survenait pas au cours de rapports de pénétration. Avec la masturbation, l'orgasme coïncidait parfois avec une petite émission de liquide aqueux, ou pas d'éjaculation du tout. Il appelait cela un orgasme psychologique. Il ne se masturbait pas chez lui en substitut de rapports sexuels avec sa femme, mais comme une méthode de relâchement de la tension quand il n'arrivait pas à dormir. Il avait alors pour imagerie de « se faire sucer par une fille, personne en particulier, juste quelqu'un qui me passait par la tête à ce moment ». Il pouvait aussi adopter l'imagerie de différentes positions dans les rapports sexuels. Il ne rêvait pas de sexe, pas plus que sa femme, et se rappelait rarement avoir eu des pollutions nocturnes à l'adolescence ou plus tard.

En dépit des problèmes de leur vie sexuelle, ils avaient de bons moments ensemble, alors qu'à d'autres, « le sexe aurait pu être meilleur ». Dans l'une des pires occasions, alors qu'il subissait déjà les effets de suppression sexuelle de la MPA, Ken eut une crise de violence et menaça de violer sa femme si elle accueillait mal ses approches. Il la frappa, la jeta sur le canapé et quitta la maison. Dans sa détresse d'être abandonnée, elle s'ouvrit les veines avec une lame de rasoir et dut être emmenée à l'hôpital. Elle expliqua qu'elle avait simplement voulu le taquiner alors qu'ils avaient projeté une séance ensemble l'après-midi même. Cette taquinerie était cohérente avec la suite : « Parfois, je crois que j'aimerais qu'il me viole. »

Ken ne pouvait expliquer pourquoi l'exhibitionnisme était plus excitant que les rapports sexuels ordinaires : « Je ne peux pas répondre à ça. C'est, c'est... C'est un truc stupide à faire et, et... je me suis posé la question un bon million de fois. Je me suis demandé pourquoi je

faisais ça, voyez ? Mais bon sang, pourquoi tu fais ça ?
Tu as une femme à la maison, un bébé à la maison, tu
as des gens chez toi qui t'aiment, et tout ce que tu vas
gagner c'est d'atterrir en taule – mais il fallait que je le
fasse. Si je ne le faisais pas, ça allait être la fin du monde,
voyez, ou il allait se passer quelque chose de tragique si
je ne m'exhibais pas, jusqu'à ce que j'aie éjaculé.
Quelque chose de terrible allait arriver. »

Peu importait le risque de se faire prendre, une fois
qu'il commençait à s'exhiber, il fallait qu'il continue, se
masturbant jusqu'à l'éjaculation : « Même si je ne ban-
dais plus, il fallait qu. je jouisse. » Plus il suscitait de
bruit et d'émotion, plus il risquait d'être pris, et plus fort
était son niveau d'excitation. De là son habitude de
s'exhiber à proximité d'un car de police, d'un poste de
police, ou de téléphoner à la police pour l'avertir qu'il
allait s'exhiber.

Il était dans l'excitation de l'interdit inversé par le processus d'opposition (voir chapitre v). « Avoir des relations
sexuelles avec une fille dans un fantasme ne me fait rien…
En prison, je voulais les étouffer à mort, et ce fantasme
m'a toujours fait débander », déclara-t-il dans un entretien. Une fois sorti de prison, même sous MPA, l'idée de
s'exhiber restait plus excitante que les rapports ordinaires.

L'imagerie prédominante pendant la masturbation et
l'exhibition était de recevoir une fellation, une pratique
interdite par sa religion. Tout aussi interdite, mais
moins récurrente, était l'idée de s'exhiber devant une
femme policier, une religieuse ou une femme enceinte.
Au cours de ses longues années de prison, il avait eu un
fantasme de masturbation dans lequel « je prenais la
famille tout entière, le policier, sa femme et sa fille ; je
faisais s'allonger la fille sur lui pendant que sa femme
s'allongeait sur moi et puis je les baisais tous ». En
revanche, « pendant mes six premiers mois de prison, le
sexe ne voulait rien dire pour moi ».

Même si la MPA n'abolissait pas tous les souvenirs ou
les pensées d'exhibitionnisme, ils perdaient malgré tout

leur caractère impérieux et n'avaient plus besoin de se traduire en actes : « Parfois, quand je passe devant certains endroits, ça m'attire comme quand je m'exhibais, je me dis, ça serait un bon endroit pour le faire. Et puis je me dis, mais qu'est-ce qui ne va pas chez toi, bon sang ? Tu redeviens dingue. Tu veux retourner en prison ? Et je me sors ça de la tête. Mais le truc, c'est qu'avant le MPA, je n'arrivais pas à me sortir ça de la tête. Ça devenait une pensée, et puis ça devenait une obsession. Et il fallait que je le fasse. Je m'en foutais si je restais dans les rues jusqu'au lever du soleil, il fallait que je le fasse. Mais maintenant, si la pensée me vient, je la transfère sur quelque chose d'autre... J'ai toujours peur d'oublier mon médicament, parce que je sais ce qui va se passer. Je sais qu'avant, je ne pouvais pas le contrôler, et ça me déchirait de l'intérieur. Je me disais toujours, tu peux contrôler tout ce que tu veux. Si tu ne veux pas manger comme un goinfre, tu manges juste une part et tu t'arrêtes. Fumer. J'ai dit que j'allais arrêter de fumer, et j'ai arrêté. Boire. J'ai arrêté de boire. Je disais, je vais arrêter de m'exhiber, mais je n'ai jamais arrêté. Chaque fois que je sortais de prison, ça allait droit pendant quatre ou cinq mois, et puis je remettais ça. C'était la peur qui me faisait tenir pendant quatre ou cinq mois. Je n'arrive pas à m'expliquer ça. Je me revois en train de regarder par les fenêtres. Parfois une femme était en train de se changer, et j'étais au bord de l'orgasme, et elle passait dans une autre pièce et je restais là à taper du pied comme un gamin... Une fois j'ai pris quelque chose et je l'ai jeté dans la fenêtre. C'était avant que j'aille en prison pour la première fois. »

Il fut emprisonné sous inculpation de bris de clôture, cambriolage, voyeurisme, tentative de viol et viol (raptophilie). Une fois libéré de prison, il fut de nouveau arrêté, mais uniquement pour exhibitionnisme. Il supposait lui-même que « le vol et le sexe venaient de la même chose, l'hostilité, qui est tout ce que j'ai jamais connu... Je n'entrais jamais pour rien. S'il n'y avait pas d'argent, je volais quelque chose » – même si c'était un couteau pas lavé traînant sur une table de cuisine.

À trois reprises au moins, il avait trouvé une femme dans la maison, endormie ou assoupie. Supposant qu'elle pourrait répondre favorablement à ses sollicitations, il s'exhibait. Puis il pouvait tenter de la violer, après quoi il se sentait désolé et s'excusait. Il s'était toujours préparé une voie de sortie par une fenêtre ouverte ou une porte non verrouillée. Après ses dix ans d'emprisonnement, le scénario de voyeurisme, de cambriolage et de viol disparut, remplacé exclusivement par le scénario d'exhibition en public. Ce changement était peut-être lié à sa tentative de tuer son moi délinquant sexuel par le suicide, qu'il tenta en prison en se pendant avec sa ceinture.

C'est pour exhibitionnisme qu'il fut placé par le tribunal sur un programme de MPA. Sa relation aux délits pour lesquels il avait d'abord été emprisonné démontre qu'il souffrait d'une paraphilie multiple et non de plusieurs paraphilies simples (voir chapitre IV).

Outre la nature multiple de la paraphilie, ce cas illustre aussi le clivage paraphilique entre amour et désir. L'excitation était du côté de l'acte interdit de l'exhibitionnisme, non du côté de la tendresse affectueuse accompagnant l'amour avec sa femme. Les rapports sexuels avec elle étaient plutôt de l'ordre de la corvée obligée (sinon je te quitte) que du plaisir érotique. Les maladies et le vomissement chronique de sa femme le soulageaient en partie du fardeau de faire l'amour avec elle. Elle-même déclara dans un entretien : « Je crois que j'étais plus amoureuse de Ken quand je l'ai rencontré qu'il ne l'était de moi. »

Sous MPA, quelque chose de comparable à ce qui était arrivé à l'exhibitionnisme de Ken arriva à ses crises de rage destructrice et de violence, dont il avait une longue histoire. Elles devinrent moins fréquentes et furent plus susceptibles d'être vocales que physiques. Toutefois, il resta aussi intransigeant qu'auparavant. Pendant sept ans et plus, sa femme et lui vécurent dans un état de contentieux et de chamailleries permanentes. Les sujets de contentieux ne manquaient pas : les tâches ménagères, le chômage, les factures impayées, les pannes de voiture, les programmes télé, les animaux domestiques (cinq chiens, deux chats, un oiseau) s'ajoutant aux parents dans le besoin, à la discipline avec les enfants, à ses hémorroïdes, sa fraternisation avec les voisins et sa jalousie irrationnelle dès que sa femme s'intéressait à d'autres hommes qui trouvaient sa perte de poids sexuellement attirante. Les deux sujets absents de leurs disputes étaient les questions de maladie, de poids et de vomissements pour elle ; et les questions de sexe et de justice pour lui. Ces deux thèmes formaient le socle commun sur lequel leurs cartes affectives se rencontraient dans une relation de couple qui les maintenait ensemble quoi qu'il arrive. Leurs syndromes étaient emboîtés.

CHAPITRE VII

Fondements phylismiques

Phylismes

Du point de vue de l'épidémiologie sexologique, les cartes affectives paraphiliques sont les expressions d'une imagerie, d'une idéation et d'une pratique sexuelles distribuées partout dans le monde. À notre connaissance, elles se limitent phylogénétiquement à l'espèce humaine. Elles sont toutefois distribuées parmi les membres de cette espèce de façon sporadique et non universelle. Il nous faut donc une explication à deux niveaux, l'une phylogénétique et l'autre ontogénétique, ni l'une ni l'autre n'ayant la prétention d'être absolument complète.

L'explication phylogénétique de la façon dont l'espèce humaine est devenue une espèce paraphilique est une hypothèse de la sexologie évolutionnaire, comme on l'a vu aux chapitres IV et V. En bref, la dérobotisation de toutes les cartes ou schémas de l'esprit et du cerveau a accompagné l'évolution de la carte du langage humain. Ainsi émancipée, la carte affective a pu exclure ou déplacer ses propres éléments phylismiques, ou encore leur greffer d'autres éléments issus d'autres cartes de l'esprit et du cerveau. Un phylisme ou élément phylismique est une brique de construction du comportement présente chez tous les membres d'une espèce.

Le bâillement en est un exemple intéressant dans la mesure où il est un signal d'invite sexuelle chez certaines espèces de primates. Chez l'homme, il est généralement associé à la somnolence ou à l'épuisement. En outre, il est contagieux, ce qui en fait un signal de réciprocité. S'il n'est pas habituellement présent dans la carte affective humaine, il peut chez quelques individus y être transporté par la clomipramine, un médicament en général utilisé pour la dépression unipolaire ou les troubles obsessionnels compulsifs. On a rapporté dans quatre cas une excitation sexuelle concomitante au bâillement allant jusqu'à l'orgasme, avec éjaculation chez un sujet masculin[1]. Une femme « fut capable de parvenir à l'orgasme en bâillant délibérément ». Dans tous les cas, l'association entre bâillement et excitation sexuelle cessa quelques jours après l'arrêt de la médication. Harrison et ses collègues ont lié ce phénomène au syndrome dit d'étirement-bâillement associé expérimentalement chez des animaux à la libération de gonadolibérine, une hormone synthétisée dans l'hypothalamus[2]. Ils ont attribué l'effet de la clomipramine à une montée dans le cerveau du neurotransmetteur sérotonine. Holmgren et ses collègues, grâce à des expériences sur des rats, ont montré une relation entre les hormones neuropeptides, la testostérone, le bâillement pharmacologiquement induit et l'excitation sexuelle[3].

La diversité des paraphilies peut tenir à des réaménagements, des exclusions ou des inclusions phylismiques. Les réaménagements s'effectuent au sein de la carte affective, par exemple lorsque l'exhibition génitale cesse d'être une sollicitation sexuelle périphérique pour prendre un caractère central. On trouve un exemple d'exclusion dans les paraphilies d'éligibilité. Ainsi, la pédophilie exclut les partenaires de tous âges, à l'exception des enfants. L'inclusion est illustrée par les paraphilies fétichistes olfactophiliques (sentir/toucher).

Des sous-vêtements odorants en sont un exemple, quand leur inclusion dans la carte affective devient un stimulus sexuel plus puissant que le partenaire vivant.

La large diversité de réaménagements, exclusions et inclusions possibles dans la carte affective rend compte de la diversité des paraphilies. Cette diversité est telle qu'elles peuvent sembler à première vue chaotiquement inclassables, autant que leurs fondements phylismiques. Il est toutefois possible de classer les phylismes paraphiliques sous les mêmes catégories que les grands stratagèmes (voir chapitre v). Mais tout d'abord, une illustration s'impose.

Le cas suivant ne fut pas reconnu comme une paraphilie jusqu'au moment où une intervention judiciaire le rendit public. Le sujet fut jugé coupable d'avoir eu une relation sexuelle consensuelle avec une jeune fille légalement mineure. Il avait eu avec la mère de la jeune fille une longue relation adultère. De sa propre initiative, la jeune fille était intervenue pour réclamer de l'attention. Du point de vue strictement légal, il était coupable de pédophilie, plus précisément d'éphébophilie puisque la jeune fille n'était plus une enfant. En fait, il s'agissait d'un cas plus complexe, avec une histoire remontant à l'enfance de l'accusé, à partir de l'âge de huit ans (voir chapitre iv).

C'était un garçon bien bâti pour son âge et physiquement attirant pour les adolescentes du voisinage qui ne cessaient de le solliciter, désireuses d'avoir des relations sexuelles complètes avec lui. Bien qu'il se soit coupé avec un instrument tranchant dans le garage au cours de sa première expérience, il ne renonça pas, mais joua sporadiquement aux mêmes jeux avec les mêmes filles ou avec de nouvelles venues jusqu'à l'âge de douze ans, quand il entra lui-même dans la puberté. À ce moment, sa famille déménagea. Il ne reprit pas ses activités sexuelles dans son nouvel environnement. En revanche, de l'âge de quatorze ans jusqu'à son mariage à l'âge de dix-huit ans, puis au cours de ses trente années de mariage, il se masturba avec une grande régularité, jusqu'à dix fois par jour dans sa jeunesse, et cinq ou six fois par jour à l'âge mûr, au point d'en avoir des irritations du pénis.

Un épisode de masturbation était stimulé par quelqu'un ou quelque chose qui lui rappelait ses activités sexuelles d'autrefois. Il était alors submergé par une compulsion à répéter sériellement chaque expérience de son enfance, dans une sorte de film mental très détaillé, jusqu'à l'éjaculation. Celle-ci dépendait d'un rappel mental très précis de tous ses épisodes enfantins de sexe coercitif avec une quinzaine de partenaires différentes. Il travaillait de longues heures à des travaux de force pour tenter de limiter les moments où il était exposé à une stimulation masturbatoire.

Rétrospectivement, il se rappelait n'avoir jamais eu dans sa vie l'initiative d'une relation sexuelle, mais toujours des femmes qui le pressaient jusqu'à ce qu'il ne puisse plus reculer. Par coïncidence, il se révéla que sa femme était sexuellement anhédonique. Aussi, au bout de deux grossesses, cessèrent-ils toute relation sexuelle. Il continua néanmoins d'avoir une série de liaisons extraconjugales.

Il entama un traitement à la médroxyprogestérone (MPA) sous forme de pilules, 30 mg deux fois par jour, accompagné d'un antidépresseur. En trois semaines, le film obsessionnel de l'imagerie masturbatoire disparut. Il pouvait se la rappeler, mais elle n'était plus tyrannique. Ce changement coïncida avec une amélioration de son état dépressif suicidaire qui l'avait poussé à une demi-douzaine de tentatives de suicide.

Six principes généraux se trouvent illustrés dans cette paraphilie particulière. Le premier est que les paraphilies ont une histoire développementale que l'on peut souvent retracer jusque vers huit ans. Le second est que la paraphilie, comme un récit peint sur un rouleau chinois, prend un laps de temps très variable pour se dérouler du début à la fin.

Le troisième principe est la séparation de l'amour et du désir, représentée dans ce cas par l'amour et l'attachement affectueux à une épouse anhédonique d'une part, et le désir exprimé sur un mode auto-érotique d'autre part, en association exclusive avec un film mental obsessionnel de rencontres sexuelles remontant à la prépuberté.

Le quatrième principe est que l'imagerie, l'idéation et la pratique paraphiliques ne peuvent être considérées comme une variation normale du simple fait que la paraphilie n'implique pas de violence ou de coercition sur un partenaire non consentant.

Le cinquième principe est qu'en dépit de leur spécificité, les paraphilies peuvent être classées. Dans le cas présent, la catégorie générale est celle du masochisme. Le sujet endossait le rôle du dominé en réaction au comportement dominant de femmes qui jetaient leur dévolu sur lui, même s'il n'était pas intéressé par elles.

Le sixième principe est que les définitions judiciaire et biomédicale de la paraphilie ne sont pas nécessairement d'accord. Dans ce cas, la loi définissait la paraphilie comme une pédophilie, alors qu'il s'agissait en réalité d'une forme idiosyncrasique de masochisme où la différence d'âge n'était qu'une coïncidence.

Le septième principe est que la paraphilie peut coexister avec un second diagnostic, dans ce cas le désespoir suicidaire d'être paraphilique. Le sujet avait aussi une extraordinaire mémoire photographique. Il pouvait se rappeler les codes et les prix de catalogues de marchandises vieux de plusieurs années. C'était aussi un obsédé du travail qui pratiqua deux métiers pendant des années, dans un vain effort pour se protéger des stimuli susceptibles de déclencher une nouvelle séance de masturbation avec ses fantasmes récurrents.

Sacrifice et expiation

Le début et la fin de la vie sont des mystères antithétiques. Si l'on excepte la récente technologie du clonage, le début de la vie est marqué par le hasard et l'incertitude, puisque sur plusieurs millions de spermatozoïdes rivaux, un seul va fusionner avec l'ovule et créer une nouvelle vie unique. En revanche, il n'y a rien d'incertain sur la fin de la vie : la mort est le seul mystère inéluctable qui s'applique universellement à tous les membres de l'espèce humaine. Son incertitude tient non à sa réalité, mais à son moment et à ses circonstances.

L'apoptose, la mort cellulaire programmée, est une contingence essentielle de la différenciation cellulaire et de la croissance programmées à partir de la vie embryonnaire. C'est là aussi une découverte récente. Comme la tension artérielle, le filtrage rénal, l'équilibre hormonal et d'autres systèmes de nettoyage du corps, l'apoptose s'effectue d'elle-même sans faire intrusion dans la conscience, jusqu'à ce qu'elle devienne folle et produise un cancer. Les cellules cancéreuses prolifèrent au lieu de mourir, jusqu'à produire des symptômes létals.

Le fait que certains processus sexologiques soient hors d'atteinte de notre conscience n'induit pas nécessairement une indifférence à leur égard. Bien au contraire, ils peuvent générer une angoisse obsessionnelle et hypocondriaque liée à la crainte qu'ils ne déclenchent une pathologie invisible. L'inquiétude obsessionnelle sur le risque d'exposition à une maladie sexuellement transmissible en est un exemple. Elle devient une source de phobie et d'évitement irrationnel du contact sexuel. Plus spécifiquement, la phobie peut s'appliquer non à la phase proceptive du flirt et de la cour, mais à la phase acceptive de pénétration vaginale. Chez l'homme, la phobie de pénétration peut se manifester comme une impuissance, et chez la femme comme du vaginisme. Quelles que soient les manifestations cliniques de la phobie de pénétration, elles entrent dans la catégorie générale de l'hypophilie, non de la paraphilie.

Alors que les hypophilies sont anhédoniques, les paraphilies sont hédoniques. Certaines défient l'inéluctabilité de la mort en érotisant celle-ci. La mort qu'elles érotisent n'est pas cellulaire et insidieuse. C'est la mort soudaine qui aurait pu être évitée par une plus grande vigilance, une mort qui trouve son origine dans les cinq phylismes d'agression et de dominance. Le premier est le phylisme carnivore de combattre à mort ou d'être tué pour de la nourriture. Le second est le phylisme territorial de combattre pour expulser et éventuellement tuer des intrus écologiques. Le troisième est le phylisme de rivalité dominante où l'on combat pour conserver son statut hiérarchique. Le quatrième est la rivalité d'accouplement où l'on combat pour éliminer la compétition procréatrice. Le cinquième est le combat protecteur en défense des jeunes.

Ces cinq phylismes sont partagés par les espèces hominidées, humains compris, mais avec des différences d'une espèce à l'autre. Les mâles et les femelles de toutes les espèces hominidées partagent les mêmes phylismes, mais y réagissent différemment. Ainsi, les femelles résistent plus que les mâles à l'intrusion d'une jeune femelle qui a quitté sa troupe d'origine en quête d'un partenaire, alors que les mâles se montrent extrêmement violents envers les intrus en quête de femelles nubiles. Au sein de la troupe, les rivalités de dominance et d'accouplement sont plus violentes entre mâles, alors que les femelles sont plus susceptibles de former des alliances qui leur permettront de suivre le vainqueur, et donc de monter dans la hiérarchie du groupe. Les femelles défendent plus ardemment les jeunes, alors que chez certains primates, un mâle étranger peut tuer le petit avant de prendre sa mère pour partenaire de reproduction[4].

Les cinq phylismes de combat sont dangereux, puisqu'il est impossible de savoir qui sera le vainqueur et le vaincu. Les adolescents humains gèrent leur propre fragilité en s'y montrant indifférents, se percevant comme omnipotents et éternels. Plus ils triomphent, plus ils sont recherchés par des jeunes femmes en quête de célébrité. De nos jours, les grandes rivalités ne sont plus les phylismes bruts, mais celles des célébrités du sport, de la musique, du cinéma et de la télévision. Mais les phylismes bruts ne sont pas perdus. Ils peuvent se maintenir en étant mis au service de paraphilies sado-masochistes. Dans le sadomasochisme, l'éventualité d'être vaincu et dominé est érotisée. Dans le sadisme, c'est l'éventualité d'être victorieux et dominant qui est érotisée.

Le phylisme d'érotisation de la défaite est moins évident chez l'homme que chez les singes bonobos, autrefois appelés chimpanzés pygmées. Les parties génitales des bonobos sont phylismiquement conçues pour servir non seulement d'organes de procréation, mais aussi d'organes d'apaisement et de réconciliation [5]. Par exemple, une femelle qui partage le statut dominant de son partenaire aborde celui-ci alors qu'il est en train de mâcher des feuilles, allongé sur le dos. Son pénis est en érection. Elle se penche sur lui et l'insère dans son vagin. Il lui tend la poignée de feuilles. Elle mange son content et lui rend les feuilles. De même, deux jeunes mâles mettent fin à une dispute quand le vaincu est sur le dos, le pénis émergeant de sa gaine. Le vainqueur masse alors le pénis du vaincu, mais sans aller jusqu'à l'éjaculation, comme pour garantir sa sécurité. Le vainqueur peut aussi monter le perdant par-derrière, mais sans pénétration ni éjaculation.

Ces deux postures sont des phylismes de résolution de conflits, tout en discriminant la domination de la soumission. L'équivalent chez les femelles est le frottage génito-génital, pratiqué en face à face. Il permet d'éviter les conflits en liant deux femelles dans une alliance mutuelle. Les phylismes érotisés pour former chez l'homme des cartes affectives paraphiliques de domination sadique et de soumission masochiste ne sont pas seulement des phylismes de conflit et de résolution. Les phylismes issus d'autres systèmes peuvent aussi être érotisés de façon à contribuer à la formation d'une carte affective sadomasochiste. Un tel phylisme, observé chez les primates et chez les humains, consiste à gifler, pousser ou secouer des bébés qui harcèlent de leurs cris leur mère ou leur gardien.

Le syndrome de Lesch-Nyhan donne un aperçu du phylisme d'automutilation qui peut se révéler pertinent pour la biochimie cérébrale de l'automutilation masochiste. C'est un trouble génétique rare du métabolisme purine, dû à un déficit congénital en hypoxanthine-guanine-phosphoribosyl-transférase (HPRT). L'un de ses plus graves symptômes est l'automutilation compulsive des doigts et des lèvres par des morsures[6]. Les lèvres sont parfois complètement mangées. L'automutilation n'est toutefois spécifique à aucun syndrome. Elle est fréquente chez les primates en réaction à une séparation sociale ou une isolation et une privation sensorielle prolongées. Les sujets humains interrogés affirment qu'elle induit le calme et le soulagement de la tension. À un degré moins pathologique, l'automutilation consiste à se ronger les ongles jusqu'au sang.

Dans l'enfance, une forme prototypique d'automutilation consiste à se frapper la tête et à se bercer. Bien qu'il soit douloureux au départ, le coup sur la tête induit un état de soulagement euphorique de la tension, peut-être une séquelle de la libération de neurotransmetteurs opiacés dans le cerveau. Ces comportements infantiles peuvent laisser place des années plus tard à une automutilation explicite par des coupures des bras, des jambes ou d'autres parties du corps avec des instruments tranchants ou pointus. Ces pratiques s'effectuent sous la pression d'une compulsion si forte qu'elle peut pousser le sujet à se trancher volontairement les poignets ou le cou en quête d'une échappatoire.

Une autre réaction phylismique à une grave privation sensorielle et sociale chez les primates préhumains et humains consiste à s'enduire de fèces et à les manger (coprophagie). La paraphilie qui inclut ce phylisme excrémental est la coprophilie. Elle est parfois associée à l'urophilie. Ces deux paraphilies peuvent être dirigées contre soi, contre les autres, ou les deux.

Dans la paraphilie, les fèces et l'urine ont encore un autre lien phylétique possible, à savoir le léchage maternel des parties génitales des jeunes pour les nettoyer. Cette pratique peut être observée chez les grands singes. À l'époque préhistorique, les mères humaines ont pu déléguer cette tâche à de petits chiens spécialement domestiqués dans ce but. Voici des années, Margaret Mead a observé des chiens de ce type au cours de ses recherches à Bali[7].

Le phylisme de la coprophagie est un parfait exemple de la complexité de ce qu'il nous reste à découvrir empiriquement sur l'infrastructure phylétique des paraphilies. On pense notamment à la relation entre coprophilie et immunologie, révélée par les expériences de Moltz et de Lee sur les rats[8]. Les rats nouveau-nés sont incapables sur le plan immunologique de résister à une infection aiguë de l'intestin et meurent d'entérite nécrosante. Quatorze jours après le début de la lactation, la mère commence à libérer un phéromone fécal, un dérivé de la prolactine de l'acide cholique de la bile. Ce phéromone pousse les jeunes à manger les boules fécales de leur mère, riches en acide déoxycholique, un autre dérivé de l'acide cholique qui protège des intoxications par les bactéries, les *E. coli* par exemple. Les jeunes ont besoin de protection à partir du quatorzième jour, lorsqu'ils commencent à ingérer de la nourriture solide contenant des bactéries. Le vingt-huitième jour, les jeunes commencent à produire leur propre acide déoxycholique et cessent de manger les fèces de leur mère qui ne contiennent plus d'attractant phéromonal.

Dans l'espèce humaine, l'entérite nécrosante est plus prévalente chez les prématurés que chez les enfants nés à terme[9]. Les prématurés produisent moins d'acide biliaire. Il n'existe pas d'équivalent connu de la coprophagie néonatale des rats, de sorte que l'éventuelle relation de ce phylisme avec la coprophagie humaine adulte reste spéculative.

Tout aussi spéculative est l'hypothèse avancée par Hopp sur la coprophagie incidente à l'ingestion par des prédateurs carnivores des fèces présents dans l'intestin de leur proie[10]. Les bactéries ingérées sur ce mode finissent par se répandre dans les fèces du prédateur. La proximité des orifices anal et génital permet le transfert de micro-organismes de l'intestin à l'appareil génital de la femelle lors de la copulation. Hopp suppose donc que l'information génétique issue d'une autre espèce peut s'amalgamer à l'ADN d'un embryon en formation, et devenir ainsi un caractère permanent de son code génétique. L'information génétique se modifie ainsi bien plus rapidement que par le seul biais de mutations dues au hasard, postulées dans la théorie évolutionniste néodarwinienne.

La coprophilie et l'urophilie ont ceci de particulier qu'elles impliquent le phylisme du manger et du boire, qui est rarement intégré dans une carte affective paraphilique. L'ingestion de sperme est une exception possible, ou le fait de boire du lait au biberon dans le rituel de « bébé adulte » des infantilistes paraphiles. On connaît aussi le cannibalisme paraphilique, mais il est extrêmement rare.

Chez les mammifères quadrupèdes mâles, un composant olfactif (phéromonal) de l'urine sert de marqueur territorial et d'avertissement aux intrus. Toutefois, ce phylisme est comparativement insignifiant chez les primates, y compris chez l'homme.

Le phylisme de la respiration, ou plutôt d'une absence de respiration paroxystique (apnée), peut être inscrit sur un mode paraphilique dans la carte affective de l'asphyxiophile. L'asphyxie peut être induite sur soi-même, sur le partenaire ou sur les deux en même temps. On peut observer le phylisme d'une apnée prolongée chez de jeunes enfants faisant une crise de rage et de pleurs, ou comme une manifestation paroxystique d'une crise d'asthme aiguë. L'asphyxiophilie prend aussi le nom d'hypoxie, suivant l'hypothèse qu'une réduction de l'apport d'oxygène au cerveau est un stimulant érotique, mais nous n'en avons pas de preuve empirique. En outre, le risque masochiste de mort par auto-asphyxie peut se comparer à la mort auto-érotique par application volontaire d'un courant électrique sur les parties génitales [11], qui n'entraîne pas d'hypoxie. La mort auto-érotique est, par définition, une affaire solitaire. Il arrive toutefois (voir chapitre v) qu'un sujet enrôle un ou plusieurs partenaires, comme dans la mutilation paraphilique ou le sacrifice de soi (auto-assassinophilie).

Maraudage et prédation

Un sacrifice requiert une offre, et l'expiation exige la pénitence. Tant le sacrifice que la pénitence expiatoire peuvent être auto-exécutés, ou exécutés sur et par un autre. Les deux rôles peuvent aussi être interchangeables. Ils peuvent en outre être exécutés avec ou sans consentement informé.

Le consentement informé est, au mieux, actuariel, car il est impossible de prévoir dans le moindre détail l'issue d'une performance. À un extrême, le conseil ou la persuasion douce peuvent suffire pour obtenir une participation. À l'autre extrême, la participation peut être contrainte ou violemment imposée sans aucun consentement. Les paraphilies de maraudage et de prédation entrent dans cette catégorie. Il en va de même pour l'essentiel des paraphilies d'enlèvement et de kidnapping.

Dans la mesure où les paraphilies de maraudage et de prédation impliquent la force et la violence coercitives, elles s'appuient sur les mêmes phylismes d'agression que les paraphilies de sacrifice et d'expiation. Elles s'appuient notamment sur le phylisme de rivalité et de combat visant à éliminer la compétition dans la reproduction. Chez l'homme, le maraudage de prédation est le viol paraphilique (son nom latin est la raptophilie ; son nom grec, la biastophilie), aussi désigné sous le nom de molestation. Sous sa forme extrême, le maraudage paraphilique se manifeste sous la forme du meurtre sexuel, unique ou en série, parfois associé à la nécrophilie.

Chez les primates, le phylisme de la rivalité d'accouplement est sans doute associé au phylisme de domination et au phylisme de l'âge de dispersion. La dispersion intervient quand la progéniture est assez mature pour quitter son groupe d'origine. Il arrive que seuls les fils ou les filles s'en aillent, mais il peut y avoir une combinaison des deux. Chez les bonobos et d'autres espèces de grands singes vivant en groupes, une mère est toujours certaine de la progéniture qu'elle a portée, alors qu'un père ne peut être sûr qu'il l'a bien engendrée. Il existe donc une logique d'évitement de l'inceste dictant que les filles, qui ne peuvent identifier leur père ou ses fils, quittent leur groupe et migrent pour aller vivre sur le territoire de leur partenaire – comme dans le mariage humain. Le phylisme de rivalité travaille donc en conjonction avec le phylisme contre l'inceste.

Cette conjonction est toutefois loin d'être parfaite, car les mâles célibataires qui demeurent sur leur territoire ne peuvent identifier ni leur propre père ni les filles qu'il a engendrées. Ils n'ont cependant qu'un accès limité aux femelles non migrantes restant au sein du groupe, qui sont monopolisées par les mâles de haut rang. Pour un jeune célibataire, une solution à la privation d'accouplement consiste à défier et détrôner un mâle de rang supérieur. Ou encore, un jeune prédateur peut marauder autour d'un groupe voisin et capturer une ou plusieurs femelles nubiles en vue d'établir sa propre troupe. Il peut sacrifier sa vie en s'efforçant de défendre un territoire pour sa nouvelle troupe. Pourvu que les femelles soient épargnées, la vie d'un jeune mâle peut être sacrifiée dans le combat, puisqu'il suffit d'un seul mâle survivant pour féconder de nombreuses femelles. Ainsi, la croissance de la population ne s'en trouve ni affectée ni retardée.

Un autre phylisme qui peut être enrôlé au service d'une carte affective paraphilique de maraudage et de prédation est celui de l'infanticide. Chez les mâles, le meurtre des jeunes est une extension de la rivalité d'accouplement, puisqu'il est la conséquence de la défaite du mâle précédent et de la prise de contrôle du groupe par le vainqueur. Selon de Waal et Lanting, « on sait désormais que l'infanticide intervient dans une vaste gamme d'espèces, des lions aux chiens de prairie, et des souris aux gorilles »[12]. La proportion de morts attribuables à l'infanticide conspécifique « est estimé à 35 % chez les langurs (singes hanuman), 37 % chez les gorilles des montagnes, 43 % chez les singes hurleurs rouges et 29 % chez les singes bleus ».

La perte d'un petit à la mamelle bouleverse l'équilibre hormonal de la mère et permet un retour de l'ovulation. Ainsi, le mâle infanticide a une bonne chance d'être le père de sa prochaine progéniture, qui risque toutefois d'être victime à son tour d'un autre mâle infanticide.

Un phylisme totalement différent pour assurer la paternité et éviter l'inceste est régulé par l'odorat par le biais des phéromones ; il a été intensivement étudié chez les campagnols des prairies, une espèce de rongeurs qui vit en groupes familiaux[13]. Une fois parvenues à maturité, les femelles d'un groupe familial sont incapables de copuler avec des parents mâles ; leur vagin reste fermé. Le signal qui ouvre le vagin et déclenche l'ovulation est une odeur génitale phéromonale émanant d'un mâle étranger, sur quoi le couple copule sur une période de vingt-quatre heures. Cette copulation libère des neuropeptides par le biais de neurosécrétions issues de l'hypothalamus[14], l'ocytocine chez les femelles et la vasopressine chez les mâles. L'ocytocine est associée au comportement parental et de lactation chez les femelles, et la vasopressine au comportement parental et à l'agression chez les mâles[15]. On qualifie souvent l'ocytocine d'hormone du lien social.

Il est rare de trouver une fidélité monogame chez les mammifères, même chez ceux qui coopèrent dans l'élevage des jeunes. La souris de Californie fait exception[16]. Dans l'élevage des jeunes, le lien parental est plus fréquent chez les oiseaux, mais les tests ADN montrent que toutes les couvées ne sont pas issues du même père. Aux États-Unis, les laboratoires qui effectuent des recherches sur les maladies génétiques découvrent en général que 10 % des enfants n'ont pas été engendrés par leur père putatif[17].

Répétons une fois encore que les phylismes de maraudage et de prédation, comme ceux de sacrifice et d'expiation, n'expliquent pas la genèse d'une paraphilie chez un individu donné : leur signification est phylogénique, et non pas ontogénique. Ils expliquent pourquoi l'espèce humaine est sporadiquement capable de produire des cartes affectives de maraudage, de prédation, de sacrifice ou d'expiation chez certains de ses membres.

Mercantilisme et vénalité

Partout dans la nature, il existe des exemples d'espèces symbiotiques qui ne peuvent susbsister qu'en coopération avec une autre. Les bactéries qui se nourrissent du soufre des cheminées volcaniques au fond des océans en sont un exemple spectaculaire. En l'absence totale de lumière permettant de convertir le dioxyde de carbone en nutriment, ces bactéries synthétisent des nutriments à partir du soufre volcanique et en nourrissent les vers géants qui les hébergent.

Il existe beaucoup de plantes et d'espèces animales terrestres qui colonisent d'autres espèces et les utilisent sur un mode parasitique pour la nutrition ou la procréation. D'autres espèces vivent en symbiose : chacune donne à l'autre quelque chose en retour de ce qu'elle prend. Chez les mammifères, les espèces symbiotiques sont celles qui peuvent être domestiquées. En retour des services rendus, on leur garantit au minimum la nourriture et le gîte. L'une des grandes étapes de la domestication dans l'évolution des hominidés a été l'extension de la méthode de dressage basée sur la récompense et la punition à la méthode de conditionnement opérant pour la formation à l'économie monétaire. Trois mille ans avant J.-C., l'argent fondu à partir du minerai de plomb et moulé en pièces était devenu le principal moyen d'échange au Proche-Orient, d'où il s'est rapidement répandu[18]. Les pièces étaient une parfaite monnaie d'échange pour des marchandises ou des services rendus, physiques ou mentaux. On comptait et on compte encore parmi les services ceux qui sont offerts par les organes sexuels. Les plus pauvres payaient pour ces services dans des harems publics, alors que les riches et les puissants possédaient leur propre harem.

La relation symbiotique entre deux personnes dans le cas d'un(e) prostitué(e) et son/sa client(e) est le plus souvent provisoire et non paraphilique. Mais pour quelques sujets, le fait d'être un(e) prostitué(e) ou un client devient un caractère paraphilique permanent de la carte affective, désigné par le terme technique de chrémastitophilie.

Fétiches et talismans

Dans le monde animal, les odeurs ne fonctionnent pas seulement comme des attractants sexuels. Chez les rongeurs de laboratoire, un phéromone régulé par la testostérone dans l'urine des mâles matures accélère l'arrivée de la puberté chez les jeunes femelles. Si une femelle a été imprégnée depuis peu par un compagnon de cage, un phéromone dans l'urine d'un intrus mâle induit l'avortement, ce qui permet à la femelle d'être fécondée par ce nouvel intrus. Un phéromone mâle huileux, synthétisé lui aussi sous l'influence de la testostérone, est stocké dans des glandes qui ont pour fonction de marquer le territoire, situées dans le cou ou sur la croupe des mâles de certaines espèces mammifères. Répandu aux frontières d'un territoire, ce phéromone sert à avertir les autres mâles de se tenir à l'écart.

Par rapport aux rongeurs et aux autres espèces phéromonales, les primates sont sexuellement plus visuels et tactiles qu'olfactifs (voir premier chapitre). Toutefois, les primates préhumains ou humains ne sont pas privés d'odorat. Chez l'homme, la privation d'odorat (anosmie) est en général un symptôme d'un autre trouble ou un effet secondaire d'une médication, et rarement d'origine congénitale comme dans le syndrome de Kallmann[19]. Dans ce syndrome, les cellules embryonnaires, qui forment normalement deux groupes, l'un qui migre vers le lobe olfactif du cerveau et l'autre vers la région hypothalamo-pituitaire, ne se divisent pas[20]. Il en résulte une anosmie et une absence de puberté due à l'absence d'activation de l'axe hormonal hypothalamo-hypophyso-gonadal. En outre, les sujets atteints du syndrome de Kallmann sont des solitaires atteints d'un handicap, sans doute dans la région de l'hypothalamus, de l'attractant qui permet de tomber amoureux.

Malgré tous les efforts des industriels, il n'existe pas de parfum qui soit un attractant sexuel garanti. Comme on l'a vu au début de ce livre, les femmes vivant en étroite proximité, dans une cité universitaire par exemple, synchronisent peu à peu la date de leurs règles. Le facteur responsable est une odeur émanant de la transpiration axillaire[21]. La signification de cette découverte reste toutefois assez vague, puisqu'il ne s'agit pas d'un phénomène conscient.

Pour certaines femmes, l'odeur de la sueur de l'entre-jambe masculin est un attractant sexuel, tandis que certains hommes sont intensément excités par l'odeur et le goût de la vulve dans le sexe oral. Dans les deux cas, il n'existe pas de statistiques fiables, et il est impossible de prédire pour quels sujets ces odeurs seront un attractant sexuel.

Chez de nombreuses espèces de mammifères, les odeurs associées chez la mère et le nourrisson au léchage et au suçage sont essentielles pour établir le lien mère-enfant, en l'absence duquel le jeune est négligé et meurt (voir aussi, dans le premier chapitre, la section consacrée au toilettage). Il arrive que ce lien olfactif et tactile soit déficient. Dans les cas extrêmes, l'enfant meurt ou est tué[22], et la mère fait l'objet d'un diagnostic de syndrome de Münchhausen par procuration[23].

Les phylismes du lien mère-enfant sont olfactifs et tactiles. Les phylismes de fétichisme ou talismanisme appartiennent aux deux mêmes catégories et constituent respectivement les olfactophilies et les hyphéphilies. Les fétiches olfactifs (sentir-goûter) peuvent porter sur des odeurs du corps humain, comme dans le fétichisme des sous-vêtements, soutiens-gorge, T-shirts sentant la sueur, tampons hygiéniques, bottes et chaussures souillées. La littérature les appelait autrefois les mysophilies (du grec *mysos*, saleté). Dans le cas d'une célébrité qui faisait la une des magazines, il se révéla que le fétichiste était son imprésario qui prenait des chaussures dans la penderie de sa patronne. C'est lui qui avait percé un trou dans le talon de la chaussure par où faire passer son pénis et se masturber. Une pratique alternative pour un fétichiste olfactif consiste à renifler ou mâcher l'objet odorant tout en se masturbant. Les pieds, très odorants, surpassent de loin les mains, inodores, dans la formation d'un fétiche.

Les fétiches hyphéphiliques (toucher/palper) proviennent en dernière analyse de la sensation des cheveux, de la peau et des tissus dont on la recouvre : la fourrure, le velours, la soie et le cuir par exemple, ou la flanelle, le lin, le coton et les tissus synthétiques. Les fétichismes du tissu varient en fonction des technologies et de la mode. Les fétichismes du vêtement suivent plutôt la mode de la jeunesse du fétichiste que la mode récente.

Surtout dans l'adolescence, le fétichiste hyphéphilique se masturbe dans ces vêtements et les dissimule. Il les prend parfois dans l'armoire de sa sœur ou de sa mère. Cette pratique montre un lien entre la paraphilie (le fétichisme) et la transposition de genre chez les garçons (voir, au chapitre III, la section consacrée au travestisme paraphilique). S'il existe un phénomène correspondant chez les filles, il n'a pas encore été révélé.

Dans les médias, le mot « fétichisme » est souvent appliqué à toutes les formes d'expression sexuelle paraphilique, atypique ou censurée. On parle par exemple de fétichisme des pieds, des grosses fesses, des gros seins, des cheveux longs, des crânes chauves, des yeux bleus, des gros pénis, etc. Dans le DSM-IV, ces fixations sur une partie du corps sont qualifiées de partialisme et classées sous la rubrique « Paraphilies non spécifiées ». Nous ne reprenons pas ici ce terme de partialisme. Les attractants partiels sont classés sous le phylisme de stigmate et d'éligibilité ; malgré leurs aspects idiosyncrasiques ou même bizarres, ils ne sont pas toujours fixés et exclusifs au point d'être qualifiés de pathologies paraphiliques.

Stigmate et éligibilité

La nature n'a pas eu l'occasion de consulter Darwin sur les mérites évolutionnaires de l'introduction de la reproduction sexuée pour faire concurrence à la reproduction asexuée. Dans chaque système, les espèces se

218 / *Au cœur de nos rêveries érotiques*

sont révélées parfaitement capables de se reproduire et d'éviter l'extinction.

Chez les vertébrés, les lézards « whiptail » en sont un exemple rare mais adéquat[24]. Certaines espèces de ce lézard ont des mâles qui produisent du sperme et des femelles qui produisent des ovules. D'autres espèces n'ont ni mâles ni femelles, mais sont parthénogéniques, à savoir que tous les membres de l'espèce peuvent produire des ovules, alors qu'aucun ne peut produire de sperme. Sans être imprégné de sperme, un ovule est capable d'initier le processus d'embryogenèse qui culmine dans la naissance d'un nouveau petit lézard.

La reproduction par parthénogénèse, qu'il s'agisse des algues bleu-vert ou des lézards, est une forme de clonage. Elle démontre que la survie de l'espèce ne dépend pas toujours de l'échange de matériel génétique par le biais des chromosomes de l'ovule et du sperme. Elle prouve au contraire que la survie de l'espèce est compatible avec l'exclusion du matériel génétique du partenaire.

La tension entre les mérites évolutionnaires respectifs de la reproduction parthénogénique et sexuée répond à la discussion sur les mérites respectifs des croisements consanguins ou de l'évitement de la consanguinité chez les espèces sexuées, la nôtre comprise. Dans les pratiques d'élevage, la consanguinité d'une lignée augmente les chances de produire davantage d'animaux de race pure. En revanche, la consanguinité d'une lignée atteinte d'un défaut génétique accroît les risques de produire une progéniture déficiente.

L'hybridation peut produire un animal supérieur à un pur-sang, mais aussi produire un bâtard. La consanguinité sur une lignée de bâtards produit de nouveaux bâtards.

La reproduction animale à l'état sauvage est conspécifique, c'est-à-dire que les individus s'accouplent avec des membres de leur propre espèce, même quand ils peuvent s'hybrider avec une sous-espèce voisine.

C'est ce phylisme de reproduction conspécifique qui sous-tend dans toutes les cultures les règles et les coutumes légales, religieuses et familiales sur le métissage, l'endogamie et l'exogamie. C'est aussi ce phylisme qui fonde les cartes affectives individuelles de type stigmatique et électif, lesquelles peuvent être tolérées ou condamnées selon les cultures.

Les deux principales catégories de paraphilies stigmatiques et électives sont les morphophilies et les chronophilies (voir *infra*). Les morphophilies sélectionnent des traits spécifiques de l'apparence ou de la morphologie corporelles comme des attractants sexuels.

La majorité des morphophilies sont des fixations sur des organes et des caractères corporels distribués dans la population générale. Ainsi, un morphophile n'est pas simplement fasciné par des seins ou des fesses hyperplastiques, mais il peut être fixé sur eux à un degré incompatible avec une réaction érotique aux seins de petite taille. Les fascinations ou fixations éroticosexuelles sur la taille des organes du corps ne sont pas en général un objet de censure sociale. Elles n'ont donc pas été soumises à l'attention des tribunaux ou de la clinique et n'ont pas reçu de noms tirés du grec ou du latin dans la nomenclature officielle. Dans le jargon des petites annonces, elles reçoivent toutefois des noms pittoresques. Le terme de *gainers* en est un exemple. Il sert à identifier des gens obèses ou qui recherchent des partenaires sexuels obèses. Les magazines homosexuels spécialisés dans ce type de drague ont ainsi été baptisés « Big Fat Mamas ». Dans l'argot homosexuel, il y a des dragueurs joufflus qui cherchent des partenaires obèses ; des folles du muscle qui cherchent des body builders [25] ; et des folles de la taille qui cherchent en permanence de très gros pénis (*macrogenitalia*). Sur Internet, la macrophilie désigne un goût pour des partenaires grands et musclés, mais pas forcément obèses. Edgar Gregersen a reconnu le besoin de deux nouveaux termes, la gigantophilie et la nanophilie, pour une fixation paraphilique sur les géants et les nains [26]. Il a aussi proposé les termes d'endomorphophilie, mésomorphophilie et ectomorphophilie, fondés sur les trois types corporels de Sheldon, pour désigner les préférences paraphiliques portant sur une morphologie graisseuse, musculeuse et maigre [27]. Les équivalents actuels des statues dans l'agalmatophilie (voir chapitre v) pourraient être les poupées gonflables de taille adulte.

Les fixations morphophiliques incluent aussi des caractères raciaux et la couleur de la peau, qui ne sont reconnus que dans une taxinomie populaire. Une *rice queen* (folle de riz) en jargon homosexuel est un Blanc qui n'est attiré que par les Orientaux ; une *potato queen* (folle des patates), un Oriental attiré uniquement par les Blancs ; et une *dinge queen* (folle des nègres), un Blanc attiré uniquement par les Noirs. Chacune a son équivalent hétérosexuel. Il est politiquement et socialement incorrect de mentionner les morphophilies raciales, car le métissage est trop lié à l'histoire de l'esclavage et du colonialisme. Les esclaves américains n'avaient pas de droits légaux et ne pouvaient donc se marier légalement. Il était acceptable pour les Blancs des plantations d'avoir des concubines de couleur, dont la progéniture serait classée parmi les esclaves de couleur. En revanche, si une fille blanche avait un amant de couleur, cette relation était définie comme un viol, et son partenaire risquait d'être lynché.

En dehors de la stigmatisation sociale, les unions interraciales ne sont pas en elles-mêmes plus susceptibles d'une morbidité paraphilique que les unions uniraciales. Une morphophilie de tout type est morbide si sa fixation est à ce point restrictive et immuable qu'elle exclut toute autre alternative, tout en étant incapable de tenir ses propres promesses de satisfaction.

On trouve un exemple de ce type de morbidité dans les paraphilies stigmatiques et électives où le critère d'éligibilité est l'amputation d'un ou plusieurs membres. Cette paraphilie d'amputation porte le nom d'acrotomophilie (du grec *akron*, « extrémité », et *tomé*, « coupure ») lorsqu'elle s'applique au partenaire [28] et d'apotemnophilie (*apo*, « issu de », et *temnein*, « couper ») lorsqu'elle s'applique à soi-même [29].

Contrairement à la chirurgie plastique, l'amputation à la demande est virtuellement inconnue. Les demandeurs les plus désespérés en sont donc réduits à provoquer des blessures qui exigeront une intervention chirurgicale. Dans un cas documenté, au bout de trente ans d'échec de diverses psychothérapies, un patient organisa un faux accident de chasse qui entraîna l'amputation de sa jambe gauche au-dessus du genou, comme il l'avait prévu [30]. L'attractant sexuel primaire dans ce cas était le moignon de jeunes hommes ayant subi la même amputation. L'attraction acrotomophilique peut aussi être hétérosexuelle. L'attirance pour des amputés ou des handicapés en chaise roulante (abasiophilie) existe chez les femmes comme chez les hommes [31].

À première vue, il semblerait logique qu'un amputé soit le partenaire idéal pour un sujet ayant une fixation sur le moignon d'une amputation. Une carte affective qui reconnaît un moignon comme attractant sexuel n'est toutefois pas la même que celle qui reconnaît la personne entière comme telle. L'un des partenaires ou les deux finit par le comprendre, et leur relation se vide de désir, mais pas toujours de dévotion affectueuse. Un homme marié à une femme intacte écrivait : « Je sais que ma femme actuelle ne se sent pas à l'aise avec ma paraphilie. Elle dit qu'elle n'arrive pas à accepter ma "maladie" ni à permettre qu'elle continue. Autrement, il faudrait que je sois aussi malade que toi, dit-elle. Elle la compare à l'adultère, en ceci que mes pensées dérivent vers des femmes amputées anonymes pour m'exciter sexuellement. Elle m'a tellement bassiné que je n'arrive plus à m'exciter avec elle, alors elle m'accuse maintenant d'impuissance. En m'efforçant de faire taire mes émotions naturelles, j'ai inhibé toutes mes capacités d'excitation. Je me sens à présent si coupable de ces sentiments que je ne m'autorise pas à avoir des pensées sexuelles à son sujet. J'arrivais à la caresser et à m'exciter jusqu'à un rapport sexuel complet, mais je n'arrive plus à me forcer à essayer[32]. »

La coupure entre désir et amour dans la paraphilie d'amputation apparaît également dans ce récit autobiographique d'une patiente : « Dans mes fantasmes, parfois l'homme est handicapé ; parfois, c'est moi ; et d'autres fois c'est lui et moi. Ce sont en général des fantasmes d'une nature très romantique. Vers l'âge de vingt-cinq ans, j'ai tenté de vivre mes fantasmes. La plupart de ces tentatives ont été assez brèves. Après le premier contact, mon excitation retombe. J'ai pourtant apprécié une relation en particulier. Il n'était pas seulement handicapé, il était brillant, amusant, attirant, et nous avions beaucoup de choses en commun. C'est avec cet homme que j'ai eu ma première relation sexuelle gratifiante. À ce moment-là, j'étais complètement accrochée et "amoureuse". Mais je me sentais aussi très angoissée et coupable. Il ne connaissait pas ma paraphilie et j'étais déchirée entre le besoin de lui en parler et une peur terrible des conséquences que cela pourrait avoir sur notre relation. Son problème physique était congénital et j'ai bientôt appris que c'était un sujet tabou. Nous avons rompu et, au cours d'une nuit de confessions mutuelles, je lui ai dit comment et pourquoi j'avais été attirée par lui au départ. Environ deux ans plus tard, nous nous sommes remis ensemble, mais ça n'a pas marché. Depuis, je n'ai plus essayé de vivre mes fantasmes. Cela tient en partie à une hésitation de ma part, et en partie au nombre extrêmement réduit d'opportunités[33]. »

Ces déclarations montrent bien qu'une carte affective morphophilique peut avoir une apparence inoffensive, en témoignant même d'une dévotion sacrificielle à une personne handicapée. Elle peut en revanche être abusive et destructrice si l'un des partenaires implore l'autre de se soumettre à une amputation ou d'approuver le fait qu'il soit lui-même amputé.

Un exemple plus morbide de destructivité morphophilique est le meurtre sexuel en vue d'obtenir un orgasme par pénétration orale ou vaginale du cadavre (nécrophilie, du grec *nekros*, « mort »). Le meurtre sexuel et la nécrophilie ne sont pas systématiquement associés : certains sujets recherchent un emploi à la morgue ou dans les salles d'embaumement d'une entreprise de pompes funèbres.

Depuis l'époque des pharaons, les corps des dirigeants ont été embaumés, peints, couverts de bijoux et dorés, afin que même dans la mort les riches et les puissants soient assurés de garder bon aspect. Dans les coutumes funéraires américaines actuelles, les corps sont maquillés pour apparaître aussi vivants et pomponnés qu'une poupée peinte. Le pathos de la mort est une expérience esthétique exquise pour ceux qui l'associent à l'excitation sexuelle. Cette association est illustrée par un cas de nécrophilie sur Internet découvert par le biais d'un laboratoire de développement de photos [34]. Les photos incriminées étaient celles de deux jeunes adolescentes, les filles du photographe, posant comme des corps maquillés dans des cercueils doublés de satin. Leur père, un brillant homme d'affaires, fut condamné à une lourde peine de prison pour pédophilie, puisque les jeunes filles avaient moins de dix-huit ans.

L'enquête finit par révéler qu'il ne pouvait avoir des rapports sexuels avec sa femme qu'à condition qu'elle pose comme un cadavre dans un cercueil et qu'elle reste immobile pendant les rapports. Il avait eu des expériences avec de véritables cadavres en travaillant gratuitement dans l'entreprise de pompes funèbres de l'un de ses amis. Il n'y avait aucun indice de contact sexuel avec les corps. Il mettait en pratique son imagerie et son idéation nécrophiles en jouant avec une collection de poupées Barbie qu'il conservait dans le coffre de sa voiture. À l'aide de photos découpées dans des catalogues de vêtements, il créait des images nécrophiliques composites. Aucune des poupées ou des images n'avait été mutilée. Elles étaient un simple adjuvant à la masturbation. Les rapports sexuels étant un fardeau trop lourd pour les deux partenaires, ils avaient été abandonnés. Le sujet lui-même attribuait la prééminence de la nécrophilie dans son excitation sexuelle à son exposition dans l'enfance à des scènes d'accidents ou de catastrophes, où il venait en compagnie de son père qui faisait partie d'une équipe de sauveteurs. Il demanda un traitement à la MPA, même en prison, pour contrôler ses fantasmes nécrophiles, mais l'institution judiciaire rejeta sa requête.

Vers la fin de la Seconde Guerre mondiale, le bâtiment de la morgue d'un grand hôpital public devint un lieu de secrète fascination pour un aide-soignant récemment démobilisé. Pendant la guerre, son camarade et lui avaient subi ensemble un bombardement ennemi, se blottissant l'un contre l'autre pour tenter de se protéger. Un obus explosa tout près et emporta la tête de son compagnon, tandis que lui-même s'en sortait indemne. Par la suite, il fut obsédé par les cadavres. À la fin de ses congés, il revenait à l'hôpital par le train de nuit et ne manquait jamais de jeter un coup d'œil à la morgue en traversant le campus en direction des dortoirs. Il était trop méfiant pour raconter ce qu'il y faisait et insistait pour ne pas être accompagné.

Bien que le phylisme qui sous-tend les paraphilies de stigmate et d'éligibilité veille à empêcher les membres d'une espèce de se reproduire avec une autre, cette loi peut être contournée. Il peut y avoir des relations sexuelles entre deux espèces qui ne donnent pas d'hybrides. Quand un jeune d'une espèce donnée est élevé par un parent de substitution d'une autre espèce, il peut grandir en se liant uniquement aux membres de l'espèce adoptante. Les animaux familiers de deux espèces différentes forment souvent du lien lorsqu'ils grandissent ensemble. Le lien transversal entre espèces animales a été documenté par Maple[35].

Les humains se lient à leurs animaux familiers. Ils les caressent, les embrassent, et se lovent contre eux pour dormir. Cela ne constitue pas toutefois de la zoophilie, pas plus qu'il n'est zoophilique de sauver des animaux abandonnés, de les entasser dans des appartements bondés et insalubres et d'utiliser leur dépouille comme décoration murale, même si c'est un comportement très bizarre[36]. Le fait que de jeunes campagnards privés de partenaire aient des contacts sexuels sporadiques avec des animaux de ferme en substitut de la masturbation ne constitue pas non plus une paraphilie. On estime que ce comportement est plus rare chez les femmes que chez les hommes, mais nous manquons de preuves.

Bien qu'elle ne représente pas un danger pour les autres[37], la zoophilie peut être morbidement nuisible pour le zoophile. Ce fut le cas pour un jeune bouddhiste qui chercha de l'aide à l'âge de 28 ans pour ce qu'il appelait sa « dégoûtante manie », la formicophilie[38]. Cette pratique remontait à l'âge de neuf ans, lorsque, jeune garçon timide et introverti, il se créa un « petit zoo » de fourmis, auquel il ajouta plus tard des cafards, des escargots et des grenouilles. Il aimait « la sensation de chatouillis quand elles rampaient sur mes jambes et mes cuisses ». Cette sensation fut son réconfort quand il fut privé à l'âge de dix ans de son unique ami, l'employé de maison, que l'on avait surpris en train de se frotter contre lui. Son père administra à son fils une sévère raclée et emmena l'employé au commissariat où il reçut lui aussi une correction.

À l'âge de douze ans, son petit zoo lui fut encore une consolation après la mort de sa mère, dont il était très proche, et qu'il reprocha à son père. Déprimé, il cessa d'avoir de bonnes notes à l'école. Il se consolait avec son zoo. Il se déshabillait et laissait les insectes stimuler ses parties génitales. Les escargots glissaient sur ses tétons et au bout de son pénis, le mordillant « comme s'ils mangeaient une feuille avec leur petite bouche ». Quand il pressait une grenouille dans la paume de sa main contre son pénis et ses testicules, la grenouille les faisait vibrer. Au cours d'un seul épisode de trois ou quatre heures avec son zoo, il pouvait se masturber cinq fois jusqu'à l'orgasme, et ce jusqu'à quatre fois par semaine.

À dix-huit ans, il vit son père avoir un rapport sexuel avec une amie – « exactement comme un animal – et trouva offensant qu'une femme fasse ce genre de choses. Il ne put avoir une érection quand il tenta de se masturber en regardant des images pornographiques. Il avait vingt-cinq ans quand une femme de trente ans « me tenta et me fit faire des choses sales avec elle ». Malgré l'intromission et l'orgasme, ce ne lui fut pas agréable. Par la suite, il évita cette femme. Il rêvait que sa mère le regardait avoir un rapport sexuel avec cette femme, « avec une expression d'horreur sur le visage ». Bien qu'il fût en mesure de travailler pour se nourrir, c'était un solitaire méfiant qui avait du mal à « entrer en relation avec d'autres, notamment avec des femmes. Je ne peux pas les regarder dans les yeux quand je parle avec elles, disait-il. Ça me rend nerveux. J'ai l'impression qu'elles peuvent lire dans mes pensées et qu'elles savent quel homme dégoûtant je suis ».

Au Moyen Âge et jusqu'à la fin du XVIIIᵉ siècle, la bestialité était un crime majeur puni de la peine de mort, tant pour l'animal sodomisé que pour les jeunes gens accusés de l'avoir sodomisé. En Europe, d'innombrables accusés, hommes et bêtes mêlés, furent condamnés et pendus, ou brûlés vifs sur le bûcher[39]. Dans la Nouvelle-Angleterre coloniale, la bestialité entraînait aussi la peine de mort pour l'animal comme pour le délinquant[40].

Chevaux, vaches, cochons, moutons et autres furent exécutés pour bestialité sur la base de la doctrine théologique chrétienne qu'ils étaient possédés du démon du péché et du crime de sodomie. Dans d'autres religions, la zoophilie peut avoir un statut sacré, comme dans le cas du singe Hanuman et de l'éléphant Ganesh chez les Hindous.

Dans le nord de la Chine, une œuvre du IVe siècle, *Sou shen chi*, devenue au Japon une ballade sacrée, *oshirasama saimon*, est encore chantée par des chamanes (souvent de vieilles femmes aveugles). Elle raconte l'histoire de Tamaya-gozen, la fille d'un homme riche et de son beau cheval bai, Sendan-kurige : « Chaque jour, la jeune fille nourrissait le cheval de ses propres mains, jusqu'à ce qu'un jour, frappée par sa beauté, elle lui dise : si tu étais un homme, j'aimerais t'avoir pour mari. Dès lors, le cheval conçut une brûlante passion pour Tamaya-gozen, se consumant d'amour sans plus boire ni manger.

» L'homme riche appela des devins pour découvrir de quoi souffrait le cheval. Quand ils lui dirent qu'il était malade d'amour pour sa fille, l'homme riche entra en rage et fit tuer et écorcher le cheval. Tamaya-gozen faisait dire une messe sur la peau de l'animal, quand celle-ci s'enveloppa d'elle-même autour d'elle et l'emporta dans les cieux. Il tomba alors une pluie d'insectes noirs et blancs qui se posèrent sur les mûriers et se mirent à en dévorer les feuilles. En mangeant, ils produisaient un fil très fin. C'étaient les premiers vers à soie, grâce auxquels l'homme riche devint le plus grand marchand de soie du pays [41]. »

Le phylisme d'une reproduction conspécifique peut se manifester dans les années de jeunesse avant même que le sujet ne soit nubile. Il n'est pas lié de façon irrévocable à la reproduction, car il peut être exercé par des sujets chroniquement stériles pour diverses raisons. Il peut aussi s'exercer dans les années postfertiles, dont le début est marqué chez les femmes par la ménopause, sans marqueur correspondant chez les hommes. Son exercice est compatible avec l'usage de la contraception.

Les chronophilies concernent les limites d'âge dans lesquelles s'exerce l'attraction sexuelle et au-delà desquelles elle cesse de fonctionner. S'accoupler et avoir des enfants avec quelqu'un de la même génération est la coutume prévalente dans le monde entier, que la relation soit passagère, sentimentale ou arrangée par la famille. La différence d'âge entre des membres de la même génération favorise typiquement un homme plus âgé, économiquement stable, et une femme plus jeune en âge de procréer.

La disparité d'âge intergénérationnelle favorise un homme de l'âge du père ou du grand-père et une jeune femme nubile ayant de nombreuses années de fécondité devant elle. Cette disparité favorise en outre des hommes suffisamment riches et puissants pour posséder éventuellement un harem de femmes et de concubines. Dans toutes les cultures, les institutions sociales de l'accouplement et de la procréation sont en interdépendance avec les moyens de production et de distribution des richesses.

L'âge de sa propre représentation dans sa propre carte affective ne suit pas forcément l'âge du calendrier[42]. Pour beaucoup de gens, il reste le début de l'âge adulte pendant quarante ans ou plus. Si sa propre image dans le miroir n'est pas conforme à celle de la carte affective, le sujet peut aller consulter un chirurgien esthétique pour rajeunir son apparence. L'âge de l'autoreprésentation dans la carte affective finit par vieillir à son tour et rattraper l'âge réel du sujet.

Au lieu de se stabiliser au début de l'âge adulte, il arrive que l'âge autoreprésenté soit beaucoup trop jeune, comme dans l'infantilisme, le juvénilisme et l'adolescentisme. On appelle aussi l'infantilisme l'autonépiophilie (du grec *auto*, « soi », et *nepios*, « jeune enfant »). Les infantilistes se qualifient de « bébés adultes » (voir chapitre IV). Le fait d'être habillé et exhibé en public comme un bébé par sa femme ou son amie est un stimulant sexuel pour un homme infantiliste. Dans un cas, le mari avait une chambre décorée et meublée comme une nursery de bébé adulte. Son rituel paraphilique consistait à rester en couches et à téter un biberon pendant que sa femme jouait aux cartes avec ses amies au rez-de-chaussée. Quand elle découvrait que le bébé avait mouillé ses couches, elle l'emmenait au rez-de-chaussée pour le gronder et l'humilier devant ses invitées. Ce rituel marquait le moment où il pouvait avoir une érection et faire l'amour avec sa femme quand elle venait se coucher.

Un autre infantiliste se souvenait d'un incident survenu vers l'âge de six ans, quand il avait été puni en public pour avoir fait pipi sur lui. Il eut ensuite des cauchemars récurrents où un fantôme le ridiculisait férocement mais s'en allait dès qu'il mettait une couche. Il s'était masturbé pour la première fois jusqu'à l'orgasme avec une couche, et ses pollutions nocturnes à l'adolescence impliquaient toujours des couches. Il souffrit pendant des années d'être incapable d'arrêter d'en porter, même à l'âge adulte. Il s'excitait à commander des couches adultes et à les porter en secret.

Le contraire de l'infantilisme est l'infantophilie (dite aussi népiophilie.) L'une ne suppose pas systématiquement l'autre. Une jeune lesbienne qui s'habillait en homme fit l'objet d'un simple diagnostic d'infantophilie, alors qu'elle avait longtemps cherché en vain de l'aide pour une infantophilie sadique. Son rituel sadique consistait à proposer ses services en tant que baby sitter auprès de couples ayant une enfant trop jeune pour savoir parler. Avec un briquet, elle brûlait l'extrémité d'un crayon qu'elle éteignait en l'insérant dans le vagin de l'enfant, et s'excitait de ses cris de douleur. Elle ne pouvait expliquer pourquoi elle faisait cela, ni pourquoi l'hôpital l'avait laissée sortir pour qu'elle puisse recommencer.

Avec le retour en force de l'antisexualisme, il est devenu courant de confondre les caresses, les bercements et la toilette des jeunes enfants par les parents avec la molestation et l'abus – les termes légaux pour l'infantophilie. Un jeune enfant à qui l'on a appris le bon et le mauvais toucher peut croire en toute bonne foi que son grand-père bien-aimé l'a touché dans un mauvais endroit en l'essuyant après le bain. Si la machinerie de la défense des enfants se met en route, elle peut faire accuser le grand-père de molestation et d'abus, voire le faire condamner et l'envoyer en prison. Les enseignants et les puériculteurs/trices sont exposés aux mêmes accusations.

L'inverse du juvénilisme est la pédophilie (du grec *paidos*, « enfant »). Bien que l'un ne suppose pas fatalement l'autre, le juvénilisme en tant que syndrome sexologique de l'âge adulte ne fait pas encore l'objet d'un diagnostic indépendant. La reconnaissance du juvénilisme s'est toujours opérée en association avec la pédophilie. Un juvéniliste pédophile peut être si absorbé dans la vie enfantine qu'il devient un Peter Pan socialement incompétent en présence des adultes, sans préoccupations communes avec eux[43]. Le juvéniliste pédophile obsédé par la vie de petite fille est une Alice au pays des Merveilles[44] qui se lie aux mères des petites filles qu'il admire, devenant par exemple un conteur et un photographe muni de l'autorisation maternelle de prendre des images romantiques de leurs filles nues.

S'il se révèle une entité indépendante, le juvénilisme non couplé à la pédophilie peut fort bien être plus prévalent chez les femmes adultes que chez les hommes. Le stéréotype de la lolita ou de la baby doll attire fortement certains hommes. De même, le stéréotype du garçon-jouet sans défense attire certaines femmes.

Il n'existe pas de terme courant pour l'adolescentisme. Le terme tiré du grec est l'éphébisme (*ephebicos*, « appartenant à la puberté »). L'équivalent paraphilique de l'éphébisme n'est pas la pédophilie mais l'éphébophilie. Son synonyme plus rare est l'hébéphilie (du grec *hebé*, « jeunesse »). L'éphébisme n'a pas le statut de diagnostic officiel indépendant de l'éphébophilie.

La ligne de partage entre pédophilie et éphébophilie est posée par deux critères incompatibles, l'un judiciaire et l'autre développemental. La définition légale de la fin de l'enfance et du début de l'âge du consentement pour une relation sexuelle varie selon les cultures. Elle va de l'âge de dix-huit ans aux États-Unis à l'âge de douze ans en Espagne. Ainsi, le critère de ce qui constitue la pédophilie est légal ou coutumier, indépendant du stade biomédical du développement individuel.

Quel que soit l'âge légal de la fin de l'enfance, sur le plan développemental c'est la puberté qui sépare l'enfance de l'adolescence et de la fertilité. À un bout de la chaîne, la puberté peut survenir dès l'âge de neuf ans, voire plus tôt, ou être retardée jusqu'à l'âge de dix-neuf ans à l'autre extrême.

La nomenclature des chronophilies va de l'éphébophilie à la gérontophilie (du grec *géras*, « vieillesse »). La gérontophilie peut créer des problèmes matériels, surtout lorsqu'une seconde épouse beaucoup plus jeune menace de priver de leur patrimoine les grands enfants d'un premier mariage. La gérontophilie n'est pas en soi illégale. Certains gérontophiles peuvent aussi être des imposteurs qui combinent l'attraction sexuelle pour leurs partenaires plus âgés avec l'exploitation de ceux-ci. Par exemple, ils s'instituent eux-mêmes leurs héritiers, allant parfois jusqu'à provoquer leur mort prématurée. D'autres sont authentiquement et exclusivement excités par un partenaire du même âge que leurs parents ou leurs grands-parents.

Entre l'éphébophilie et la gérontophilie, il peut y avoir des chronophilies représentant les âges de vingt, trente, quarante ans, etc. L'unique raison d'une séparation ou d'un divorce est parfois que l'aspect physique du partenaire a vieilli et ne correspond plus à l'image idéalisée d'un(e) partenaire plus jeune persistant dans la carte affective d'un des conjoints. Le conjoint qui s'en va recherche souvent un(e) partenaire beaucoup plus jeune, comme pour recommencer sa vie de jeune adulte.

Cet écart entre la représentation de l'image du partenaire idéalisé dans la carte affective et l'image du partenaire réel est particulièrement évident dans la pédophilie. Quand le partenaire juvénile subit les transformations visibles, olfactives et pileuses de la puberté, il perd toute sa valeur d'attractant sexuel pour le pédophile. Il ne s'ensuit pas forcément une rupture de la relation : le partenaire plus âgé peut devenir un soutien pour le plus jeune. Le développement de la carte affective du jeune partenaire progresse vers l'adolescence, qui correspond à son âge réel[45]. On peut retrouver ce même schéma dans l'éphébophilie.

Une histoire non traumatisante suppose une totale absence de coercition et de violence sadique, la compréhension par les deux parties que la relation peut cesser à la demande à tout moment, et l'absence de représailles de la part des pairs ou de la famille si la nature de la relation vient à être connue.

Pour les garçons, les représailles ne sont pas un sujet d'inquiétude s'ils vivent dans une sous-culture où tout le monde sait que depuis trois, quatre ou cinq générations, les garçons entre l'âge de onze et quinze ans peuvent être financièrement aidés par des bienfaiteurs pédophiles ou non.

Le secret et le poids des représailles éventuelles si la nature de la relation est découverte sont un dilemme souvent plus traumatisant que l'activité sexuelle pédophilique par elle-même. C'est le dilemme d'être condamné si l'on reconnaît ce qui se passe, et condamné si l'on ne le reconnaît pas. Pour l'enfant, reconnaître la relation signifie une trahison et le chagrin de perdre un ami qu'il ne reverra jamais. Ne pas la reconnaître revient à vivre sous la menace constante d'être incapable d'arrêter de soi-même la relation avant qu'elle ne soit découverte. Le pathos de ce dilemme est particulièrement intense quand le partenaire plus âgé est un parent aimé, et les représailles en sont l'effondrement et la condamnation de la famille, le placement de l'enfant dans un foyer et l'emprisonnement du partenaire aimé.

Le phylisme qui sous-tend la pédophilie est un lien de couple dans lequel le lien parent-enfant et le lien entre

amants, qui ont beaucoup de choses en commun, se chevauchent chez le pédophile d'une façon trop intense et
déséquilibrée, sans savoir si le jeune partenaire est vraiment prêt pour un lien complet entre amants. Il en va de
même pour l'infantophilie. Dans une moindre mesure,
cela peut s'appliquer aussi à l'éphébophilie, surtout si la
différence d'âge entre les deux partenaires est extrême.

On tend à croire que l'infantophilie, la pédophilie et
l'éphébophilie concernent uniquement les hommes,
mais les femmes n'en sont pas exemptes. On ignore toutefois si elles sont moins prévalentes chez elles ou si
moins de cas en sont rapportés.

Sollicitation et appâts

Dans les expériences visant à tester les réactions
sexuelles d'animaux de laboratoire mâles, la femelle en
chaleur (ou en *œstrus*) est souvent définie comme un
appât. Chez les mammifères quadrupèdes, le signal
indiquant la présence d'un appât est une odeur ou un
phéromone sécrété dans le vagin en synchronie avec
l'*œstrus*, lui-même synchrone avec l'ovulation (voir
supra, premier chapitre). Chez les procréateurs saison-
niers, la préparation hormonale du mâle à la procréation se synchronise avec celle de la femelle. Chez
d'autres espèces, le mâle est prêt à réagir à tout moment
au signal phéromonal d'une femelle en œstrus.

Comme on l'a vu au premier chapitre, les yeux prennent la relève du nez chez les primates, de sorte que les
appâts et la sollicitation sont plus visuels qu'olfactifs.
Chez certaines espèces de primates, la femelle signale le
moment de l'ovulation par un gonflement et une vive
coloration de ses organes génitaux externes. Elle peut
inviter un mâle indolent à s'intéresser à elle en lui mettant ses organes génitaux sous le nez. À l'inverse, un
mâle peut exhiber son pénis en érection comme signe
d'invitation. Chez les grands singes, à l'exception des

bonobos, la sollicitation et les appâts sont cycliques, en synchronie avec la phase d'ovulation de la femelle. Le bonobo est le primate qui ressemble le plus à l'espèce humaine en ceci que dans 75 % des cas, la femelle accepte la sollicitation du mâle même en l'absence d'ovulation. Chez la femme, il existe des fluctuations idiosyncrasiques dans la relation entre la phase du cycle menstruel et la prise d'initiative dans la sollicitation du mâle. On constate également des fluctuations dans la fréquence de sollicitation de la femelle par le mâle, mais sans régularité cyclique.

Chez les humains, le fondement phylismique des paraphilies de sollicitation et d'appâts est peut-être voméronasal, c'est-à-dire agissant par le biais des organes voméronasals bilatéraux capables de percevoir des stimuli moléculaires phéromonaux sans qu'ils affleurent à la conscience.

Le phylisme du toilettage joue également un rôle dans les paraphilies de sollicitation et d'appâts, dans la mesure où le toucher favorise les liens de couple. Le toilettage, sous la forme du massage, fait partie des préliminaires et signale l'approche de l'union sexuelle. Il peut aussi provoquer directement l'orgasme.

Chez l'homme, le fondement phylismique prédominant de la sollicitation et des appâts n'est toutefois ni voméronasal ni tactile, mais visuel. C'est une particularité de l'espèce humaine que la sollicitation et les appâts visuels ne sont liés ni aux séquences hormonales du cycle menstruel ni à la cyclicité saisonnière, sans se limiter non plus à l'exhibition de l'anatomie génitale. Ils impliquent au contraire un vaste répertoire de langage corporel auquel s'ajoute le langage vocal.

Chez les hommes et les femmes, l'exhibitionnisme génital en tant que manifestation du phylisme de sollicitation et d'appâts diffère de l'exhibitionnisme théâtral. La théâtralité est une forme de divertissement qui n'est pas fondamentalement sexuelle, bien qu'elle soit compatible avec une sollicitation et des appâts explicitement génitaux, comme dans les spectacles vivants et les films et vidéos pour adultes.

Si les paraphilies d'inclusion intègrent une pratique typiquement étrangère à l'accouplement et à la procréation en soi, les paraphilies de sollicitation et d'appâts sont en revanche des paraphilies de déplacement. Cela signifie qu'elles déplacent une pratique préliminaire, comme l'exhibition génitale, du périmètre proceptif d'une rencontre sexuelle au centre orgasmique de la phase acceptive.

Les versions paraphiliques de la sollicitation et des appâts se subdivisent en trois parties : montrer et regarder, toucher et être touché, raconter et écouter ou lire. Dans les trois catégories, la sollicitation et les appâts peuvent se manifester comme une variante dite normale de la sexualité, ou être morbidement pathologiques et criminalisés sur le plan légal.

Les versions pathologiquement morbides des paraphilies de l'exhibition et du regard sont l'exhibitionnisme et le voyeurisme. Pour éviter la confusion avec l'exhibitionnisme théâtral ou vestimentaire, l'exhibitionnisme des organes génitaux chez les hommes (voir chapitre VI) prend le nom spécifique de péodeikophilie (du grec *peos*, « pénis », et *deiknumain*, « montrer »). Le terme correspondant pour les femmes est la baubophilie, terme issu de la mythique Baubo, qui exhiba ses parties génitales devant la déesse Demeter pour la distraire pendant qu'elle cherchait sa fille Perséphone, enlevée par Hadès, dieu du monde souterrain. La baubophilie chez les femmes est soit moins prévalente, soit moins rapportée que la péodeikophilie chez les hommes. Il est vrai que c'est moins un affront pour les hommes de voir les parties d'une femme exposées par une jupe trop courte lorsqu'elle s'assied dans un lieu public, que ce ne l'est pour les femmes de voir un pénis sortir d'un pantalon ouvert.

L'inverse de l'exhibitionnisme génital est le voyeurisme. Le voyeur type est un homme qui rôde dans les rues la nuit en quête d'une fenêtre éclairée par où il a une chance de voir une femme nue ou en train de se déshabiller. Un autre stéréotype est celui de l'adolescent qui guette par la fenêtre de sa propre chambre ses jeunes voisines qui se préparent pour la nuit.

Une variante apparemment inoffensive du voyeurisme se révéla dans un cas beaucoup moins bénigne lorsque sa révélation coûta à l'intéressé une prestigieuse promotion professionnelle. Chez lui, le voyeurisme se limitait à vérifier furtivement si une femme portait un slip de coton blanc et non d'un autre tissu. Sa fixation portait exclusivement sur le type en coton blanc. Il en ressentait une telle culpabilité qu'il l'avoua au cours de son entretien de promotion. Cette culpabilité expliquait pourquoi il n'avait jamais eu de relations sexuelles et n'avait jamais été marié, bien qu'il eût depuis huit ans une amie stable qui souhaitait l'épouser. Les slips de coton blanc captivaient toute son attention sexuelle.

Comme dans l'exhibitionnisme et le voyeurisme, la prévalence des syndromes ou la fréquence des rapports est plus élevée chez les hommes que chez les femmes. Dans les deux syndromes, le scénario paraphilique peut inclure une masturbation, avec ou sans éjaculation. L'autre scénario consiste à se repasser mentalement le scénario chez soi, tout en se masturbant seul ou au cours d'un rapport sexuel avec un(e) partenaire.

La réaction classique à un exhibitionniste ou à un voyeur consiste à appeler la police et faire arrêter l'intrus. Le musicien exhibitionniste qui décrivait son état de fugue paraphilique (voir chapitre VI) recommandait pour sa part une approche différente à des étudiants en médecine. Il raconta comment il avait exhibé son pénis à trois jeunes femmes à un arrêt d'autobus. L'une d'elles lui demanda sur un ton dédaigneux s'il ne savait pas qu'il était censé garder ce truc dans son pantalon. Cette question brisa le charme. Il remballa son pénis et poursuivit une conversation d'une nature non sexuelle avec les trois jeunes femmes en attendant l'autobus.

Le scénario paraphilique d'un exhibitionniste ou d'un voyeur inclut parfois l'éventualité d'une réaction positive de la personne soumise à l'exhibition ou au regard. Ainsi, le rituel paraphilique d'un exhibitionniste ayant une histoire d'énurésie dans l'enfance se déroulait ainsi. Il entrait dans une église catholique où il savait trouver dans la journée quelques vieilles dames en prières. En signe d'irrespect pour l'église et pour la mère adoptive sous la férule de laquelle il avait grandi, il exposait son pénis aux vieilles dames assises sur les bancs. Puis, après avoir uriné par terre, il s'en allait. À la nuit tombée, il se postait dans une allée proche, bordée de maisons bourgeoises converties en appartements. Il savait qu'à la fenêtre d'un troisième étage, il pouvait voir l'occupante se déshabiller avant d'aller au lit. Il était persuadé qu'elle attendait qu'il vienne l'épier dans la rue tout en se masturbant. Son fantasme paraphilique n'incluait pas de contact personnel avec elle. Sa femme ignorait tout de ses excursions paraphiliques jusqu'à ce qu'il soit arrêté et perde son travail de métallurgiste.

Une variante de voyeurisme est la somnophilie (du grec *somnus*, « sommeil »), ou syndrome de la Belle au Bois dormant. Le scénario de cette paraphilie est celle d'un voyeur qui erre dans un quartier en quête d'une femme endormie dans un appartement où il soit facile de pénétrer. Une fois entré, l'étape suivante consiste à réveiller la femme pour jouir des préliminaires, y compris du sexe oral, suivis d'une pénétration vaginale. Le résultat est le plus souvent une arrestation pour tentative de viol.

Une autre variante du voyeurisme consiste à regarder des gens en train de copuler : c'est la mixoscopie (du grec *mixis*, « rapport sexuel », et *skopein*, « voir »), appelée aussi skopophilie ou scoptophilie. Le regard peut être clandestin, par un trou de serrure, par exemple, ou affiché, comme dans des spectacles vivants ou des orgies.

L'équivalent exhibitionniste de la mixoscopie est l'autagonistophilie (du grec *autos*, « soi », et *agonistes*, « acteur dramatique ayant le rôle principal »). Cette forme d'exhibitionnisme eut raison de la carrière d'un administrateur qui passait ses déjeuners avec une amie dans le jardin situé sur le toit de son bureau. Là, sous le regard des occupants des hauts gratte-ciel environnants, ils faisaient l'amour. Son incapacité à faire quoi que ce soit pour modifier ce comportement lui coûta son poste, sa retraite, son mariage et sa famille.

Les versions morbidement pathologiques des paraphilies du toucher ont reçu le nom de toucheurisme, ou, si le toucher est plutôt une pression et un frottement, de frotteurisme. Les transports en commun fermés et bondés, comme des autobus, des wagons de métro ou des ascenseurs sont des endroits parfaits pour le frotteur. C'est une autre de ces paraphilies que l'on attribue au harcèlement des femmes par les hommes plutôt que l'inverse. Cette disparité peut s'expliquer autrement, notamment par le fait que les hommes ne considèrent pas un frottement de la part d'une personne inconnue comme une effronterie, à moins que cette personne ne soit un homme. Le frotteur se positionne de façon à ce que le frottement et la pression soient un signal sexuel, et non un hasard dû aux mouvements du véhicule. L'homme peut avoir une érection, et parfois une éjaculation. La plupart des cibles du frotteurisme ne rendent pas la pareille au frotteur. En outre, l'anonymat de la rencontre répond à la séparation paraphilique du désir et de l'amour chez le frotteur.

Dans le toucheurisme, le toucher est moins dépendant de la foule que dans le frotteurisme. Il intègre un élément de surprise et peut prendre pour cible une inconnue qui s'en effraie comme d'un éventuel prélude à un viol. Dans un cas, un jeune adolescent harcelait des filles de son groupe d'âge et leur touchait les seins par surprise. Il ne cessait aussi de dessiner des poitrines féminines. Les autorités scolaires craignaient qu'il n'aille jusqu'au harcèlement sexuel. Mais il progressa vers la fixation de développer lui-même des seins et de subir une réassignation sexuelle. Son problème était une identification aux femmes, et leur harcèlement n'était qu'une coïncidence.

Les versions morbidement pathologiques des paraphilies de narration et d'écoute/lecture sont classées parmi les narratophilies. Les narratophiles sont ceux dont l'excitation érotico-sexuelle est fixée sur le fait de raconter ou d'écouter des matériaux érotiques, ou d'en écrire ou d'en lire. Plus grande est la concordance entre le contenu du matériel érotique et l'imagerie et l'idéation de l'auditeur ou du lecteur, plus fort est le degré d'excitation érotico-sexuelle.

Nous avons l'exemple d'un couple dont le mariage s'écroula définitivement après que le nom du mari ait été publié dans la presse locale parmi ceux d'autres hommes arrêtés pour sollicitation homosexuelle dans les toilettes d'un restaurant d'autoroute. Jusqu'à ce jour, le couple et ses enfants avaient été considérés par leurs concitoyens comme une famille américaine modèle, active à l'école, à l'église et dans les affaires communales. Eux seuls savaient qu'ils n'était pas aussi parfaits tous les jours de la semaine.

Le samedi soir, quand les enfants dormaient, ils s'enfermaient dans leur chambre et devenaient des transgresseurs charnels. Dans ce rapport sexuel, la femme écoutait pendant que le mari racontait des histoires pornographiques sur les choses qu'il avait vu les soldats se faire à eux-mêmes et faire à d'autres hommes au cours de son service militaire, et sur ce qu'il avait entendu de leurs fantasmes. Il se racontait en silence les épisodes où il était lui-même impliqué, ce qui était essentiel pour qu'il conserve une érection au cours du rapport avec sa femme. Une fois son délit devenu public, elle fut incapable de supporter qu'il ait trahi son propre sens des convenances sexuelles, ou de faire un compromis pour ses enfants qui furent privés d'un père dévoué.

L'équivalent visuel de la narratophilie est la picto-philie, à savoir la dépendance paraphilique à des images, des livres et des films explicitement sexuels que le sujet regarde seul, à titre de préliminaire indispensable au rapport sexuel avec un partenaire.

Alors que la sollicitation et l'allure peuvent devenir comme ici morbidement paraphiliques, ils sont pour la population générale les bases non morbides du divertissement sexuel visuel et narratif. Selon le point de vue adopté, les textes sexuellement explicites reçoivent le nom de pornographie ou d'*erotica*. Le mot « pornographie » (du grec *porné*, « prostitué » et *graphein*, « écrire ») signifiait à l'origine écrire sur la prostitution. Dans une société qui bannit le sexe explicite ou le censure, elle est condamnée du simple fait d'être explicite. Les critères de la pornographie diffèrent considérablement d'une culture à l'autre. Dans les cultures asiatiques, par exemple, les séquences de baisers profonds des films américains étaient considérées comme l'équivalent pornographique de la copulation, bannie de ces mêmes films.

La ligne de partage entre ce qui est pornographique et ce qui ne l'est pas est posée par les membres de la société qui ont collectivement le pouvoir et constituent la police du sexe. Parmi eux, les extrémistes voudraient bannir tout matériel sexuellement explicite, y compris les vidéos représentant des activités sexuelles normales que les gens normaux pourraient utiliser comme substitut au Viagra pour stimuler une excitation et des performances sexuelles normales.

Le fait de regarder les autres copuler pour s'exciter soi-même n'est pas propre à l'espèce humaine : on a montré à des chimpanzés sexuellement léthargiques du zoo de Chesington, en Grande-Bretagne, des films montrant d'autres chimpanzés en train de copuler.

Leurs propres cartes affectives en ont été activées, suscitant des copulations qui ont abouti à des grossesses [46].

Les films ou les écrits pornographiques activent ce qui se trouve déjà dans la carte affective. L'idéation et l'imagerie paraphiliques ne s'implantent pas *de novo* dans la carte affective du simple fait de regarder, d'écouter ou de lire de la pornographie paraphilique. Par exemple, des heures de visionnage de séances de coprophilie (du grec *kopros*, « fèces ») ou d'urophilie (du grec *ouron*, « urine ») ne feront pas d'un spectateur un coprophile ou un urophile. À moins que ces paraphilies ne soient déjà présentes au moins de façon naissante dans sa carte affective, la vision de ces films induira au contraire chez lui de l'indifférence ou de la répulsion. De même, voir des films hétérosexuels ne convertira pas une carte affective homosexuelle en hétérosexuelle, pas plus que l'exposition à l'idéation et à l'imagerie homosexuelles ne fait passer les sujets ayant une carte affective hétérosexuelle dans les rangs de l'homosexualité.

La pornographie a toujours marché du même pas que les avancées technologiques. Les cartes postales pornographiques, par exemple, ont été parmi les premiers produits pornographiques commercialisés après l'invention de l'appareil photo au milieu du XIXe siècle. Le téléphone a ouvert pour nous l'ère de la pornographie interactive, à savoir le téléphone rose, où deux personnes se parlent de sexe tout en se masturbant. Le téléphone rose est en général consensuel, même entre étrangers, mais il n'exclut pas les impostures. Dans un cas d'imposture en série, un homme non identifié parvint à convaincre plusieurs personnes, dont une professeur d'université, une infirmière psychiatrique et une assistante sociale en retraite, qu'il souffrait d'un déficit d'hormone sexuelle et avait un besoin désespéré de se confier. Il les amena progressivement à lui raconter des détails intimes sur le pénis de leur mari, la longueur et la couleur de leurs poils pubiens, la fréquence de leurs rapports sexuels et la puissance de leurs orgasmes. Sa paraphilie (scatologie téléphonique ou téléphonico-philie) aurait pu passer inaperçue, s'il n'avait prétendu en outre être un patient du Dr Money, à la clinique psycho-hormonale de Johns Hopkins. Furieuses d'avoir été si facilement trompées, plusieurs de ces femmes (ou leurs maris) me téléphonèrent pour vérifier ses dires. Dans ce cas, l'imposteur n'était pas menaçant, mais d'autres pratiquent le harcèlement téléphonique. Ils en savent plus qu'un véritable étranger sur l'histoire passée et les horaires de travail des femmes qu'ils appellent, tout en restant complètement anonymes. Ils peuvent agiter la menace d'enlèvement et de viol, mais le fait d'effrayer ces femmes alimente davantage leur para-philie que la réelle exécution de la menace.

Le sexe par téléphone a été commercialisé[47]. Les appels sont payés par carte de crédit. Ils émanent sur-tout d'hommes qui s'engagent dans une conversation sexuellement explicite tout en se masturbant jusqu'à l'orgasme. Pour être efficace, la conversation doit être en phase avec l'idéation et l'imagerie de la carte affective de l'appelant. À partir d'indices subtils, l'hôtesse compé-tente reconnaît la configuration de la carte affective du client, qui peut être parfois morbidement paraphilique. Le téléphone rose permet l'anonymat sans lequel l'appe-lant est incapable de faire ce qui revient à une confes-sion de pratiques sexuelles qu'il juge à la fois honteuses et orgasmiques. Certains appellent régulièrement la même hôtesse et s'engagent ainsi dans une sorte de thé-rapie sexologique où le sexe par téléphone se substitue à des pratiques paraphiliques dangereuses, furtives ou illicites.

C'est par le biais du téléphone rose qu'un artiste connu put faire cette confession (citée avec son autori-sation) : « Personne ne connaît mes fantasmes. Ils sont restés secrets pendant des années. C'est la première fois que je les reconnais. Merci... Dans mon fantasme, j'endosse toujours le rôle de Ramona, une esclave tou-jours soumise, et toujours dominée et abusée par d'autres femmes. Je n'ai jamais eu le fantasme d'être l'esclave d'autres hommes... Je suis toujours bien habillé, contraint de me déshabiller, parfois mes vêtements sont réduits en loques et me sont arrachés du corps... Je suis contraint d'être une esclave sexuelle. Je dois servir des boissons à des invités imaginaires qui me jettent toujours leurs verres à la figure. Parfois, ils me jettent aussi de la nourriture. Je me fais réellement ces choses à moi-même. Et puis il faut nettoyer tout ça. Je suis fouetté quand je me trompe en le faisant. Je suis toujours dans une position d'esclave. Cela s'accompagne parfois de chaînes, de liens, de bracelets de cuir aux poignets et aux chevilles. Souvent, quand je suis réduit en esclavage, j'éteins toutes les lumières et je me blottis dans un petit espace, une sorte de donjon imaginaire. Je mets alors les lumières sur un minuteur de quinze à vingt minutes. Je reste enchaîné, luttant en vain jusqu'à ce que les lumières reviennent brusquement et que mes bourreaux viennent réclamer leur victime... Ils m'ordonnent alors de me masturber jusqu'à l'orgasme pour les divertir. Bien sûr, je refuse et je suis fouetté (je me le fais à moi-même) jusqu'à ce que je demande grâce et que je supplie qu'on me permette de me masturber pour ces femmes enragées... Je n'atteins pas toujours ce stade. Parfois, j'ai joui beaucoup trop tôt... J'ai eu ma première relation sexuelle avec une femme mariée qui m'a séduit lors d'une conférence professionnelle. J'avais alors trente-deux ans. Avec ma femme, je suis resté pratiquement célibataire, bien que nous ayons deux enfants. »

La toute dernière source de pornographie interactive est l'Internet. Comme le téléphone sexuel non commercial, il offre la possibilité de l'anonymat et de l'imposture, mais pas du harcèlement ni de la surprise : les gens qui se joignent à un forum savent à l'avance qu'ils partagent le même intérêt paraphilique. C'est le moment où deux clients conviennent de se rencontrer en personne qui peut être source de surprise ou de désillusion, mais aussi de danger paraphilique. Internet est une source encore intacte d'informations sur des paraphilies encore inconnues dans la clinique comme au tribunal. Par exemple, il offre un forum aux *squishers*, dont la paraphilie consiste à écraser des insectes et de petites créatures visqueuses.

Protection et sauvetage

Les espèces sociales d'animaux et d'oiseaux qui vivent en troupeaux, en familles ou en groupes émettent souvent un cri d'alarme quand le danger menace. Certaines de ces espèces ont même des veilleurs stationnés à des points stratégiques. D'autres font plus qu'émettre des cris d'alarme. Elles répondent aux cris de détresse des membres du groupe et viennent en aide à ceux qui les poussent. Chez les grands singes, un orphelin ne survit que s'il est adopté par un parent de substitution, ce qui est souvent le cas. Une tante ou un autre membre du groupe peut aussi « emprunter » un petit et veiller à sa sécurité.

Dans un cas qui a attiré l'attention des médias, un enfant de trois ans escalada une barrière et tomba dans la fosse aux gorilles du zoo de Chicago [48]. Binti-jua, une mère de huit ans qui portait son propre petit sur son dos, ramassa l'enfant inconscient et le porta à l'entrée de la fosse où elle le remit aux gardiens. Comme l'adoption, ce sauvetage illustre le stratagème de protection et de sauvetage, à savoir la fourniture d'un service ou le remplacement d'un absent par un substitut ou un subrogé.

Le fondement phylétique de la protection et du sauvetage est la subrogation. Il est lié aux phylismes du lien de couple et du lien de groupe. Dans l'espèce humaine, c'est un fondement du comportement altruiste, qui consiste à offrir des soins et du soutien.

Historiquement, le grand stratagème de la subrogation – celui de la protection et du sauvetage – a été le plus négligé des sept grands stratagèmes de la carte affective. L'une de ses manifestations paraphiliques, l'hétairophilie (du grec, *hetaira* ou *hetairos*, « compagne » ou « compagnon »), a été condamnée comme un mal social au lieu d'être étudiée comme une paraphilie. Pourtant, il existe des hommes et des femmes dont le rôle érotosexuel, avec ou sans rémunération, est d'être le bon Samaritain qui sauve.

L'histoire de la prostitution a été écrite essentiellement comme celle du fléau social de la servitude sexuelle contractuelle et de la vente d'enfants pour en faire des esclaves sexuels, ce qui est une réalité. Mais il n'y a pas d'histoire équivalente de la prostitution en tant que fixation paraphilique, ce qu'elle est pourtant parfois : en témoigne le cas de la prostituée masochiste du chapitre V.

Pour le ou la prostitué(e) paraphilique, les risques de blessures physiques, de maladies sexuellement transmissibles et d'arrestation par la police sont partie prenante de l'hétairophilie, au même titre que la pluralité et l'anonymat des clients, et la satisfaction de leur fournir des services particuliers comme le sexe oral, les coups sadiques, l'humiliation ou le travestissement qu'ils ne peuvent obtenir chez eux. Les prostituées se montrent particulièrement virtuoses lorsque l'imagerie et l'idéation de leur propre carte affective sont assorties à celles de leur client. Pour un client masochiste, par exemple, une dominatrice qui ne feint pas le sadisme hétairophilique est bien plus satisfaisante que celle qui se borne à faire semblant [49]. Une dominatrice peut se spécialiser dans la clystérophilie (administrer des lavements), la cathétérophilie (insérer des cathéters dans l'urètre et la vessie), l'injection de solutions salines pour faire gonfler le scrotum et le perçage des organes génitaux ou des seins. Ces pratiques existent également dans le sadomasochisme homosexuel.

Si la prostitution est avant tout institutionnalisée comme un divertissement pour des sujets privés de relations sexuelles ou des touristes, elle sert aussi des clients dont la carte affective demande une alliance à long terme avec une personne qui gagne sa vie en tant que prostituée. Financièrement, un tel client peut être un très bon Samaritain. On a vu un cas de ce syndrome chez un homme ayant un pénis gravement déformé et souffrant d'un déficit hormonal pubertaire. Il alla jusqu'à s'installer dans un pavillon de banlieue avec l'une de ses amies prostituées. Elle prenait sa voiture pour aller travailler tous les matins et revenir le soir, comme beaucoup d'autres femmes du voisinage. Leur arrangement semblait idéal, puisqu'elle ne manquait pas par ailleurs de pénis de bonne taille parmi ses clients. Avec lui, elle recevait ce que ne lui donnait pas son travail, à savoir des caresses intimes et affectueuses. Mais il fut incapable de supporter la culpabilité du succès et le mensonge de la normalité. Contre toute logique, il quitta sa partenaire et retourna à l'anonymat de la rue.

Les prostituées pratiquent des actes lesbiens pour des clients masculins dont l'excitation est renforcée par ce double stimulus, et aussi par le fantasme d'un pénis sauvant ces deux femmes d'elles-mêmes. Certaines prostituées peuvent avoir une prédisposition lesbienne, mais l'absence de demande les pousse à servir une clientèle masculine. En revanche, les prostitués masculins, s'ils peuvent être les gigolos d'une clientèle féminine, ont souvent aussi une clientèle masculine, et parfois exclusivement. Un prostitué peut se retrancher derrière le fait qu'il ne sert des hommes que pour l'argent, et c'est parfois la réalité. Il reste que, de par son histoire, il est en pratique bisexuel ou homosexuel. De même, ses clients peuvent être strictement homosexuels ou bisexuels, et parfois mariés et pères de famille. Le prostitué qui s'affirme hétérosexuel s'appuie sur le stéréotype que son pénis est toujours inséré dans un orifice, tandis que ses propres orifices sont hors de portée du pénis du client.

L'un des caractères définissants de la relation sexuelle client-prostitué est qu'il s'agit d'un contrat par consentement informé. Le client attend et accepte de subir une stimulation érotique explicite de ses parties génitales. Dans d'autres professions, comme dans l'urologie et la gynécologie, le patient attend une exposition génitale, mais pas de stimulation érotique explicite. Ceci condamne tout personnel de santé ayant une fixation paraphilique sur une modification répétée et unilatérale du contrat médecin-patient par l'introduction d'une stimulation érotique explicite dans la relation. Voici une cinquantaine d'années, la parole du médecin avait toutes les chances de l'emporter sur celle du patient. À présent, le bâton est courbé dans l'autre sens, en partie du fait de l'émergence du féminisme militant, et en partie du fait de l'actuelle contre-attaque anti-sexuelle après la révolution sexuelle des années 1960 et 1970. Les fausses accusations de harcèlement sexuel, de molestation et d'abus sont devenues une juteuse spécialité pour certains avocats.

Toutes ces accusations ne sont pas fausses. Lorsqu'elles sont récurrentes, on peut penser que le rôle de protecteur et de sauveur est devenu pathologique en tant que paraphilie fixée. Ce fut notamment le cas d'un jeune médecin en formation de pédopsychiatrie qui fit la « une » des journaux [50]. Malgré maintes réprimandes professionnelles et un séjour en prison, il était incapable de s'abstenir de toute implication sexuelle avec les jeunes garçons qui recevaient ses soins. La pédophilie et l'éphébophilie hantent les professions de protection et de sauvetage – les prêtres, les entraîneurs sportifs et les enseignants. Certains pédophiles se livrent à l'hypergraphie. En d'autres termes, ils écrivent de longs essais philosophiques justifiant la pédophilie. Ce phénomène mérite d'être mentionné dans la mesure où l'hypergraphie est une caractéristique de l'épilepsie du lobe temporal [51] et doit faire l'objet d'études approfondies.

Outre le phylisme de subrogation, le stratagème de

protection et de sauvetage peut s'appuyer sur la disparité entre les phylismes de lien copulatoire et de lien
parental. Dans de nombreuses espèces d'oiseaux, par
exemple, les couples se forment pour la vie, partageant
chaque année la construction d'un nid, la couvaison et
l'élevage des jeunes. En l'absence de tout test de paternité fiable, on a longtemps cru que les deux parents
copulaient exclusivement entre eux. On a découvert
depuis l'apparition des tests ADN que ce n'est pas le cas.
Gowarty a trouvé que 15 à 20 % des jeunes rouges-
gorges bleus d'Amérique ne sont pas conçus par le mâle
qui a construit le nid [52]. Les tests ADN sur 180 espèces qui
partagent les soins parentaux ont montré que les partenaires ne s'accouplent de façon exclusive et monogame
que dans 10 % des espèces.

Ce lien de couple parental, avec ou sans fidélité copulatoire, est rare chez les mammifères. La souris de Californie fait exception en ayant à la fois un lien parental
et un lien de couple fidèle. Ces souris, comme celles
des espèces proches qui pratiquent l'infidélité, ont
des récepteurs cérébraux différents pour assimiler les
hormones neuropeptides, à savoir l'ocytocine et la
vasopressine [53].

L'infidélité est un *non sequitur* logique si elle
s'applique aux animaux de ferme qui se reproduisent de
façon opportuniste et non discriminée, puisqu'il n'y a
personne à qui être infidèle. En revanche, la fidélité est
possible chez des espèces vivant dans des familles
étendues ou des groupes, comme la majorité des primates supérieurs. Au sein du groupe, un mâle et une
femelle ne se lient pas en tant que dispensateurs de soins
parentaux. La mère d'un jeune est sa première dispensa-
trice de soins, avec l'assistance d'autres membres de la
troupe. Elle ne prend pas le père comme partenaire permanent de copulation. Toutefois, s'il a une autorité
suffisante dans la hiérarchie de la troupe, il peut mono-
poliser le droit de copuler avec elle au stade de l'*œstrus*
ou de l'ovulation. Si elle est intéressée par un autre mâle,

elle peut trouver une façon clandestine de copuler avec lui. L'une de ces manœuvres consiste à attendre que le mâle dominant soit défié par un concurrent et à profiter de sa distraction pour aller copuler furtivement avec un second compétiteur. Plusieurs femelles peuvent aussi former une alliance qui leur offre davantage d'occasions d'adultère. Bien sûr, l'adultère marche dans les deux sens, offrant une variété accrue de partenaires sexuels aux mâles comme aux femelles, sans détruire les liens de parenté de la troupe.

Comme la majorité des primates, nous sommes une espèce liée au groupe. Nous sommes aussi une espèce liée par couple. Une minorité de primates, dont les gibbons, les marmousets et les tamarins d'Amérique du Sud, sont liés par couples. Le couple humain combine le lien copulatoire d'accouplement préférentiel et le lien du maternage commun. Les composants copulatoire et parental d'un lien de couple n'ont pas forcément la même durée de vie. Le plus souvent, le lien copulatoire est déstabilisé le premier, et l'adultère permet de maintenir un compromis.

L'adultère peut avoir un caractère consensuel, comme lorsqu'un couple admet une tierce personne et devient un trio, pratique la permutation des partenaires ou assiste à des orgies de groupe. Parfois, l'adultère est toléré pourvu qu'il soit passager, ce qui permet au couple de garder en commun le lien de maternage.

Dans l'adultère, l'un des partenaires (ou les deux) peut être considéré comme une doublure du conjoint officiel ou légal. Dans ce scénario, l'adultère s'inscrit dans une mission de sauvetage qui devient, en cas de répétition sérielle, une paraphilie de protection et de sauvetage. On peut tirer le terme de sotérophilie (de *soter*, « sauveur »), qui peut servir aussi au scénario particulier de l'inceste. Il n'existait pas en grec de terme générique pour l'inceste.

Dans une version de l'inceste, une fille est contrainte de sauver sa mère d'une relation sexuelle détestée avec son père. Elle prend le rôle de la petite femme. Si elle se plaint à sa mère, elle est soit ignorée, soit condamnée comme menteuse. Si elle se plaint à son père, elle est menacée de représailles. Elle est prise dans un dilemme sans issue. Si elle ne cherche pas d'aide extérieure, elle vit sous la menace de conséquences incalculables, y compris une éventuelle grossesse. Si elle cherche de l'aide au-dehors, elle risque une probable rupture de sa famille et l'emprisonnement de son père à qui elle peut être attachée, même de façon ambivalente. La paraphilie du père consiste à se fixer avec persistance sur une relation intenable tout en rationalisant celle-ci.

Dans le cas d'une belle-fille plus âgée avec un nouveau beau-père, le scénario de l'inceste peut se compliquer d'une rivalité entre la fille et la mère. Si la fille se montre explicitement séductrice envers le beau-père, celui-ci peut se révéler trop vulnérable.

L'adultère incestueux peut impliquer un père et son fils. Nous connaissons l'exemple d'un père travesti paraphilique dont la femme refusait tout rapport sexuel quand il était en travesti. Son compromis prit la forme d'un « jeu télévisé » au cours duquel il travestissait son fils et lui-même pour personnifier une mère et une fille. Le jeu culminait par une fellation du fils. Dans un autre cas, un grand-père se mit à caresser son petit-fils quand ils durent partager le même lit après que le grand-père, devenu veuf, soit venu s'installer dans le foyer exigu de sa fille mariée. L'équivalent du scénario père-fille ou beau-père belle-fille est celui du mère-fils et belle-mère-beau-fils.

L'espèce humaine est une espèce qui dort dans un nid, et les enfants aiment se blottir au lit avec un parent quand ils se sentent à l'abri de tout danger. Il n'y a pas de transition nette entre le blottissement de réconfort et le câlin précurseur à l'excitation sexuelle. Après l'apparition de la puberté, voire plus tôt, si un fils continue à partager le lit de sa mère, la proximité de son corps, même en l'absence de contact génital, risque d'être perçue comme trop excitante. Pour la mère, le fils est un substitut du mari absent ou devenu un adversaire. Dans la clinique, on rencontre plus souvent ce type d'inceste mère-fils que des copulations réelles. Il est enregistré comme paraphilique et morbide si le rôle de la mère est fixé et si le fils est pris dans un dilemme sans issue. On ignore quelle proportion d'incestes mère-fils et belle-mère beau-fils fait l'objet de rapports, et il en va de même pour l'inceste paternel.

Le jeu d'apprentissage sexuel juvénile entre frères et sœurs ou parents du même âge n'est pas paraphilique. Les enfants qui grandissent en étroite proximité familiale ou autre, dans un kibboutz israélien par exemple [54], et dont les jeux sexuels ne sont pas réprimés, sont protégés de l'inceste après la puberté. Ils n'éprouvent pas de désir ni d'attachement sentimental les uns pour les autres et ne s'épousent pas entre eux. Cette neutralité érotique est appelée l'effet Westermarck, du nom du sociologue finnois Edward Westermarck [55]. Lorsque l'effet Westermarck ne fonctionne pas, plus l'écart d'âge est grand entre les deux participants, plus grand est le risque de morbidité paraphilique chez le plus âgé des deux et, en conséquence, chez le plus jeune. La probabilité d'une histoire de forte dysfonction sexuelle dans la famille d'origine, y compris l'homicide, est également très forte [56].

CHAPITRE VIII

Intervention

Des désaxés dans la troupe

Bien avant l'avènement des civilisations de nos ancêtres, nous autres, les humains, étions des primates vivant en groupe – ce que nous sommes encore. La continuité du groupe, quelle que soit sa taille, du hameau à l'État-nation, dépend de la conformité des individus à leur position donnée ou acquise dans sa hiérarchie de pouvoir.

Logiquement, il y a toujours eu trois façons de traiter la non-conformité. La première consiste à offrir une niche sociale dans laquelle elle puisse être tolérée. La seconde consiste au contraire à la criminaliser et à mettre en quarantaine, expulser, incarcérer et exécuter les non-conformes. La troisième consiste à tenter de transformer la non-conformité en conformité. Sur le plan historique et transculturel, ces trois attitudes ont été diversement appliquées à des cartes affectives non orthodoxes. La tolérance sociétale à la non-orthodoxie de la carte affective est une occurrence sophistiquée et relativement récente. La condamnation et l'éradication de la non-orthodoxie sont en revanche très anciennes et institutionnalisées dans la doctrine légale religieuse et laïque. La politique de conversion de la non-orthodoxie de la carte affective en orthodoxie dépend de l'efficacité perçue de la méthodologie disponible à une époque donnée. Par exemple, la méthodologie de l'exorcisme a cessé d'être perçue comme efficace lorsque la théorie de la possession démoniaque a été supplantée par la théorie des germes à la fin du XIXᵉ siècle, bien que cette dernière ait eu peu de pertinence spécifique pour les pathologies de la carte affective elle-même, sauf en cas de symptômes tertiaires de la syphilis.

On trouve un exemple d'intolérance sociétale devenue de la tolérance dans la réhabilitation de la masturbation dans la carte affective à la fin du XXᵉ siècle [1]. Au cours des deux siècles précédents, l'intolérance à la masturbation s'était appuyée sur le retour et l'extension de la vieille théorie de la perte de la semence : celle-ci suscitait le même tableau de symptômes lorsqu'elle était due au vice secret de l'onanisme que lorsqu'elle était due au vice social de la promiscuité avec les prostituées. Il a fallu la découverte de la théorie des germes pour démontrer que les maladies de la promiscuité étaient provoquées par les micro-organismes de la syphilis et de la gonorrhée transmis par des partenaires infectés. Les symptômes qu'elles produisaient n'avaient rien à voir avec la masturbation.

Dans l'Europe et l'Amérique contemporaines, l'intolérance aux cartes affectives de l'homosexualité laisse progressivement place à la tolérance, non sans de sérieuses contre-attaques politiques et religieuses. En l'absence d'un équivalent de la théorie des germes pour expliquer l'origine de l'homosexualité, il n'y a plus qu'à choisir son camp entre une théorie de l'homosexualité liée au développement qui ne peut être déconditionnée, et une théorie du péché volontaire contre l'ordre moral et divin.

Le sexe oral dans la carte affective est un troisième exemple d'intolérance laissant place à la tolérance. Dans de nombreux pays, la fellation et le cunnilingus sont des questions purement privées ; ailleurs, ils sont condamnés comme des crimes contre nature. Aux États-Unis, dans les États du Texas, de l'Oklahoma, de l'Arkansas, du Missouri et du Kansas, le sexe oral n'est un crime à la fin du XXᵉ siècle qu'entre deux hommes, mais pas entre un homme et une femme ou entre deux femmes.

L'épidémie de peste bubonique qui a dévasté l'Europe en 1347 a tué jusqu'à un tiers de toute la population européenne – 75 % ou plus de la population dans certains endroits. Nous savons aujourd'hui qu'elle a été provoquée par la bactérie *Yersinia pestis*, transmise par la piqûre d'une mouche vivant sur un rat infecté. La superstition du Moyen Âge attribuait notamment la peste à la présence de juifs dans une communauté chrétienne, aussi les juifs étaient-ils brûlés ou enfermés chez eux où ils finissaient par mourir de faim [2]. De nos jours, la peste bubonique peut être prévenue par la vaccination et guérie par les antibiotiques.

Six siècles et demi après la grande peste, il n'y a toujours pas d'équivalents de la vaccination ou des antibiotiques pour soulager les angoisses et les superstitions de la population vis-à-vis de cartes affectives jugées trop fétichistes, trop bizarres ou trop dangereuses. La politique dominante consiste à annuler les cartes affectives non orthodoxes en les criminalisant et en enfermant ou en exécutant leurs possesseurs. Sur le plan médical, une telle politique équivaudrait à traiter l'hypertension en se débarrassant de tous les patients ayant une tension élevée avant qu'ils ne succombent à une crise cardiaque. L'exécution d'un délinquant ayant une carte affective paraphilique prive la science biomédicale de la possibilité de découvrir la cause, la prévention et la cure des paraphilies sources de crimes sexuels. Elle élimine le risque d'une récidive de la part du délinquant exécuté, mais ne fait rien pour éliminer la récurrence de la même paraphilie dans la génération à venir. Plus le crime paraphilique est odieux, comme le viol et le meurtre, plus la société a besoin que la recherche trouve un moyen d'empêcher que cette paraphilie ne se développe en premier lieu chez un enfant. La mise à l'écart permanente d'un paraphile protège la société. Elle permet aussi de nouvelles découvertes, ce que ne fait pas la peine de mort. En outre, la possibilité de participer à une avancée scientifique expliquant la cause de leur trouble intéresse aussi bon nombre de paraphiles. Il ne serait pas difficile d'obtenir leur consentement informé pour participer à des expériences, car ils sont aussi mystifiés que nous par la pathologie de leur carte affective, son caractère automatique et sa résistance au changement par le seul effort volontaire.

Le principe éthique des lois ordonnant l'exécution ou l'enfermement à vie du délinquant n'est pas directement présenté comme une vengeance ou une mesure de protection de la part de la société. Il est plutôt justifié par la prétendue valeur corrective du châtiment, censé modifier le comportement et faire un exemple qui découragera les futurs criminels. Ce principe est si bien enraciné dans la philosophie judiciaire que sa remise en cause est de l'ordre de l'hérésie. Il reste qu'il n'est étayé par aucune donnée empirique. C'est un dogme, comme il l'a été depuis des siècles. La loi a toujours raison. Elle n'a pas besoin de preuves, seulement de précédents, qui peuvent être obsolètes et moribonds.

Modalités d'intervention

La troisième méthode de traitement de la non-conformité sexologique consiste à intervenir en vue d'apporter un changement. La médecine contemporaine a trois cibles d'intervention : la recherche de laboratoire, le système des organes, ou la personne tout entière. Chacune des trois peut être efficace si l'intervention a lieu au bon moment et au bon endroit. La recherche de laboratoire peut être efficace en tant que mesure de santé publique.

Pour prévenir la propagation d'une épidémie infectieuse ou toxique, il peut être nécessaire d'identifier les porteurs sains par une batterie de tests, afin de protéger la population non infectée d'une exposition à l'agent infectieux ou toxique. La vaccination de masse est aussi une méthode de contrôle préventif de la propagation d'une maladie, comme l'adjonction d'additifs dans l'eau ou la nourriture – javellisation, fluorisation de l'eau pour éviter les caries et iodisation du sel pour prévenir un crétinisme endémique.

Certains individus s'opposent aux procédures de protection épidémiologiques, tandis que d'autres restent indifférents à la logique d'être traités pour des symptômes qu'ils n'ont pas encore. Cette indifférence explique notamment que beaucoup de gens dont la carte affective fait des sujets à risques pour l'hépatite B ne se font pas vacciner contre le virus.

La médecine vétérinaire privilégie le ciblage des organes, dans la mesure où les animaux ne parlent pas. Pour de nombreux patients, ce ciblage remplit leur attente d'une pilule ou d'une potion capable de guérir tout ce qu'ils peuvent avoir. L'un des derniers succès dans le ciblage du système organique est le traitement de l'impuissance par le sildenafil. Son efficacité, autour de 70 % des cas, est indépendante de l'éventuel degré de paraphilie de la carte affective.

Les recherches en laboratoire sur les cartes affectives n'ont produit à ce jour aucun résultat qui se soit révélé une cible efficace d'intervention ; et même les cartes affectives les plus morbidement paraphiliques n'ont donné aucun indice sur l'organe clandestin (à n'en pas douter le cerveau) qui serait une cible convenable pour une intervention thérapeutique. En conséquence, il n'y a d'autre alternative que de cibler toute tentative de traitement ou de réhabilitation sur la personne tout entière[3].

Dans l'approche holistique de la santé, il est axiomatique que le prérequis est la docilité du patient. Un manque de compliance, comme l'absence de foi, de repentir, de remords, d'abstinence ou d'obéissance suffit donc à expliquer une absence d'amélioration. C'est ainsi que le pouvoir et l'autorité du soignant se sont confortés depuis la lointaine époque des sorciers et des chamanes jusqu'à nos jours.

Quand le laboratoire moderne et la médecine organique échouent dans le traitement de la morbidité paraphilique de la carte affective, il n'y a d'autre alternative – à part l'incarcération à vie ou l'exécution – qu'un retour aux anciens principes de la médecine des sorciers transformés en pratiques contemporaines. Il y a six principes en tout.

Le premier est d'offrir un environnement de convalescence et de soutien et d'être prêt à profiter d'une éventuelle rémission spontanée pour une réhabilitation.

Le second est d'offrir une thérapie par le massage, éventuellement combinée à l'acupuncture pour le soulagement de la douleur, des séances de relaxation et de méditation, des séances de gymnastique et des exercices de thérapie sexuelle ciblés sur les sens.

Le troisième est de prescrire des règles diététiques sur ce qu'il faut manger et boire et sur ce qu'il convient d'éviter, ainsi que des règles d'hygiène, des recommandations sur l'habillement, le couchage, et l'évitement de stimulations sexuelles.

Le quatrième est d'offrir au patient (ou au client) la possibilité d'un lien de groupe dans un groupe de thérapie en compétences sociales, éducation sexuelle, ou sevrage de ce que l'on appelle la dépendance au sexe. La thérapie de groupe est une arme à double tranchant. Ses membres peuvent former un réseau secret qui stimule leur paraphilie commune au lieu de les en débarrasser.

Le cinquième est d'offrir une thérapie de formation, appelée thérapie comportementale. Elle est issue de la méthode de punition-récompense bien connue des dresseurs d'animaux et s'appuie sur les principes théoriques du réflexe conditionné et du conditionnement opérant. Lorsqu'elle s'applique en conjonction avec des instruments électroniques affichant le niveau de réaction d'un sujet à un stimulus, elle prend le nom de biofeedback.

La sixième pratique consiste à offrir des sessions de thérapie par la parole avec un ami ou un parent digne de confiance, sur le modèle du confessionnal. La psychothérapie est le nom à la mode de la thérapie par la parole. Il existe de nombreuses écoles et doctrines de psychothérapie et de conseil, qui font toutes remonter leur origine à l'application de l'hypnose à la psychiatrie du XIXᵉ siècle et à sa métamorphose finale en psychanalyse freudienne à la fin du XXᵉ siècle. L'une des plus récentes est l'école cognitivo-comportementale.

Ces six méthodes d'intervention ont en commun d'assister le sujet pour qu'il affronte du mieux possible la morbidité d'une carte affective pathologique qui ne peut être pour l'instant efficacement dépathologisée. En outre, cette assistance est dépourvue de jugement, sans quoi le paraphile n'est pas aidé, mais aliéné.

Abaissement du niveau d'androgène

Nous ignorons à quel moment ont été découverts les effets démasculinisants de la castration chez les animaux domestiques, ainsi que l'époque à laquelle la démasculinisation a été appliquée à des hommes, soit à titre punitif, soit pour en faire des esclaves plus dociles. En revanche, on sait que l'eugénisme, la théorie de la purification de l'espèce humaine par la castration des sujets génétiquement inaptes à la procréation, a suivi de près la publication de *L'Origine des espèces* de Darwin en 1859. Parmi ceux qui étaient jugés inaptes à se reproduire, on comptait les attardés mentaux, les fous, les épileptiques et les déviants sexuels. La castration comme politique d'eugénisme, qui a atteint son apogée dans l'Allemagne hitlérienne, n'est pas si loin de la castration comme châtiment pour les délinquants sexuels.

En Europe, après la Seconde Guerre mondiale, la castration pour déviation sexuelle a été conservée dans la législation de l'ex-Allemagne de l'Ouest, mais uniquement sur une base volontaire. Elle est restée légale, bien que rarement appliquée, dans plusieurs autres pays européens comme la Suisse, mais n'a pas été légalisée au Canada ni aux États-Unis. En revanche, à San Diego, en Californie, deux pédophiles de quarante-cinq ans qui avaient été jugés coupables d'« exciter le désir d'un enfant » furent condamnés à la prison à vie après avoir demandé une castration comme peine de substitution [4]. Le juge avait accepté de laisser les deux hommes en liberté surveillée après l'opération, mais, au bout d'un an d'attente, on n'avait pu trouver aucun chirurgien disposé à courir le risque d'être poursuivi pour faute médicale.

Vingt ans plus tard, un pédophile britannique de soixante ans, ayant une histoire de délits multiples et un total de dix-sept ans de prison, fut le premier délinquant sexuel de Grande-Bretagne à être opéré après une attente de six ans [5]. Un an plus tard, il se lia d'amitié avec un garçon de onze ans dont il finit par tomber amoureux.

La castration visant à la prévention des délits s'appuie sur le présupposé que lorsque le niveau de testostérone dans le sang est très bas, le niveau de pulsion sexuelle ou libido s'en trouve abaissé d'autant. Les testicules étant la principale source de testostérone, un eunuque devrait, comme le mâle castré de la plupart des espèces animales (mais pas toutes), ne manifester aucune pulsion sexuelle. Ce n'est toutefois pas le cas, puisque la castration ramène un homme adulte au statut de garçon prépubère, capable de certaines manifestations de sexualité, y compris une érection. En outre, le niveau de testostérone peut aisément être relevé par des prises de testostérone synthétique, journalières par voie orale ou mensuelles par injection. Le seul effet irréversible garanti de la castration est la stérilité. La diversité des réactions individuelles après la castration est illustrée par l'étude extensive de Wille et Beier dont je cite ici un extrait : « Tous les castrats montraient une réduction de l'intérêt et de l'activité sexuels, et une capacité réduite à avoir des érections spontanées ou induites. Dans la plupart des cas, le nombre de rapports sexuels et d'éjaculations était également réduit dans les six mois suivant l'opération. Une exploration plus attentive révélait toutefois d'importantes différences individuelles. Dans certains cas, la libido et l'érection revenaient au niveau préopératoire dans les six mois suivant l'opération, mais bien sûr sans éjaculation. Un tiers des hommes castrés avaient encore des érections spontanées le matin, mais pas aussi souvent que par le passé. Environ 25 % de tous les castrats pouvaient encore avoir des rapports sexuels au bout de trois ans, et 20 % au bout de cinq ans, mais à de plus grands intervalles et après une stimulation intensive. En l'absence de coït, on constatait un besoin nouveau de contacts tactiles et de caresses. Sur le plan subjectif, la perte des testicules était ressentie comme la plus grave atteinte à la masculinité. Les hommes castrés se sentaient stigmatisés par leur scrotum vide. Pour cette raison, l'opération était gardée secrète et seule la femme ou la compagne du patient était informée. Tous les hommes impliqués se déclaraient surpris de la compréhension que montrait leur partenaire[6]. »

Wille et Beier citent notamment un cas illustrant le danger de supposer que la castration peut soigner les pathologies de la carte affective : « Ce cas est à bien des égards exceptionnel et a créé un précédent exceptionnel en Allemagne. Ce candidat, d'intelligence moyenne (QI de 93), avait souffert dans son enfance du divorce de ses parents et d'une vie familiale chaotique. Après avoir terminé son apprentissage de boucher et fait son service militaire, il se mit à abuser de l'alcool et pratiqua des métiers divers. Il commit quelques délits mineurs, mais se rendit aussi coupable d'une violente agression de nature pédophilique sur une fillette. Après une condamnation avec sursis, il fut soumis à un traitement psychothérapeutique qu'il interrompit bientôt parce qu'il estimait qu'il ne marchait pas. Trois ans plus tard, à l'âge de trente ans, il commit un autre délit pédophilique et fut admis dans un hôpital psychiatrique. Il fut alors castré et bientôt libéré, et il revint à sa fiancée. Au bout de dix-huit mois, il reçut l'autorisation légale d'une thérapie de substitution hormonale aux androgènes, afin d'améliorer sa libido gravement diminuée et ses difficultés d'érection et de cohabitation. Cela s'accompagna d'un retour de ses tendances pédophiles. À la suite d'un contact sexuel avec une fillette de sept ans, il la tua. Au cours de sa période de détention, il eut deux entretiens de suivi. Quelques semaines plus tard au tribunal, sous les yeux du thérapeute, il fut tué par balles par la mère de la fillette assassinée. »

Les hormones stéroïdes des ovaires, l'œstrogène et la progestérone (hormones féminines), et la testostérone des testicules (hormones masculines) ont été isolées dans les années 1920, synthétisées dans les années 1930 et mises sur le marché dans les années 1940. Outre la féminisation, l'une des propriétés de l'œstrogène s'est révélée anti-androgène et démasculinisante. En conséquence, l'œstrogène eut une période de popularité pour sa capacité à imiter les effets de la castration chirurgicale dans le traitement des délinquants sexuels. Ces effets, contrairement à la chirurgie, pouvaient être inversés à la cessation du traitement, à part la pousse des seins (gynécomastie) qui ne pouvait être réparée que par une intervention chirurgicale (mastectomie). À long terme, la thérapie à l'œstrogène sur les paraphilies de délinquance sexuelle se révéla très idiosyncrasique et imprévisible quant au succès et à l'échec.

Le corps produit les hormones stéroïdes en commençant par le cholestérol, à partir duquel il synthétise la progestérone, d'où il synthétise la testostérone, d'où il synthétise finalement l'œstrogène. Historiquement, la synthèse commerciale de la progestérone et des hormones progestiniques a commencé par une substance savonneuse (la saponine), trouvée par Russell Marker dans des plantes tropicales mexicaines[7]. Elle a permis de mettre au point la pilule contraceptive. Elle a aussi permis d'utiliser des hormones stéroïdes et progestiniques de synthèse pour le traitement des délinquants sexuels paraphiliques.

L'acétate de cyprotérone (CPA) fut le premier antiandrogène utilisé pour le traitement des paraphilies. Il avait été mis au point et testé sur des rats par Friedmund Neumann dans les laboratoires Shering de Berlin[8]. Il fut utilisé sur l'homme pour la première fois par Hans Giese à l'Institut de recherche sexologique de l'université de Hambourg. J'ai appris tous ces détails lors d'une visite à Hambourg en juillet 1966. Le premier patient était un garçon souffrant d'un sévère retard mental que l'on avait dû retirer de l'école parce qu'il se masturbait constamment, au point de ne plus pouvoir apparaître en public. Le second patient était un agriculteur arrêté pour avoir molesté des fillettes. Le garçon parvenait à s'empêcher de se masturber en public, et le cultivateur, encore en observation, semblait commencer à s'améliorer.

Peu après mon retour à Baltimore, je fus confronté à un cas d'inceste pédophilique entre un père travesti et son fils de six ans. Après une brève résistance, le père finit par accepter toutes les formes possibles de traitement, y compris la thérapie d'aversion, mais sans succès. À l'époque, comme aujourd'hui d'ailleurs, l'acétate de cyprotérone ne pouvait être prescrit aux États-Unis, puisqu'il n'avait pas reçu l'agrément de la Food and Drug Administration. Je consultai deux collègues endocrinologues, Claude Migeon et Marco Rivarola. Ils proposèrent un autre traitement anti-androgène à la médroxyprogestérone (MPA). Accompagnée d'une thérapie familiale, la MPA permit de faire cesser l'inceste[9].

Ces anecdotes ne signifient pas que les hormones antiandrogènes sont devenues la panacée pour le traitement de toutes les pathologies paraphiliques, mais qu'elles sont un premier pas vers le transfert de la pathologie paraphilique du domaine de la démonologie et de la criminologie à celui de la science biomédicale. Il n'y a pas de preuve à ce jour d'un lien direct de cause hormonale à effet paraphilique [10].

Dans leur structure moléculaire, la MPA et la CPA sont toutes les deux des hormones stéroïdes. La flutamide est un anti-androgène non stéroïdien pris oralement. C'est un inhibiteur 5α-réductase qui empêche la conversion intracellulaire de la testostérone en 5α-dihydrotestostérone, la métabolite active de la testostérone essentielle pour certaines cellules-cibles. Elle a eu un usage clinique dans le traitement du cancer de la prostate, mais n'a pas été systématiquement testée pour son effet anti-androgène sur les paraphilies.

Bien que la MPA et la CPA soient des anti-androgènes, leurs voies d'action diffèrent de celle de la flutamide et diffèrent entre elles. La CPA supprime la production d'androgène en inhibant une enzyme indispensable à la synthèse de toutes les stéroïdes situées bilatéralement dans les gonades et les glandes andrénocorticales. La MPA a le même effet en inhibant la libération des hormones hypophysaires gonadotrophiques, la LH (hormone lutéinisante) et la FSH (hormone folliculostimulante), sans lesquelles les gonades ne peuvent produire leurs propres hormones. Pendant la durée du traitement, la MPA et la CPA réduisent la fréquence de l'érection et la quantité d'éjaculat. Ces deux effets sont réversibles.

Bien que la MPA ait rarement été proposée à des femmes paraphiles, les preuves préliminaires indiquent qu'elle peut aussi avoir une efficacité sur des sujets féminins. Le niveau de testostérone chez la femme est très bas par rapport à l'homme, mais suffisant pour la qualifier chez elle d'hormone de la libido [11]. En réduisant encore un niveau déjà faible de testostérone, la MPA peut avoir le même effet sur l'hypothalamus chez la femme que chez l'homme.

On peut conjecturer une action directe de la MPA sur l'hypothalamus à sa rapidité à supprimer les symptômes hallucinatoires de la psychose périodique de la puberté[12]. Cette psychose, qui passe souvent inaperçue, fluctue en synchronie avec le cycle menstruel, et est à son pic dans la phase du cycle qui produit le plus d'œstrogène. L'œstrogène exogène a un effet toxique qui accroît les symptômes psychotiques. On tire une autre conjecture sur l'action directe de la MPA sur les cellules hypothalamiques des effets anxiolytiques, hypnotiques et anesthésiques connus de la progestérone[13].

L'hypothalamus, un petit organe du cerveau situé bilatéralement profondément derrière l'arête du nez, joue un rôle important dans l'histoire du sexe et du cerveau. Ses cellules produisent des hormones qui ordonnent à l'hypophyse voisine de libérer ses propres hormones, dont deux sont les gonadotrophines, la LH et la FSH. Elles sont libérées par la GNRH, ou LHRH, l'hormone libératrice de la gonadotrophine. Les études sur des animaux indiquent que la région postérieure de l'hypothalamus contrôle les hormones de la reproduction, alors que la région antérieure contrôle le comportement.

La MPA atteint rapidement l'hypothalamus après une injection intramusculaire. Chez des singes mâles, on a pu constater que quinze minutes après l'injection, des molécules de MPA avaient été capturées par des récepteurs attachés aux neurones dans les nuclei sexuels de la zone préoptique de l'hypothalamus antérieur, mais nulle part ailleurs dans le cerveau[14].

On suppose que chez l'homme, l'hypothalamus antérieur pourrait contrôler non seulement le comportement d'accouplement, mais aussi l'imagerie et l'idéation qui sont à l'instigation de ce comportement, d'où l'intérêt clinique pour des analogues moléculaires, appelés aussi agonistes, ou antagonistes, de la LHRH. L'un des analogues de la LHRH – le leuprolide – est un nonapeptide de synthèse plus puissant que la LHRH (ou GNRH) naturelle. Le leuprolide a d'abord été utilisé pour supprimer la gonadotrophine et donc l'androgène testiculaire dans le traitement du cancer de la prostate. Finalement, il s'est révélé avoir une propriété particulière et nouvelle de pulsatilité – s'il est libéré par pulsions, il induit et maintient la puberté, alors que s'il est libéré en continu par une injection-retard, il supprime une puberté trop précoce – vers six ans ou plus tôt. On peut supposer que la pulsatilité contrôle d'une certaine façon le développement ou au contraire la suppression d'une paraphilie, mais cette hypothèse n'a pas encore été étudiée. Entre-temps, le leuprolide a été utilisé pour son effet anti-androgène dans le traitement des paraphilies. Il n'a pas encore été systématiquement comparé à la MPA, ni à d'autres analogues de la GNRH, dont l'un est l'acétate de gosereline, utilisé comme un implant-retard. En Grande-Bretagne, il s'est révélé efficace dans certains cas de paraphilies résistantes à la CPA et à la MPA [15].

Un autre analogue de la GNRH, la triptoreline, fabriquée en Suède, a été récemment utilisé pour le traitement de délinquants sexuels paraphiliques en France [16]. Comme le leuprolide et la gosereline, la triptoreline s'est montrée efficace pour ramener la testostérone dans le sang à un niveau prépubertaire et réduire l'expression de la paraphilie. Ces résultats dépendaient toutefois de la docilité du patient.

Sérotonergiques

Depuis la fin des années 1950, outre les réducteurs d'androgène, deux batteries de nouveaux médicaments totalement différents ont ouvert de nouvelles perspectives sur la pharmacologie des fonctions sexuelles. La première, à laquelle appartient la guanethidine monosulphate, visait à contrôler l'hypertension. L'autre, celle des psychotropes comme la thioridazine, un neuroleptique, vise à contrôler les symptômes et l'humeur dans les psychoses. Au départ, les publications cliniques ne mentionnaient aucun effet secondaire sexuel de ces médicaments. Puis l'on vit paraître des rapports sporadiques d'un éventuel effet négatif sur la libido masculine, par exemple une insuffisance érectile et éjaculatoire, sans que l'on constate un abaissement équivalent de la libido chez la femme.

Dans une étude à la guanethidine monosulphate sur des patients hypertendus, l'un des sujets volontaires du groupe témoin rédigea sur son expérience un rapport d'une lucidité exceptionnelle : « Ce qui était plus troublant encore que ces effets secondaires, c'était mon attitude générale au moment où je prenais les plus fortes doses de médicament. J'étais physiquement paralysé. Vers la fin de la seconde semaine, j'étais de plus en plus déprimé et incapable de poursuivre aucune de mes activités professionnelles ou sociales. On aurait dit que plus rien ne m'intéressait. C'était extrêmement perturbant, car je n'avais jamais ressenti une telle langueur. Normalement, je suis énergique et agressivement positif. C'est ce changement qui m'a décidé à arrêter ce médicament. Au bout de trois jours d'arrêt, la vie a commencé à redevenir normale.

» Je suppose que ça valait la peine de faire l'expérience de ce que doit être une dépression. Maintenant, je peux apprécier le dilemme de ces infortunés dont la vie est si vide simplement parce qu'ils se moquent de ce qui peut leur arriver. Rétrospectivement, je suis surpris de n'avoir pas accusé le médicament, mais plutôt cherché dans mon expérience quotidienne une rationalisation de ce changement si nouveau et si étranger de mon moi [17]. »

Selon les données de cette étude, l'effet du médicament était fonction de la dose. Il abaissait d'abord la tension artérielle, puis à plus forte dose provoquait une anhédonie sexuelle, induisant pour finir une apathie et une dépression sévères. Cette séquence inversait le présupposé courant que l'anhédonie sexuelle est un symptôme de la dépression, et non l'un de ses précurseurs.

La baisse de la libido induite par les psychotropes a suscité certaines spéculations sur l'éventuelle application de ces médicaments au contrôle d'un excès supposé de libido dans les récidives de délits sexuels. Toutefois, il n'est rien sorti de ces premières spéculations, sans doute parce que la réduction de la libido était un effet secondaire qui ne pouvait être ni prédit ni contrôlé. Toutefois, à mesure que l'on synthétisait de nouveaux psychotropes, il se révéla que leurs effets secondaires sur la libido étaient cumulatifs[18].

Les effets secondaires des antidépresseurs ont été paradoxalement assez contradictoires. On a rapporté par exemple une montée aussi bien qu'une baisse de la libido, et l'orgasme pouvait être spontané, retardé, anhédonique ou absent (anorgasmie). Il pouvait y avoir une absence d'érection, ou au contraire une persistance sous forme de priapisme, affectant le clitoris comme le pénis. Chez certains hommes, l'éjaculation était retardée ou supprimée, et chez certaines femmes la lubrification vaginale était insuffisante. On parlait aussi d'insensibilité génitale ou d'anesthésie. Ces différents effets secondaires ont été publiés à titre d'observations cliniques, non de statistiques de prévalence. Qu'ils soient considérés comme des suppresseurs ou des stimulants, leur intérêt premier était, comme les réducteurs d'androgène, de démontrer une action pharmacologique directe sur la fonction sexuelle.

Un rapport pionnier concernait un homme ayant un sévère problème d'anxiété généralisée[19]. Il pouvait être soulagé par l'alcool ou par la masturbation en travesti, ce qui survenait environ quatre fois par mois. Les rapports sexuels avec sa femme, qui n'avaient lieu qu'une fois tous les deux ou trois mois, exigeaient ce fantasme de travestissement. Outre une psychothérapie, il fut traité à l'alprazolam, l'une des benzodiazépines du système nerveux central. La médication fut inefficace. S'il arrêtait de boire, l'anxiété empirait. Il fut donc mis sous buspirone, un antidépresseur qui eut l'effet inattendu d'abolir le travestissement. Il reprit des rapports hebdomadaires avec sa femme sans dépendre du travestissement, dans la réalité ou dans le fantasme, pour avoir une érection et éjaculer. Quand on lui retira le buspirone à titre d'essai, les symptômes revinrent.

L'une des caractéristiques du buspirone est qu'en imitant la sérotonine, un neurotransmetteur, il bloque la recapture synaptique de la sérotonine par les récepteurs neuronaux du cerveau. Les médications qui perturbent la capture normale de la sérotonine, appelées les sérotonergiques[20], sont en général utilisées pour le traitement de la dépression.

La médication sérotonergique la plus populaire est la fluoxétine, un inhibiteur sélectif de la recapture de la sérotonine (SSRI) commercialisé dans les années 1990. Malgré sa grande popularité en tant qu'améliorateur de l'humeur, la fluoxétine présente l'inconvénient d'avoir un effet inhibiteur sporadique sur la fonction sexuelle. Les hommes se plaignent de difficultés à entrer en érection et à atteindre l'orgasme. Certains constatent aussi une excitation sexuelle moins fréquente. S'il est un inconvénient pour les utilisateurs de fluoxétine et d'autres SSRI, cet effet inhibiteur peut être utilisé dans le traitement des délinquants sexuels paraphiliques.

Près de vingt ans avant la fluoxétine, l'un de ses prédécesseurs, la clomipramine, prescrite comme un antidépresseur, avait été reconnue bénéfique pour le traitement des troubles obsessionnels compulsifs, du moins dans certains cas, comme la trichotillomanie (épilation en se tirant compulsivement les cheveux)[21].

L'idéation et l'imagerie de la paraphilie sont souvent caractérisées par des paraphiles de tous âges comme une obsession, et sa traduction en actes comme une compulsion. En conséquence, le traitement sérotonergique des TOC devait être appliqué tôt ou tard aux paraphilies[22]. Les résultats du traitement étaient variables selon l'idiosyncrasie individuelle, le type de médication et son dosage. Il reste que les sérotonergiques ont ouvert

de nouvelles perspectives pour le traitement des paraphilies et la compréhension de la neurochimie du cerveau qui les sous-tend.

Carbonate de lithium

Bien qu'il ne soit pas classé parmi les inhibiteurs
sélectifs de la recapture de la sérotonine, le lithium augmente les niveaux de sérotonine dans le corps en stimulant la conversion du précurseur de celle-ci, le
L-tryptophan, en sérotonine. Bien qu'il soit utilisé dans
le traitement de la maniaco-dépression bipolaire depuis
un demi-siècle [23], le lithium n'est prescrit pour le traitement des troubles paraphiliques que depuis les années
1990. Il a démontré une amélioration sur le plan clinique, par exemple dans deux cas d'autostrangulation
érotique (asphyxiophilie) [24], un cas de syndrome skoptique de fixation sur le fait de devenir eunuque [25], et un
cas d'exhibitionnisme et d'agression accompagné d'une
extrême phobie sociale [26]. Outre qu'il est une option de
traitement, le lithium contribue comme les anti-androgènes
gènes et les ssri à la neuroscience basique de la sexologie des paraphilies.

Le cognitif-comportemental

La révolution pharmaceutique des années 1950 en
psychiatrie a ignoré les paraphilies qui étaient encore
classées comme des crimes, des perversions ou des
déviances.

La plupart des paraphilies ont été ignorées par la
médecine et la science et reléguées dans le système
judiciaire. Une première et brève exception a été la psychochirurgie. Elle consistait à déconnecter chirurgicale-
ment les voies sexuelles dans l'hypothalamus de leurs
projections à des relais cognitifs situés ailleurs dans le

cortex. Cette procédure s'appuyait sur des données expérimentales animales et sur la lobotomie préfrontale pour le traitement de la schizophrénie et des TOC. Le résultat ne fut pas probant et la pratique de la psychochirurgie, critiquée sur le plan éthique, fut abandonnée.

Après la Seconde Guerre mondiale, la psychiatrie freudienne s'est de plus en plus américanisée. La théorie psychanalytique orthodoxe s'est élargie et a pris le nom de théorie psychodynamique. Le défi de la recherche des origines psychodynamiques des perversions ou déviations sexuelles (on ne les appelait pas encore paraphilies) a été repris par les néofreudiens américains. Bien que Freud lui-même ait déclaré qu'il ne s'agissait pas d'une maladie, l'homosexualité fut considérée comme une perversion qui devait être traitée, et non pas comme une orientation sexuelle légitime à tolérer. Même si personne ne l'a reconnu à l'époque, les homosexuels ont été à l'avant-garde pour décriminaliser la non-orthodoxie sexuelle en l'amenant dans le domaine de la médecine, de la science et de la santé.

Un autre déplacement de la criminalisation vers la médicalisation vint du sein même du système judiciaire. Il fut mis en œuvre par le Supreme Bench de Baltimore, sur la recommandation de Manfred S. Guttmacher. Un groupe choisi de délinquants sexuels non violents fut envoyé à un psychiatre de Johns Hopkins, Jacob E. Conn, pour un type psychodynamique de thérapie qu'il appelait hypnosynthèse[27]. En accord avec John C. Whitehorn, président de ce département, Conn différenciait la signification d'un symptôme de sa cause. Il insistait non sur le délit sexuel, mais sur sa corrélation intime avec, par exemple, un manque d'estime de soi ou d'affirmation de soi. Les sessions de thérapie consistaient à parler avec le patient placé dans un état de relaxation quasihypnotique. Elles duraient une demi-heure, une fois par semaine d'abord, puis deux fois, sur une période allant de six mois à cinq ans. Un officier de probation interrogeait les sujets une fois par mois. Ils étaient en liberté conditionnelle pour molestation d'enfant, exhibitionnisme, homosexualité, courriers ou coups de téléphone obscènes et incendie volontaire. Sur vingt-trois cas, dix-neuf furent jugés « socialement adaptés » lors d'un suivi allant de six mois à neuf ans.

En même temps que se développait la thérapie psychodynamique pour les délinquants sexuels, la thérapie comportementale fut importée d'Afrique du Sud dans la psychiatrie américaine par Joseph Wolpe et Arnold Lazarus[28]. Cette théorie était issue du réflexe conditionné pavlovien et du behaviourisme de John B. Watson[29] en combinaison avec le paradigme du conditionnement opérant de B. F. Skinner[30].

L'avènement de la révolution psychopharmaceutique a poussé une nouvelle génération de psychiatres à abandonner de longues et coûteuses thérapies psychodynamiques et de modification comportementale. Il s'est ouvert un nouveau marché de services de praticiens certifiés en psychologie clinique, conseil conjugal et travail social. Ces nouveaux venus se sont mis à pratiquer une forme de thérapie soit psychodynamique, soit comportementale, ou encore une combinaison des deux, connue désormais sous le nom de thérapie cognitivo-comportementale.

Dans toutes les thérapies basées sur la parole, la technologie est simple, puisqu'elle consiste à savoir parler et écouter, avec ou sans système d'enregistrement. Les différences entre ces thérapies sont d'ordre idéologique. Elles peuvent favoriser l'interrogation, la confrontation, l'accusation, les attitudes autoritaires et didactiques ; ou elles peuvent être non directives, ouvertes, dépourvues de jugement et basées sur la collaboration. La thérapie par la parole peut se combiner avec une relation quasi hypnotique et, plus rarement, avec une hypnose complète.

Bien qu'elles ne soient pas classées dans les thérapies cognitives, les autocures en sont très proches. Le recours au mariage en est un exemple souvent pratiqué par les travestis. Le recours à l'alcool ou à d'autres drogues est une autre forme d'autocure. D'autres sujets se tournent vers les églises ou les sectes. Ces autocures sont en général inefficaces.

La part comportementale de la thérapie cognitivo-comportementale diffère de la modification comportementale vétérinaire en ceci qu'elle implique des instructions convoyées par des mots. Elle a en commun avec le dressage animal de s'appuyer sur la récompense et la punition. Par exemple, il était autrefois à la mode de traiter l'homosexualité en attachant le pénis à un appareil détectant tout mouvement érectile en réaction à des stimuli visuels. Si des images de mâles nus induisaient une réponse, le sujet homosexuel était puni soit par un choc électrique, soit par une odeur désagréable. Le stimulus aversif ne pouvait être évité qu'en appuyant sur le bouton commandant des stimuli hétérosexuels. Chez certains, ces expériences suscitaient un état de panique ; chez d'autres, une impuissance en réaction à tout stimulus érotique.

Une autre version tout aussi futile de la thérapie d'évitement consistait à exiger une masturbation jusqu'à l'orgasme, puis à contraindre le patient à une masturbation continue bien au-delà du point de satiété et jusqu'à la douleur.

Un traitement plus bénin aurait consisté à récompenser une série d'exercices masturbatoires associés à une série de stimuli hétérosexuels par un orgasme avec un stimulus homosexuel ; et de requérir un nombre toujours croissant de stimuli hétérosexuels pour gagner la récompense d'un stimulus homosexuel.

Pour être valide, la modification du comportement visant à transformer un homosexuel en hétérosexuel devrait bien sûr pouvoir faire l'inverse, ce qu'elle ne fait pas, à moins que le sujet n'ait au départ une disposition à la bisexualité. De même, la modification comportementale devrait pouvoir convertir quiconque en pédophile, ce qui est impossible. En fait, il est impossible de

susciter un type quelconque de paraphilie par une intervention comportementale sur une carte affective qui n'a
pas la prédisposition nécessaire.

Substitution

L'une des faiblesses de la modification comportementale dans le traitement de tout type de délit, dysfonction
ou handicap sexuels est que le traitement doit, du fait de
la pruderie et du tabou social, être très éloigné du
comportement observé. Par exemple, un pédophile
incarcéré pour avoir eu des rapports sexuels avec des
mineures ne peut recevoir un traitement où la récompense consiste à avoir des rapports sexuels avec des
femmes adultes si la prison est strictement une prison
pour hommes. La prison est un monde irréel.

Si Masters et Johnson avaient entrepris des thérapies
sexuelles avec des prisonniers, ils auraient pu contourner l'obstacle de la ségrégation sexuelle en introduisant
des partenaires sexuels de substitution pour le traitement des délinquants sexuels ayant aussi par exemple
un problème d'impuissance.

Certaines prostituées savent bien que, parmi leurs
clients réguliers, certains ont autant besoin d'une thérapie par la parole que d'un soulagement par la copulation. On connaît par exemple le cas d'un homme
congénitalement intrasexué/intersexué, doté d'un pénis
microscopique, qui n'avait pas réagi à de multiples tentatives de chirurgie correctrice. Sa femme, une invalide
chronique, était incapable de relations sexuelles. Il
trouva son salut dans la personne d'une masseuse, à
l'époque où les instituts de massage étaient encore
licites. Cette femme travaillait comme masseuse pour
payer les études de ses deux enfants ; elle avait toujours
aidé les gens. Elle aida son client intersexué en ne prê-
tant pas attention à son organe déformé, en l'amenant
toujours à un « délicieux » orgasme, et en écoutant ses

petites anecdotes de travail. Quand l'institut de massage ferma, ils gardèrent un contact amical non sexuel.

La première génération de thérapeutes sexuels de substitution comptait des femmes qui avaient été prostituées. D'autres étaient de simples volontaires. Pour compléter le traitement par la parole du conseiller sexuel et conjugal, ces thérapeutes de substitution étaient formées à savoir quand et comment avoir recours à des contacts non génitaux pour des clients excessivement timides et inhibés, ou souffrant d'une anxiété de performance. Elles étaient également formées à des techniques spécifiques pour les clients souffrant d'éjaculation précoce. Elles expliquaient l'anatomie génitale féminine aux clients qui n'avaient jamais eu de partenaire sexuelle. Avec des clients convenablement choisis, la thérapie de substitution a rencontré des succès, mais elle ne marche pas dans tous les cas – pas pour les pédophiles, par exemple, qu'ils soient homo- ou hétérosexuels.

L'un des déficits de la thérapie de substitution est qu'elle saute la phase proceptive d'une rencontre sexuelle et sentimentale, même si le substitut et le client font certaines choses ensemble, comme aller au restaurant ou au théâtre. Selon les règles du jeu, le véritable lien de couple et la relation de dépendance thérapeutique sont aussi écartés.

La thérapie sexuelle par substitution fait partie des professions d'assistance non-conventionnelles. Toutefois, il y a une marge entre le non-conventionnel et le morbidement paraphilique. Ceci n'écarte pas la possibilité que des substituts et certains de leurs clients soient paraphiliques dans une certaine mesure.

La thérapie de substitution a connu ses plus beaux jours dans les années 1970. Ils ont duré jusqu'à la pleine reconnaissance de l'impact de l'épidémie de sida. Cette thérapie est alors entrée dans une phase de latence et attend encore que l'épidémie soit sous contrôle.

Groupes de soutien et de thérapie

Le coût économique d'une intervention sexologique en face-à-face, même brève, la met hors de portée de la plupart des patients. On a donc assisté à la création de groupes de soutien sur le modèle des douze étapes des Alcooliques anonymes, les Sexoholics Anonymous (SA). Il n'y a pas cependant de parallèle exact entre les deux. Un alcoolique peut renoncer entièrement à l'alcool, mais il n'existe pas de substance équivalente à laquelle tous les membres d'un groupe SA pourraient définitivement renoncer. La totale abstinence sexuelle équivaudrait à l'abstinence de tout liquide, pas seulement de l'alcool. Les groupes SA s'affrontent souvent pour savoir si la masturbation est autorisée ou non.

L'équivalent exact d'un groupe d'Alcooliques anonymes en sexologie serait un groupe SA composé de sujets ayant le même trouble clinique. Le travestissement en est un bon exemple, dans la mesure où les transgenres, comme ils se qualifient eux-mêmes, ont déjà un réseau national et international de groupes de soutien. Il reste qu'ils s'appliquent idéologiquement à se soutenir mutuellement dans le transgenrisme, et non à s'en abstenir. On trouve parmi leurs membres des chirurgiens, des médecins et des conseillers spécialisés dans le transgenrisme, y compris la réassignation sexuelle.

Les gens qui se rassemblent dans les groupes de soutien peuvent avoir des objectifs idéologiques opposés. C'est parfois le cas dans les thérapies de groupe qui complètent le suivi des délinquants sexuels ayant entamé un traitement pharmaceutique. La thérapie de groupe avec supervision médicale offre une solution de financement. En outre, elle permet à des membres de groupe de se comparer les uns aux autres et de s'imposer des contraintes entre pairs pour éviter l'absentéisme ou les dérobades. Du côté négatif, elle permet aux réticents de se cacher derrière les volubiles, tout en permettant d'éventuelles collusions entre des membres qui se retrouvent après la séance pour faire le contraire de ce qu'ils disent. Il est nécessaire d'obtenir des informations de la famille, mais ce n'est pas toujours possible. Ces informations peuvent en outre être orientées par une pathologie collusionnelle. Il n'existe pas de traitement facile des délinquants sexuels paraphiliques.

La loi de Megan

L'approche non médicale et non scientifique des problèmes de violences et de meurtres paraphiliques qui caractérise le système judiciaire a produit aux États-Unis une loi portant le nom de Megan Kanka, une petite fille de sept ans qui fut enlevée et assassinée par un paraphile dans le New Jersey en 1994. Son ravisseur, qui avait déjà purgé une peine de prison pour plusieurs délits sexuels, avait été relâché et était revenu perpétrer son crime dans ce quartier.

L'un des dogmes de la loi est que le châtiment de l'abus sexuel d'un enfant par la prison aura un effet dissuasif contre de nouvelles agressions. Malgré toutes les recherches consacrées aux statistiques de récidive, il n'y a aucune preuve de la justesse de ce vieux dogme, et aucun moyen de savoir qui sera un récidiviste et qui ne le sera pas. La loi de Megan suppose que tous les coupables d'abus sexuels sur les enfants risquent de recommencer et devraient donc être enregistrés après leur sortie de prison comme des délinquants sexuels identifiés par leur nom et leur adresse.

Les législateurs, n'étant pas des spécialistes des sciences sociales, ne sont pas tenus de fournir la preuve de l'efficacité d'une nouvelle loi. Ainsi, nous ignorons totalement ce qui peut arriver à la communauté dans laquelle vit l'ancien délinquant ainsi identifié. Il se peut que des propriétaires paniqués vendent à perte et déménagent. Leur ville et ses environs peuvent alors dégénérer et agir comme un aimant pour attirer d'anciens prisonniers. En outre, les gens qui déménagent n'ont aucune garantie que leurs nouveaux quartiers, ou même leurs nouveaux immeubles, seront vierges de pédophiles ou de tout autre type de délinquants, y compris d'écoliers ostensiblement normaux qui tendent des embuscades à leurs condisciples et leurs professeurs pour les tuer, comme on l'a vu aux États-Unis en 1998 et 1999.

La loi de Megan ne se limite pas au New Jersey, mais a été passée dans d'autres États américains. D. J. West a décrit lucidement la confusion et l'illogisme qui règnent au Royaume-Uni sur la question de l'abus et la protection infantile[31]. La solution de la vigilance s'est déjà matérialisée dans la lointaine Wellington, en Nouvelle-Zélande, comme le rapporte l'*Evening Post* du 18 novembre 1998. Les voisins firent circuler des tracts portant le nom et l'adresse de l'épouse d'un homme de vingt-cinq ans qui avait été arrêté trois ans plus tôt et inculpé d'attentat aux mœurs sur une fillette de onze ans. En liberté conditionnelle, il était interdit de vie commune avec sa femme parce qu'elle avait des enfants. Néanmoins, son propriétaire expulsa celle-ci, sous le prétexte que sa maison allait devenir la cible de gens furieux qu'elle soit mariée à un violeur d'enfant. Elle n'avait nulle part où aller, ni d'autre choix que vivre dans sa voiture avec ses enfants. Elle était née et avait grandi dans cette petite ville.

Commentaire

« Plus ça change, plus c'est la même chose. » C'est ce que pourrait dire Jean Gerson s'il comparait la sexologie de notre temps avec celle de son époque, quand l'Europe se remettait à peine de la grande peste. Le sexe en tant que doctrine théologique, morale ou légale fait la liaison entre l'ère médiévale de Gerson et la nôtre. Au cours de six cents ans de recherches, dont l'essentiel au siècle dernier, si l'on a vu les prémisses d'une sexologie scientifique, la sexologie scientifique humaine reste gravement négligée. Sur la question du traitement de la dissidence sexuelle, nous ne sommes pas beaucoup plus avancés que Gerson avec sa foi dans le châtiment et la repentance, les bains froids, la flagellation, la prière, les moniteurs, les informateurs et *tutti quanti*.

À l'orée du XXIᵉ siècle, la phobie de la masturbation n'a plus la prééminence qu'elle avait à l'époque de Gerson, mais la phobie sexuelle fleurit vis-à-vis de l'homosexualité, l'éducation sexuelle explicite dans les écoles, la pornographie, les grossesses adolescentes, le harcèlement sexuel et l'abus sexuel. La phobie sexuelle a atteint un sommet le 19 décembre 1998, lorsque la Chambre des représentants a infligé au président des États-Unis la procédure dite d'empêchement, théoriquement pour parjure sur une question sexuelle, mais en fait pour infidélité et pour avoir reçu une fellation, ce qu'il n'avait guère cherché à dissimuler.

Regardons à présent le côté plus brillant : il y a eu un début d'avancée scientifique dans la pharmacologie sexologique. La découverte la plus spectaculaire est la possibilité de soigner l'impuissance par une injection directe dans les corps caverneux du pénis. Les médicaments qui provoquent l'érection sont des agents bloquants des nerfs alpha-adrénergiques (alpha-bloquants). Ils empêchent les petits muscles lisses des tissus spongieux des corps caverneux du pénis de se contracter et d'expulser le sang qui maintient le pénis en érection. La paroi endothéliale libère une substance qui relaxe les cellules des muscles lisses pour produire l'érection : c'est le monoxyde d'azote, premier exemple connu d'un gaz agissant comme un neurotransmetteur[32]. Il est libéré et utilisé très rapidement, en l'espace de dix secondes.

Le premier agent érectile, découvert en 1982, a été l'hydrochlorure de papavérine, un alcaloïde non narcotique tiré du pavot[33]. Il a été prescrit soit seul, soit en association avec la phentolamine. En 1986, il a plus ou moins été supplanté par la prostaglandine E1, une hormone qui existe naturellement dans le corps humain et induit la vasodilatation.

Le médicament le plus célèbre et le plus utilisé est le sildefanil, mis sur le marché en avril 1998. C'est une pilule absorbée oralement en prévision d'une rencontre sexuellement stimulante. Dans les corps caverneux du pénis, le sildefanil renforce la relaxation des muscles lisses en inhibant le niveau intracellulaire d'enzyme phosphodiestérase type 5, renforçant ainsi l'effet du monoxyde d'azote [34].

Ces nouvelles découvertes pharmacologiques permettant d'inverser la déficience érectile dans la carte affective ne semblent avoir pour l'instant aucun lien avec leur équivalent, à savoir la neuropharmacologie visant à traiter les paraphilies poussant le sujet à des délits sexuels. Il n'existe que deux formes de traitement, examinées plus haut dans ce chapitre. L'une consiste à abaisser le niveau d'androgène chez les mâles. L'autre consiste à augmenter le niveau de sérotonine, qui est un inhibiteur de la sexualité masculine.

La plus ancienne méthode anti-androgène est la castration chirurgicale. Elle était sans rival jusqu'à ce que les castrateurs chimiques, les hormones synthétiques MPA (médroxyprogestérone) et CPA (acétate de cyprotérone), apparaissent au milieu des années 1960. Ces hormones synthétiques ne sont pas d'authentiques agents castrateurs, puisque leur action anti-androgène est réversible à la cessation du traitement. Leur cible primaire, ce sont les gonades, qui produisent la progestérone, la testostérone et l'œstrogène de façon différentielle chez l'homme et la femme ; l'hypophyse, qui produit les hormones gonadotropiques ; et l'hypothalamus antérieur, qui produit la GNRH (hormone libérant la gonadotrophine). L'action commune de ces différents agents est l'abaissement de l'androgène, quels que puissent être par ailleurs leurs autres effets secondaires.

Jamais un anti-androgène ne peut garantir une suppression de la paraphilie chez tous les sujets, quelle que soit la route de suppression. Mais l'administration de tous ces agents anti-androgènes repose sur un présupposé quantitatif encore non démontré, à savoir que l'androgène est la cause de toute la sexualité masculine : moins d'androgène égale moins de sexualité, et inversement.

L'avènement de chaque nouvel anti-androgène suit plus ou moins le même cours. Au départ, il y a un rapport sur le traitement d'un cas unique, ou d'un très petit échantillon de cas soigneusement choisis. Les données sur l'incidence d'échecs thérapeutiques tendent à être écartées de la publication. On suppose *a priori* qu'un agent inhibiteur d'androgène va démasquer une carte affective normophilique de copulation hétérosexuelle entre pairs. Cette supposition ne tient pas contre le critère de la perte absolue d'androgène par la castration chirurgicale. En outre, il est statistiquement impossible d'obtenir un groupe témoin normophilique en double aveugle, puisque les sujets des groupes témoins censés être normophiliques peuvent dissimuler des données qui risquent d'être auto-incriminantes. Il faudrait dans ce cas remplacer le groupe témoin par un groupe de comparaison clinique – ce qui est rarement le cas.

En dépit de toutes ces restrictions, il semble que les inhibiteurs d'androgène, à savoir les anti-androgènes hormonaux et les inhibiteurs sélectifs de recapture de la sérotonine ont agi sur différentes séquences de la cascade encore inconnue d'événements qui régule les diverses expressions sexuelles et pathologies des cartes affectives. Nous en savons davantage qu'au XIXᵉ siècle, mais pas encore assez. Sauf par essai/erreur, nous ignorons quel agent sera efficace sur un patient donné. Nous manquons d'une théorie unificatrice qui associe l'action dans le cerveau des hormones inhibitrices d'androgène et des inhibiteurs de la recapture de la sérotonine.

Les inhibiteurs d'androgène étaient associés à une théorie empiriquement testée, issue de l'élevage animal, à savoir que la castration abaisse la testostérone qui, en retour, accroît la docilité des animaux mâles domestiqués. Il n'y a pas de modèle animal pour les paraphilies et donc, pas de modèle animal sur lequel tester l'efficacité des anti-androgènes sur les paraphilies et donc, pas de modèle animal sur lequel tester l'efficacité des agents anti-androgènes sur les paraphilies chez l'homme.

Il n'existe aucune théorie expliquant la neuropharmacologie sérotonergique des paraphilies et la possibilité de leur traitement aux SSRI et au lithium. L'efficacité de ces médications, qui est sporadique et non prévisible, a été découverte par hasard en traitant des patients présentant deux syndromes reconnus, la dépression et un trouble obsessionnel compulsif. Le syndrome paraphilique coexistant s'est révélé répondre favorablement à la médication prescrite pour la plainte primaire.

Le lien entre paraphilie et TOC est que l'idéation et l'imagerie paraphiliques sont fixées de façon obsessionnelle et que leur mise en acte est compulsive. Les paraphilies et la dépression ont ceci en commun qu'elles tendent à la périodicité, avec une alternance de périodes symptomatiques et non symptomatiques.

La fluoxétine, le plus connu des antidépresseurs SSRI, a été le premier à attirer l'attention sur un effet secondaire de suppression de la sexualité, soit une difficulté à atteindre l'orgasme et l'éjaculation chez les hommes. Cet effet secondaire est, du moins en surface, un avantage potentiel pour le traitement de l'éjaculation précoce. Mais dans les cas de paraphilie, il est annulé par un autre effet secondaire, à savoir les rêves suscités par la fluoxétine où l'idéation et l'imagerie paraphiliques se dévoilent dans des terreurs nocturnes [35].

Chaque fois qu'un trouble diagnostiqué se caractérise par une périodicité, il existe le risque de confondre une période non symptomatique avec une rémission. Une rémission spontanée peut ainsi être confondue avec un effet heureux du traitement. Cette éventualité est ignorée dans l'essentiel de la littérature, sans doute parce qu'il est impossible de mesurer une rémission spontanée.

La périodicité sème le trouble chez les sexologues qui travaillent avec le système judiciaire et n'utilisent pas le concept médical de rechute, mais le concept légal de récidive. Il en va de même pour les troubles cardio-vasculaires : il est possible de construire des tableaux actuariels, mais non de prédire si un sujet particulier mourra d'une crise cardiaque dans un cas particulier.

Pour les sexologues impliqués dans le système judiciaire, surtout ceux qui sont qualifiés en psychologie ou travail social, les tentatives de prédire et de prévenir la récidive s'appuient sur une théorie, celle de la modification du comportement. Le présupposé métaphysique qui la sous-tend est que tous les individus sont responsables de la totalité de leur comportement. S'ils manquent à exercer cette responsabilité, un programme de récompense et punition peut les induire à le faire. Les ramifications sexologiques de la vie dans des prisons ségréguées sexuellement ne sont pas prises en compte. Un ou une pédophile homo- ou hétérosexuel(le) emprisonné(e) n'aura aucun test de récidive potentielle dans la vie réelle, sauf dans l'imaginaire.

L'imagination peut inverser la modification du comportement, comme il est possible de devenir dépendant de la privation et de l'abus. Ce fut le cas d'un prisonnier exhibitionniste et récidiviste qui purgeait une peine de prison à perpétuité. Privé de tout contact avec un personnel pénitentiaire féminin, il fit en sorte qu'un codétenu lui poignarde la vessie. La blessure nécessitant les soins d'une infirmière, il eut l'occasion d'exhiber son pénis à une femme.

La modification du comportement a été appliquée à une nouvelle pratique clinique, à savoir la prévention de la récidive. Elle suppose que des procédures comportementales peuvent entraîner un paraphile à ne pas avoir de rechute – ce qui revient à supposer qu'un épileptique du lobe temporal peut être entraîné à ne pas avoir de nouvelles crises. Le clivage entre pro- et anti-comporte-mentalistes chez les sexologues est le même qu'entre pro- et anticonstructionnistes. Cela porte grandement atteinte à la crédibilité de la sexologie en tant que discipline scientifique.

La nouvelle compréhension de l'étiologie et du traitement des paraphilies viendra peut-être des études génétiques, en bloquant ou en fusionnant certains gènes pour voir quelles en sont les conséquences sur la sexualité dans le comportement et dans le cerveau (voir aussi le chapitre IV). Cela permettra aussi de mieux comprendre la sexualité normophilique. L'étude d'animaux clonés possédant le même génome promet d'ouvrir des aperçus entièrement nouveaux sur l'effet de différences induites expérimentalement dans l'environnement intra- et extra-utérin. Même si la technologie n'est pas encore en place, il devrait être possible un jour de corréler les changements induits dans le génome avec des fonctionnements différents du cerveau identifiables par les technologies d'imagerie cérébrale. Dans l'avenir, grâce aux sciences de l'information et à la technologie, il n'est pas exclu que nous puissions lire l'idéation et l'imagerie paraphiliques directement à partir des voies neuronales du cerveau.

Le handicap le plus grave à l'avancée de la recherche sexologique humaine au troisième millénaire pourrait prendre le nom de handicap de Gerson, en reconnaissance de son idéologie théologique, morale et légale de toutes les expressions de la sexualité, normales et anormales. Du fait de la persistance de ces idéologies à notre époque, les formes illégales de sexualité ne peuvent être étudiées de façon préventive et sans le préjudice de l'auto-incrimination, à moins que le sujet ne soit déjà inculpé – d'où le biais d'une recherche sur les paraphilies axée principalement sur des détenus. Ceux dont la paraphilie n'est pas illégale font exception, mais constituent un échantillon faussé de la population totale des paraphiles. Ce n'est pas un héritage dont se vanter pour le prochain siècle !

L'Amérique a deux codes idéologiques du sexe dont les sexologues du troisième millénaire vont hériter. L'un est puritain, l'autre récréatif. Le premier prescrit une abstinence et une chasteté totales dans l'enfance et l'adolescence, la virginité jusqu'au mariage, et la fidélité monogame après le mariage. L'abstinence totale inclut l'abstinence de la masturbation. Le sexe récréatif est éventuellement autorisé, mais dans les strictes limites de la monogamie.

L'idéologie récréative, bien qu'elle concerne ostensiblement les femmes comme les hommes, permet aux maris plus de liberté qu'aux épouses. Cette idéologie est reconnue dans des adages populaires comme « jeter sa gourme » dans la jeunesse, « le cap des sept ans » dans le mariage, ou « la vie commence à quarante ans ». Pour beaucoup de jeunes Américains entre l'adolescence et le mariage, le sexe récréatif est une mesure de virilité. Les rivalités surgissent en conséquence de la relative rareté des femmes pratiquant le sexe comme une récréation, se traduisant par des violences, de fausses accusations de viol, et, chez ceux qui sont déjà mariés, des demandes de divorce. Pour les plus jeunes, le protocole du sexe récréatif consiste à le pratiquer et à le désavouer si la nouvelle s'en répand.

Faites ce que vous voulez en matière sexuelle, mais débrouillez-vous pour que cela n'arrive pas aux oreilles de la police des mœurs. La criminalisation est le prix que paie l'Amérique pour avoir une idéologie sexuelle au double visage de Janus. L'auto-incrimination s'en trouve encore accrue, mettant de nouveaux obstacles à la recherche sur la sexualité récréative.

Les deux grands moteurs de changement dans la façon dont les gens se lient moralement l'un à l'autre sont les innovations démographiques et technologiques. Du point de vue démographique, c'est l'ère du VIH pandémique qui sème partout le trouble dans la population de jeunes adultes et d'enfants, mais surtout en Afrique, en Inde et en Asie du Sud-Est. Le VIH modifie le ratio d'âge d'une population.

L'un des modes d'altération du *sex ratio* d'une population est l'avortement sélectif des fœtus féminins, surtout dans les régions de la planète où la densité de la population est excessive et où les héritiers mâles sont plus appréciés que les filles. Il y aura bientôt dans ces régions un manque de jeunes femmes nubiles et un excès de jeunes hommes qui ne pourront avoir un mariage traditionnel. Le mariage et la grossesse à un jeune âge, avant que la mère ne soit exposée à l'épidémie de sida, peuvent devenir le nouvel idéal.

L'innovation technologique la plus prometteuse de l'horizon moral actuel est la génétique – la mise en carte et le séquençage du génome humain, la manipulation génétique, le clonage, etc.

Les innovations technologiques et les changements démographiques vont sûrement laisser leur empreinte sur les cartes affectives de la sexualité humaine, mais nul ne peut savoir à l'avance quelles seront ces empreintes.

Les pathologies des cartes affectives paraphiliques doivent entre-temps être conceptualisées comme des états chroniques qui ne peuvent être encore éradiqués. Ils peuvent toutefois être surveillés et gardés sous contrôle à l'aide de médications et de thérapies par la parole dépourvues de jugement. Le traitement exige une coopération même après la disparition des symptômes. Le paraphile peut aisément se persuader que ses symptômes ne reviendront jamais. En outre, le traitement peut aussi devenir trop coûteux. La coopération est alors abandonnée, à quoi la société a pour seule solution un emprisonnement coûteux, lorsqu'il s'agit d'une paraphilie criminalisée.

CONCLUSION

Après être restés ensevelis pendant quarante-deux mille ans dans les cavernes de la grotte Chauvet, dans le sud de la France, les grands dessins paléolithiques du dernier âge glaciaire ont été révélés aux yeux contemporains pour la première fois à la fin de 1994. Il est assez impressionnant de voir des reproductions des grands animaux totémiques dessinés et ombrés au charbon de bois et à l'ocre rouge, mais il faut être allé soi-même dans ces grottes pour ressentir le plein impact de leur réussite artistique. J'ai eu cette chance voici quarante ans à Altamira, au nord de l'Espagne, avant que ces grottes ne soient climatisées et fermées au public pour empêcher leur détérioration. L'impact de cette imagerie de l'âge de pierre a été sur moi plus prégnant que je ne l'aurais cru à l'époque, car je n'ai cessé de retourner en pensée à ces artistes et à leur art.

Je revois le plafond de la grotte et je vois un Michel-Ange sur un échafaudage, étendu sur le dos, dessinant le bras tendu, déformant la perspective de l'animal et tenant compte des bosses et des irrégularités de la paroi. Il regarde ses dessins à la lueur d'un feu, d'une chandelle ou d'une lampe à huile.

Sur le plan de la seule virtuosité technique, il ne fait pas de doute que les peintres du paléolithique d'Altamira, de Lascaux et de la grotte Chauvet, à des millénaires d'ici, étaient intellectuellement aussi bien dotés que nous, leurs descendants d'aujourd'hui. À quoi d'autre appliquaient-ils leurs facultés intellectuelles ? Il n'y a pas de réponse à cette question, sauf dans la science-fiction.

Je suppose pour ma part que les grandes cavernes peintes du paléolithique étaient des lieux sacrés. Au cours des millénaires suivants, ils ont donné naissance à d'autres lieux sacrés souterrains, comme les tombeaux des anciens rois égyptiens, ou même, au XXe siècle, à la basilique espagnole de la Valle de los Caídos, qui est en fait un monument à la gloire de Franco creusé à l'intérieur d'une montagne.

Les basiliques, les cathédrales et les temples d'aujourd'hui sont conçus par leur grandiloquence même pour inspirer une crainte respectueuse. Les cavernes peintes du paléolithique ont encore le même pouvoir. Il ne fait pas de doute que ceux qui les ont vues à l'époque en ont été aussi frappés que nous. Cette terreur respectueuse a pu être renforcée par la découverte des propriétés hallucinogènes de certains champignons. Ceux qui étaient dotés d'un charisme suffisant affirmaient un pouvoir divin en tant que prêtres et officiers des cérémonies des cavernes, acclamés par une congrégation en transe.

Comme dans toutes les religions, les prêtres du paléolithique savaient que la source de leur pouvoir tenait à leur compréhension de ce qu'ils affirmaient avoir découvert : la psychologie de la modification du comportement, qui avait et a toujours pour principe de récompenser la conformité et de punir la non-conformité.

Les prêtres du paléolithique imprégnés du principe psychologique de la modification comportementale savaient, tout comme les prêtres d'aujourd'hui, que les années de l'enfance sont propices à l'imprégnation de principes de récompense et de punition. Sans doute savaient-ils aussi que certaines manifestations du comportement humain sont plus malléables que d'autres.

Par exemple, le jeûne et le régime alimentaire sont malléables, mais non la totale abolition de l'absorption de nourriture. Le comportement sexuel est particulièrement susceptible de restrictions, puisque l'abstinence totale n'est pas totalement incompatible avec l'existence.

Aucune technologie ne peut nous dire actuellement si les grandes peintures rupestres du paléolithique avaient ou non quelque chose à voir avec la célébration sexuelle ou la régulation et le tabou sexuels. S'il est vrai qu'au cours de l'évolution humaine, les grands principes de la religion n'ont évolué qu'une seule fois, alors le tabou sexuel religieux n'a été inventé qu'une seule fois. Le tabou sexuel a maintenu une emprise très ferme dans les systèmes religieux européens et asiatiques. En Amazonie et en Nouvelle-Guinée, soit le tabou sexuel n'a pas pénétré, soit il s'est perdu. En Polynésie, le grand tabou ne portait pas sur le sexe, mais sur le sacrilège des morts et de leurs lieux de sépulture.

Dans la chrétienté, l'antisexualisme et le tabou sexuel ont conservé de fortes racines dont les origines paléolithiques peuvent remonter à plus de vingt mille ans. Que l'on ne s'étonne pas dans ces conditions que le tabou sexuel non seulement résiste aujourd'hui, mais limite sérieusement les investigations de la sexologie en tant que science. Le tabou sexuel peut mettre un politicien dans l'embarras pour une pratique connue de tout un chacun sous le nom de sexe oral, alors qu'il est officiellement châtié pour parjure ou obstruction à la justice.

Comment les prêtres du paléolithique parlaient-ils du sexe voici vingt mille ans ? Utilisaient-ils eux aussi des circonlocutions ? Est-il possible que le tabou sexuel soit si ancien et si puissant qu'il n'y ait aucun moyen imaginable de faire de la sexologie humaine une recherche respectable ? C'est un défi scientifique majeur pour le troisième millénaire.

GLOSSAIRE DES PARAPHILIES

Ce glossaire vise à permettre au lecteur de reconnaître chaque paraphilie par son nom et par une brève définition du type de fixation érotico-sexuelle qu'elle représente. On a abrégé « érotico-sexuel » en « érotique », mais il est entendu que la performance sexuelle génitale et l'atteinte de l'orgasme dépendent dans la paraphilie de l'idéation et de l'imagerie de la fixation érotique. Il est également entendu que, dans les paraphilies, l'affection appartient à l'esprit et est déconnectée du désir charnel, qui appartient à la chair, au point d'avoir des partenaires différents pour l'amour et le désir.

Le nombre de paraphilies varie comme un artefact de diagnostic. Par exemple, un fétichisme du pied ou du caoutchouc peut être diagnostiqué non pas comme deux paraphilies simples, mais comme une seule paraphilie multiple. Les paraphilies multiples tirent leur nom de leur manifestation la plus inclusive, par exemple l'asphyxiophilie, même lorsque le goût pour l'asphyxie se mêle au travestisme, au masochisme et à la klismaphilie.

En grec, selon le Bailly, *para* signifie « à côté », « au-delà », « d'un côté », « de travers », « irrégulier », « subsidiaire » ou « altéré ». Étymologiquement, « paraphilie » signifie « amour altéré ». En grec, *philia* signifie « affinité pour », « tendance vers » et « amour de » – souvent excessif et anormal. La paraphilie est définie comme un

« trouble caractérisé par des désirs sexuels anormaux ». « Paraphilique » est le nom et l'adjectif désignant le sujet atteint d'une paraphilie. « Paraphile » est un raccourci.

Aucun dictionnaire ne mentionne la paralagnie. En grec, *lagnos* signifie « salace » ou « libidineux ». Il apparaît dans des mots tels « urolagnie » (urophilie) et « scopolagnie » (scopophilie), tous tombés en désuétude. La lagnésie est un terme obsolète pour l'érotomanie ; et « lagnosie » est obsolète pour désigner un désir sexuel excessif, surtout chez les hommes. Dans l'usage, le terme « philie » l'a complètement emporté sur « lagnie ».

Des noms sont absents du glossaire. Ce sont ceux qui s'appliquent au fétichisme de la main et du pied. L'omission est volontaire. Elle reflète le fait que, contrairement au fétichisme du pied, il est rare de rencontrer un fétichisme de la main. Cela tient en partie au fait que les mains ne sont pas couvertes et qu'elles n'ont pas d'odeur particulière.

Ce n'est pas non plus un hasard si ce glossaire ne contient pas de noms désignant les paraphilies de nourriture. Bien que de nombreux aliments aient la réputation d'être aphrodisiaques, on rapporte rarement de fixation paraphilique sur eux. La raison en est notamment qu'il n'est pas interdit de manger en public. C'est au contraire un comportement accepté socialement en tant que prélude aux ébats sexuels. Ainsi, la dynamique développementale de la formation paraphilique est absente. Une exception est le cannibalisme partiel qui, bien que très rare, peut se révéler dans les pratiques et les confessions des meurtriers sexuels en série. Il a alors la fonction symbolique d'imprégner mystiquement le cannibale de l'esprit du partenaire mort. Mais en général, les paraphilies de l'ingestion semblent inexistantes. Elles apparaissent plutôt dans la construction orgiaque de la frénésie de nourriture que l'on rencontre dans la boulimie comme un substitut de l'orgasme érotico-sexuel, alors que le jeûne anorexique représente la renonciation au charnel assumée par une paraphilie. Il reste à établir si les paraphilies de nourriture se manifestent dans les cultures où certains aliments sont réservés exclusivement aux femmes ou aux hommes. Une autre omission volontaire concerne l'idéation et l'imagerie érotico-sexuelles, avec ou sans paraphilie, des aveugles ou des sourds de naissance. Dans ces deux cas, l'absence de données explicites est totale.

Rappelons que les sept grands stratagèmes des paraphilies (voir chapitre VIII) sont le sacrifice et l'expiation ; le maraudage et la prédation ; le mercantilisme et la vénalité ; les fétiches et les talismans ; le stigmate et l'éligibilité ; la sollicitation et les appâts ; la protection et le sauvetage. La définition de tous ces stratagèmes inclut le concept de séparation entre la pureté spirituelle de l'amour d'une part, et le péché charnel du désir de l'autre. Si cette dualité évoque une causalité sur le plan religieux, elle n'a rien à voir avec la cause de la paraphilie d'un sujet particulier. Elle reflète simplement le fait que nous grandissons tous dans une société qui spiritualise l'amour et rend charnel le désir, et que certains sujets sont davantage prisonniers de ce clivage que d'autres. Les sept grands stratagèmes sont sept paléodigmes préstructurés qui peuvent servir à résoudre la dissonance cognitive entre l'amour et le désir. Ils peuvent offrir des séquences temporelles dans le développement paraphilique d'un sujet, sans toutefois offrir des explications causales. Ils sont inscrits dans la terminologie religieuse et morale parce que c'est la façon dont la sexualité est inscrite dans la société où nos enfants naissent et grandissent.

Abasophilie : fixation érotique sur le fait d'avoir un partenaire handicapé en chaise roulante ou autre support. Du grec *a* privatif et *basis*, « pas ».

Acrotomophilie : fixation érotique sur les amputés et les prothèses. Du grec, *akron*, « extrémité », et *tomé*, « coupure ».

Adolescentisme : fixation érotique sur le fait de se comporter et d'être traité comme un adolescent. Du latin *adolescentia*.

Agalmatophilie : fixation érotique sur des statues (archaïque) et depuis sur des poupées gonflables de taille réelle. Du grec, *agalma*, « image ».

Amelotasis : synonyme d'apotemnophilie. Surtout utilisé pour désigner les groupes d'apotemnophiles. Du grec *a* (privatif), *melos*, « membre », et *tasis*, « attraction ».

Andromimésis : fixation érotique sur le fait de vivre comme un homme ayant des seins et des organes génitaux féminins tout en personnifiant un mâle. Voir aussi gynémimésis.

Andromimétophilie : fixation érotique sur le fait d'avoir une partenaire andromimétique, c'est-à-dire une femme de naissance qui personnifie un homme. Du grec *andros*, « homme », et *mimos*, « mime ».

Apotemnophilie : fixation érotique sur le fait d'être amputé. Du grec *apo*, « issu de », et *temnein*, « couper ».

Asphyxiophilie : fixation érotique sur l'autostrangulation ou l'autosuffocation. Du grec *asphyxia*, « sans pulsation ».

Auto-agonistophilie : fixation érotique sur le fait d'être observé ou d'être en scène tout en pratiquant des actes sexuels. Du grec *autos*, « soi », et *agonistes*, « acteur » ou « concurrent principal ».

Auto-assassinophilie : fixation érotique sur le fait d'organiser la possibilité de sa propre mort masochiste par homicide.

Autonépiophilie : fixation érotique sur le fait de porter des couches et d'être traité comme un nourrisson. Du grec *autos*, « soi », et *nepios*, « nourrisson ».

Baubophilie : exhibitionnisme des organes génitaux féminins. De Baubos, personnage mythique qui exhiba ses parties génitales devant la déesse grecque Demeter pour la distraire de sa mélancolie lorsqu'elle cherchait sa fille Perséphone, enlevée par Hadès, dieu des Enfers.

Biastophilie : fixation érotique sur le viol avec violences, masculin ou féminin, opposé au coït occasionnel non consensuel sans violences sur une personne connue. Du grec, *biastes*, « viol ». Synonyme : raptophilie.

Cathéterophilie : fixation érotique sur le fait d'avoir un cathéter inséré dans l'urètre. Du grec *katheter*, « chose insérée », de *kata*, « en bas », et *hienai*, « aller vers ».

Chrématistophilie : fixation érotique sur le fait d'être volé ou contraint de payer pour des services sexuels. Du grec *chremistes*, « changeur d'argent ».

Chronophilie : groupe de paraphilies impliquant une fixation érotique sur un écart d'âge significatif avec le partenaire. Du grec *chronos*, « temps ».

Syndrome de Clérambault-Kandinsky : fixation irrationnelle sur un amour non partagé ; érotomanie.

Coprolagnie : terme rare désignant la coprophilie.

Coprophilie : fixation érotique sur le fait de manger ou d'écraser des fèces. Du grec *kopros*, « fèces ».

Death row groupie : « groupie du couloir de la mort », expression argotique désignant une fixation érotique sur un criminel condamné ; voir hybristophilie.

Ectomorphophilie : fixation érotique sur les corps très minces. Du grec *ektos*, « externe », et *morphé*, « forme ».

Endomorphophilie : fixation érotique sur les corps très ronds. Du grec *endon*, « interne », et *morphé*, « forme ». Voir aussi ectomorphophilie et mésomorphophilie.

Éphébophilie : chronophilie dans laquelle l'érotisme d'un partenaire plus âgé est fixé uniquement sur des partenaires adolescents. Du grec *ephebos*, « adolescent ». Voir aussi hébéphilie.

Érotomanie : synonyme du syndrome de Clérambault-Kandinsky.

Érotophonophilie : fixation érotique sur le meurtre sexuel simple ou en série. Du grec *eros*, « amour », et *phonein*, « tuer ».

Exhibitionnisme : fixation érotique sur une exhibition

non désirée des organes génitaux à un inconnu. Du latin *exhibere*. Voir aussi péodeikophilie et baubophilie.

Fétichisme : fixation érotique sur un talisman ou un objet, substance, ou partie du corps appartenant au partenaire. Voir aussi partialisme.

Fétichiste et talismanique : groupe de paraphilies qui résout la tragédie érotico-sexuelle à l'aide d'une stratégie intégrant le désir empreint de péché dans la carte affective en substituant un fétiche ou un talisman au partenaire, puisque le désir s'oppose irréductiblement à la sainteté de l'amour.

Fisting (fist-fucking) : fixation érotique sur une intromission anale, de la main et du bras du partenaire ; pratique en général homosexuelle et unilatérale.

Formicophilie : fixation érotique sur de petites créatures comme les escargots, les grenouilles et les insectes rampant sur les organes génitaux. Du latin *formica*, « fourmi ».

Frotteurisme : fixation érotique sur un contact sexuel étroit en se frottant contre un(e) inconnu(e) dans une foule.

Gérontophilie : chronophilie dans laquelle l'érotisme d'un partenaire plus jeune est fixé sur des partenaires de l'âge de ses parents ou de ses grands-parents. Du grec *géras*, « vieil âge ».

Gigantophilie : fixation érotique sur une très grande taille du partenaire. Du grec *gigas*, « d'une taille surhumaine ».

Gynémimésis : fixation érotique sur le fait de personnifier une femme et de vivre comme une femme dotée d'un pénis. Voir aussi andromimésis.

Gynémimétophilie : fixation érotique sur un partenaire gynémimétophilique, c'est-à-dire un homme de naissance qui imite ou incarne une femme. Du grec *gyné*, « femme », et *mimos*, « mime ».

Hébéphilie : synonyme rare d'éphébophilie. Du grec *hebé*, « âge du service militaire » (entre 18 et 20 ans).

Hétérophobie : aversion pathologique pour, ou crainte de l'hétérosexualité. Du grec *heteros*, « autre », et *phobos*, « crainte ».

Homophobie : aversion pathologique pour, ou crainte de l'homosexualité. Du grec *homo*, « même », et *phobos*, « crainte ».

Hybristophilie : fixation érotique sur un partenaire connu pour avoir perpétré un outrage ou un crime, comme le viol, le meurtre, ou le vol à main armée. Du grec *hybridzein*, « commettre un outrage contre quelqu'un ».

Hyperphilie : catégorie des troubles copulatoires souvent associés aux paraphilies et caractérisés par un fonctionnement des organes génitaux supérieur à la moyenne.

Hyphéphilie : paraphilie du type fétichiste toucher-sentir sur les textures associées au corps humain comme la peau et les cheveux, et donc au cuir, plumes, cheveux, caoutchouc, plastique, etc. Du grec *hyphé*, « toile ». Voir aussi olfactophilie.

Hypophilie : catégorie des troubles copulatoires rarement associés aux paraphilies et caractérisée par un fonctionnement des organes génitaux inférieur à la moyenne.

Hypoxiophilie : fixation érotique sur une privation d'oxygène par strangulation ou inhalation qui peut accidentellement provoquer la mort.

Infantilisme : fixation érotique sur le fait de se comporter et d'être traité comme un jeune enfant.

Infantophilie : chronophilie dans laquelle l'érotisme d'une personne plus âgée est fixé sur un partenaire en âge de porter des couches. Du latin *infans*. Synonyme de népiophilie.

Juvénilisme : fixation érotique sur le fait de se comporter et d'être traité comme un adolescent.

Kleptophilie : fixation érotique sur des vols irrationnels comme prérequis à l'excitation érotique. Du grec *kleptein*, « voler ».

Klismaphilie (clystérophilie) : fixation érotique sur le fait de recevoir un lavement pour l'excitation sexuelle. Du grec *klysma*, « lavement ».

Masochisme : fixation érotique sur le fait de subir des tortures, des châtiments, des humiliations, une discipline extrême, un esclavage et une domination. De Léopold von Sacher-Masoch (1836-1895), auteur autrichien. Voir aussi sadisme.

Maraudage et prédation : groupe de paraphilies où la tragédie érotico-sexuelle est résolue à l'aide d'une stratégie intégrant le désir empreint de péché dans la carte affective à la condition d'être volé, enlevé ou forcé, à titre de défi total à l'amour sanctifié.

Mercantilisme et vénalité : groupe de paraphilies où la tragédie érotico-sexuelle est surmontée à l'aide d'une stratégie intégrant le désir dans la carte affective à la condition d'être vendu, troqué, ou acheté, à titre de défi à l'amour sanctifié.

Mésomorphophilie : fixation érotique sur des corps puissants, compacts et musculeux. Du grec *mésos*, « milieu », et *morphé*, « forme ». Voir aussi ectomorphophilie, endomorphophilie.

Mixophilie : synonyme de scoptophilie. Du grec *mixis*, « rapport sexuel ».

Mixoscopie : synonyme de scoptophilie. Du grec *mixis*, « rapport sexuel », et *skopein*, « examiner ».

Morphophilie : paraphilie impliquant une fixation érotique sur un écart majeur dans l'apparence corporelle, la taille, la couleur ou la forme entre partenaires. Du grec *morphé*, « forme ».

Mysophilie : fixation érotique sur l'autosouillure, consistant à sentir, mâcher ou porter des vêtements sentant la sueur ou des tampons hygiéniques souillés. Du grec *mysos*, « saleté ».

Nanophilie : fixation érotique sur les gens de très petite taille. Du grec *nanos*, « nain ».

Narratophilie : fixation érotique sur le fait d'utiliser des mots ou de raconter des histoires jugés salaces, pornographiques ou obscènes, en présence d'un partenaire sexuel.

Nécrophilie : fixation érotique impliquant non un partenaire vivant mais un cadavre. Du grec *nekros*, « mort ».

Népiophilie : chronophilie dans laquelle l'érotisme d'un partenaire plus âgé se fixe sur de très jeunes enfants. Du grec *nepios*, « jeune enfant ». Voir aussi autonépiophilie.

Normophilie : catégorie de fonction génitale ou copulatoire située dans la moyenne statistique, ou plus souvent prescrite idéologiquement, et souvent arbitrairement, comme normale.

Nymphomanie : dans l'usage populaire, fixation excessive sur la poursuite de la sexualité chez une femme. Du grec *nymphé*, « nymphe », et *mania*, « folie ». Voir aussi satyromanie.

Obésophilie : fixation érotique sur le fait d'avoir un partenaire extrêmement gros. Du latin *obesus*, « qui mange à satiété ».

Olfactophilie : paraphilie du type fétichiste sentir-toucher, appartenant aux odeurs associées au corps humain et à ses fonctions. Du latin *olfacere*, « sentir ». Voir aussi hyphéphilie.

Paraphilie : terme biomédical désignant la catégorie sexuelle et érotique qualifiée de perverse en langage courant ou déviant, et classée en termes légaux dans les perversions. Du grec *para*, « altéré », et *philia*, « amour ».

Partialisme : fixation érotique sur une partie du corps du partenaire, par exemple les cheveux, les seins, les jambes, les fesses, les rides, l'implantation dentaire, la morphologie génitale, etc.

Pédophilie : chronophilie dans laquelle l'érotisme d'un partenaire plus âgé est fixé sur les enfants. Du grec *paidos*, « enfant ».

Péodeikophilie : exhibitionnisme, spécifiquement des

parties génitales masculines. Du grec *peos*, « pénis », et *deiknumain*, « montrer ».

Pictophilie : fixation érotique sur le fait de regarder des images, des films ou des spectacles vivants classés comme pornographiques ou obscènes, seul, avec un partenaire sexuel ou en groupe. Du latin *pictus*, « peint ».

Protection et sauvetage : groupe de paraphilies où la tragédie érotico-sexuelle est surmontée à l'aide d'une stratégie intégrant le désir empreint de péché dans la carte affective à la condition expresse que cela empêche l'amour sanctifié d'une autre personne d'être souillé par une attention charnelle non désirée.

Raptophilie : synonyme de biastophilie. Du latin *rapere*, « saisir ».

Sacrifice et expiation : groupe de paraphilies où la tragédie érotico-sexuelle est résolue à l'aide d'une stratégie intégrant le désir dans la carte affective à la condition d'obtenir réparation et rédemption grâce à la pénitence et au sacrifice, en défi à l'amour sanctifié.

Sadisme : fixation érotique sur le fait d'être le partenaire dominant infligeant blessures, douleur, châtiments, discipline, humiliations, abus et privations, de façon consensuelle ou non. Du marquis de Sade (1740-1814).

Sadomasochisme : combinaison de sadisme et de masochisme (S/M), avec ou sans alternance des rôles.

Satyriasis : satyromanie.

Satyromanie : dans l'usage populaire, fixation excessive et acharnée sur la poursuite de la sexualité chez un homme. Du grec *satyros*, « satyre », et *mania*, « folie ». Voir aussi nymphomanie.

Scopophilie, scoptophilie : fixation érotique sur le fait de regarder d'autres sujets avoir une activité sexuelle, y compris un rapport complet. Du grec *skopein*, « voir » ou « examiner ».

Meurtre sexuel en série : fixation érotique sur l'enlèvement et le meurtre en série de partenaires, en général toujours masculins ou toujours féminins, sur une longue période de temps.

Skopophilie (ou skoptophilie) : voir scopophilie et scoptophilie.

Syndrome skoptique : fixation sur le fait de devenir érotiquement anhédonique et anatomiquement castré.

Skoptolagnie : voir scopophilie.

Sollicitation et appâts : groupe de paraphilies où la tragédie érotico-sexuelle est résolue à l'aide d'une stratégie intégrant le désir empreint de péché dans la carte affective à la condition qu'un acte d'invite appartenant à la phase préliminaire ou proceptive se substitue à l'acte copulatoire de la phase centrale ou acceptive, assurant ainsi que l'amour sanctifié ne sera pas souillé par le péché de la pénétration vaginale.

Somnosexisme : par analogie avec le somnambulisme, s'engager dans des rapports sexuels sans se réveiller.

Somnophilie : fixation érotique sur le fait de s'introduire chez une inconnue endormie et de la réveiller par des caresses érotiques, y compris le sexe oral, sans coercition ni violence.

Stigmate et éligibilité : groupe de paraphilies où la tragédie érotico-sexuelle est résolue à l'aide d'une stratégie intégrant le désir empreint de péché dans la carte affective.

Stigmatophilie : fixation érotique sur un partenaire qui été tatoué, scarifié ou percé pour porter des bjoux en or (chaînes ou anneaux), surtout dans la région génitale. Du grec *stigma*, « marque ».

Symphorophilie : fixation érotique sur le fait de provoquer un désastre, comme un incendie ou un accident de la circulation, et regarder ensuite le résultat. Du grec *symphora*, « désastre ».

Téléphonicophilie : fixation érotique sur le fait d'induire par tromperie un correspondant téléphonique, connu ou non, à écouter et poursuivre une conversation explicite en langue érotique populaire. Le sexe téléphonique peut aussi être normophilique.

Toucheurisme : fixation érotique sur le fait de toucher subrepticement un(e) inconnu(e), en général dans une foule, sur une partie érotique du corps, notamment les seins, les fesses ou l'entrejambe.

Travestisme fétichiste : fixation érotique sur le travestissement comme condition de la masturbation et/ou des rapports sexuels homosexuels ou hétérosexuels.

Travestophilie : fixation érotique sur le travestissement comme un prérequis à la performance génitosexuelle. Du latin *trans*, « à travers », et *vestis*, « vêtement ».

Urolagnie : synonyme d'urophilie.

Urophilie : fixation érotique sur le fait de boire de l'urine ou de se faire uriner sur soi, ou d'écouter quelqu'un uriner. Du grec *ouron*, « urine ». Synonyme : ondinisme.

Voyeurisme : fixation érotique sur le fait de regarder subrepticement des gens engagés dans une activité sexuelle. Voir aussi exhibitionnisme.

Zoophilie : fixation érotique sur une interaction sexuelle entre un humain et une autre espèce. Du grec *zoon*, « animal ».

NOTES

CHAPITRE PREMIER

1. M. Foucault, *Histoire de la sexualité. 1 : La volonté de savoir*, Paris, Gallimard, 1976.

2. Y. Kano, *The Last Ape. Pygmy Chimp Behavior and Ecology*, Stanford, Stanford University Press, 1992 ; Frans de Waal, *Good Natured*, Cambridge, Harvard University Press, 1996, trad. fr. *Le Bon Singe. Les bases naturelles de la morale*, Paris, Bayard, 1997.

3. K. Freund, H. Scher, S. Hucker, « The courtship disorders », *Archives of Sexual Behavior*, 12, 1983, p. 369-379 ; « The courtship disorders. A further investigation », *Archives of Sexual Behavior*, 13, 1984, p. 133-139.

4. M. K. McClintock, « Menstrual synchrony and suppression », *Nature*, 229, 1971, p. 244-245.

5. J. Money, *The Kaspar Hauser Syndrome of « Psychosocial Dwarfism ». Deficient Statural, Intellectual and Social Growth Induced by Child Abuse*, Amherst, New York, Prometheus Books, 1992 ; T. M. Field, « Massage therapy for infants and children », *Journal of Developmental and Behavioral Pediatrics*, 16, 1995, p. 105-119 ; T. M. Field, « Massage therapy effects », *American Psychologist*, 53, 1998, p. 1270-1281.

6. C. S. Carter, I. I. Lederhendler, B. Kirkpatrick (dir.), *The Integrative Neurobiologiy of affiliation*, Annals of the New York Academy of Sciences, vol. 807, New York, New York Academy of Sciences, 1997.

7. M. Kreuter, M. Sullivan, A. Siosteen, « Sexual adjustment and quality of relationship in spinal paraplegia. A controlled study », *Archives of Physical Medicine and Rehabilitation*, 77, 1996, p. 541-548 ; S. W. Charlifue, K. A. Gerhart, R. R. Menter, G. G. Whiteneck, G. S. Manley, « Sexual issues of women with spinal cord injuries », *Paraplegia*, 30, 1992, p. 192-199 ; E. M. Smith,

D. R. Bodner, « Sexual dysfunction after spinal cord injury », *Urologic Clinics of North America*, 20, 1993, p. 535-542.

8. B. R. Komisaruk, C. A. Gerdes, B. Whipple, « Complete spinal cord injury does not block perceptual responses to genital self-stimulation in women », *Archives of Neurology*, 54, 1997, p. 1513-1520.

9. J. Money, « Phantom orgasm in the dreams of paraplegic men and women », *Archives of General Psychiatry*, 3, 1960, p. 373-382 ; A. E. Comarr, J. M. Cressy, M. Letch, « Sleep dreams of sex among traumatic paraplegics and quadriplegics », *Sexuality and Disability*, 6, 1983, p. 25-29.

10. Cité par V. Bullough, *Sexual Variance in Society and History*, New York, John Wiley, 1976.

11. P. Ariès, *L'Enfant et la famille sous l'Ancien Régime*, Paris, Seuil, 1975.

12. J. Money, « Semen-conservation theory vs. semen-investment theory, antisexualism, and the return of Freud's seduction theory », *Journal of Psychology and Human Sexuality*, 4 (4), 1991, p. 31-46 ; J. Money, *Principles of Developmental Sexology*, New York, Continuum, 1997.

13. S. A. Tissot, *Dissertation sur les maladies produites par la masturbation*, 1758, rééd. sous le titre *L'Onanisme*, Paris, La Différence, 1991 ; traduit du français avec les notes et l'appendice d'un médecin américain, New York, Private, 1832 ; réédition en fac-similé *in* C. Rosenberg, C. Smith-Rosenberg (dir.), *The Secret Vice Exposed ! Some Arguments Against Masturbation*, New York, Arno Press, 1974.

CHAPITRE II

1. Voir J. Money, *The Destroying Angel. Sex, Fitness, and Food in the Legacy of Degeneracy Theory, Graham Crackers, Kellogg's Corn Flakes, and American Health History*, Amherst, Prometheus Books, 1985.

2. K. R. van Wikman, *Die Einleitung der Ehe. Eine vergleichend ethno-soziologische Untersuchung über die Vorstufe der Ehe in den Sitten des schwedischen Volkstums*, Acta Academiae Aboensis, Humaniora, XI (1), Suède, Abo Akademi, 1937.

3. P. Hertoft, « Nordic traditions of marriage. The betrothal system », *in* J. Money, J. Musaph (dir.), *Handbook of Sexology*, Amsterdam, Elsiever/Excerpta Medica, 1977.

4. H. R. Stiles, *Bundling. Its Origin, Progress, and Decline in America*, Facsimile, Chester, Connecticut, Applewood Books/Globe Pequot Press, non daté.

5. D. Tennov, *Love and Limerence. The Experience of Being in Love*, New York, Stein & Day, 1979.

6. J. Money, *Love and Love Sickness. The Science of Sex, Gender Difference, and Pairbonding*, Baltimore, Johns Hopkins University Press, 1980, p. 148.

7. J. Money, « Speechmaps, songmaps, and lovemaps in evolutionary sexology », *Current Psychology of Cognition*, 17, 1998, p. 1229-1235.

8. C. S. Carter, I. I. Lederhendler, B. Kirkpatrick (dir.), *The Integrative Neurobiology of affiliation*, Annals of the New York Academy of Sciences, vol. 807, New York, New York Academy of Sciences, 1997.

9. J. Money, « New phylism theory and autism. Pathognomonic impairment of troopbonding », *Medical Hypotheses*, 11, 1983, p. 245-250.

10. B. G. Gilmartin, *Shyness and Love. Causes, Consequences, and Treatment*, New York, Lanham, 1987.

11. W. H. Masters, V. E. Johnson, *Human Sexual Inadequacy*, Boston, Little, Brown, 1970. Trad. fr. *Les Mésententes sexuelles et leur traitement*, Paris, Laffont, 1971.

12. W. H. Masters, V. E. Johnson, *Human Sexual Response*, Boston, Little, Brown, 1966.

13. J. Money, *Love and Love Sickness*, *op. cit.*, 1980, p. 77-80.

14. H. S. Kaplan, *Disorders of Sexual Desire and Other New Concepts and Techniques in Sex Therapy*, New York, Brunner/Mazel, 1979.

15. V. N. Joshi, J. Money, « Dhat syndrome and dream in transcultural sexology », *Journal of Psychology and Human Sexuality*, 7 (3), 1995, p. 95-99.

16. A. L. Basham, *The Glory That Was India. A Survey of the Culture of the Indian Sub-Continent before the Coming of the Muslims*, New York, Grove Press, 1959.

17. G. H. Herdt, *Guardians of the Flutes. Idioms of Masculinity*, New York, McGraw-Hill, 1981 ; G. H. Herdt (dir.), *Ritualized Homosexuality in Melanesia*, Berkeley et Los Angeles, University of California Press, 1984 ; G. H. Herdt, *The Sambia. Ritual and Gender in New Guinea*, New York, Holt, Rinehart & Winston, 1987.

18. Voir J. Money, *Principles of Developmental Sexology*, New York, Continuum, 1997.

19. J. W. Clarke, *On Being Mad of Merely Angry. John W. Hinckley Jr. and Other Dangerous People*, Princeton, Princeton University Press, 1990.

20. J. Money, *Lovemaps. Clinical Concepts of Sexual/Erotic Health and Pathology, Paraphilia, and Gender Transposition in Childhood, Adolescence, and Maturity*, New York, Irvington, 1986, p. 127.

21. L. Franks, « To catch a judge. How the FBI tracked Sol Wachtler », *The New Yorker*, 21 décembre 1992, p. 58-66 ; E. Henican, « Judge's ties survived her three marriages », *New York Newsday*, 10 novembre 1992, p. 3 *sq.* ; S. Wachtler, *After the Madness. A Judge's Own Prison Memoir*, New York, Random House, 1997 ; J. M. Caher, *King of the Mountain. The Rise, Fall, and Redemption of Chief Judge Sol Wachtler*, Amherst, New York, Prometheus Books, 1998.

22. S. Peele, A. Brodsky, *Love and Addiction*, New York, Taplinger, 1975.

23. M. R. Liebowitz, *The Chemistry of Love*, Boston, Little, Brown, 1982.

24. P. Carnes, *The Sexual Addiction*, Minneapolis, CompCare Publications, 1983.

25. *Ibid.*

26. D. Denny (dir.), *Current Concepts in Transgender Identity*, New York, Garland, 1998.

27. J. Money, *Gendermaps. Social Constructionism, Feminism, and Sexosophical History*, New York, Continuum, 1995.

28. J. Money, *The Adam Principle. Genes, Genitals, Hormones, and Gender. Selected Readings in Sexology*, Amherst, Prometheus Books, 1993, p. 335.

29. Voir J. Money, M. Lamacz, *Vandalized Lovemaps. Paraphilic Outcome of Seven Cases in Pediatric Sexology*, Amherst, Prometheus Books, 1989, p. 17.

30. C. Moser, « S/M (sadomasochistic) interactions in semi-public settings », *Journal of Homosexuality*, 36 (2), 1998, p. 19-29.

31. Mistress Jacqueline, *Whips and Kisses. Parting the Leather Curtain*, Amherst, Prometheus Books, 1991.

32. C. Moser, J. J. Madeson, *Bound to Be Free. The SM Experience*, New York, Continuum, 1996.

33. J. Money, *Lovemaps, op. cit.*, chapitre xv.

CHAPITRE III

1. J. Money, « Gender transposition theory and homosexual genesis », *Journal of Sex and Marital Therapy*, 10, 1984, p. 75-82.

2. Voir R. W. Keyes, J. Money, *The Armed Robbery Orgasm. A Lovemap Autobiography of Masochism*, Amherst, Prometheus Books, 1993.

3. J. Money, C. Bohmer, « Prison sexology. Two personal accounts of masturbation, homosexuality, and rape », *Journal of Sex Research*, 16, 1980, p. 258-266.

4. A. Carballo-Dieguez, « The sexual identity and behavior of Puerto Rican men who have sex with men », *in* G. M. Herek, B. Greene (dir.), *AIDS, Identity and Community. The HIV Epidemic and Lesbians and Gay Men*, Thousand Oaks, Sage Publications, 1995.

5. J. Carrier, « Gay liberation and coming out in Mexico », *in* G. Herdt (dir.), *Gay and Lesbian Youth*, Binghamton, Haworth Press, 1989 ; J. Carrier, *De los Otros. Intimacy and Homosexuality among Mexican Men*, New York, Columbia University Press, 1995.

6. R. Parker, « Youth, identity and homosexuality. The changing shape of sexual life in contemporary Brazil », *in* G. Herdt (dir.), *Gay and Lesbian Youth, op. cit.*

7. J. Money, *Reinterpreting the Unspeakable. Human Sexuality 2000. The Complete Interviewer and Clinical Biographer, Exigency*

Theory, and Sexology for the Third Millenium, New York, Continuum, 1994, chapitre XI.

8. *Ibid.*, chapitre VII.

9. J. Money, G. Wainwright, D. Hingsburger, *The Breathless Orgasm. A Lovemap Biography of Asphyxiophilia*, Amherst, Prometheus Books, 1991.

10. R. R. Hazelwood, P. E. Dietz, A. W. Burgess, *Autoerotic Fatalities*, Lexington, Lexington Books, 1983 ; L. R. Boglioli, M. L. Taff, P. J. Stephens, J. Money, « A case of autoerotic asphyxia associated with multiplex paraphilia », *American Journal of Forensic Medicine and Pathology*, 12, 1991, p. 64-73.

11. J. Money, « Use of androgen-depleting hormone in the treatment of sex offenders », *Journal of Sex Research*, 6, 1970, p. 165-172.

12. A. C. Kinsey, W. B. Pomeroy, C. E. Martin, *Sexual Behavior in the Human Male*, Philadelphie, Saunders, 1948.

13. J. Money, « Homosexuality. Bipotentiality, terminology, and history », *in* E. J. Haeberle, R. Gindorf (dir.), *Bisexualities. The Ideology and Practice of Sexual Contact with Both Men and Women*, New York, Continuum, 1998.

14. J. Money, « Body-image syndromes in sexology. Phenomenology and classification », *Journal of Psychology and Human Sexuality*, 6 (3), 1994, p. 31-48.

15. V. S. Ramachandran, S. Blakeslce, *Phantoms in the Brain*, New York, William Morrow, 1998 ; trad. fr. *Les Fantômes intérieurs*, Paris, Odile Jacob, 2002.

16. M. Hirschfeld, *Die Transvestiten. Eine Untersuchung über den erotischen Verkleidungstrieb*, Berlin, Pulvermacher, 1910.

17. D. O. Cauldwell, « Psychopathia transexualis », *Sexology*, 16, 1949, p. 247-280 ; H. Benjamin, *The Transsexual Phenomenon*, New York, Julian Press, 1966.

18. R. Green, J. Money (dir.), *Transsexualism and Sex Reassignment*, Baltimore, Johns Hopkins University Press, 1969.

19. D. Denny (dir.), *Current Concepts in Transgender Identity*, New York, Garland, 1998.

20. S. Nanda, *Neither Man Nor Woman. The Hijras of India*, Belmont, Wadsworth, 1990.

21. E. Coleman, P. Colgan, L. Gooren, « Male cross-gender behavior in Myanmar (Burma). A description of the Acault », *Archives of Sexual Behavior*, 21, 1992, p. 313-321 ; K. Poasa, « The Samoan fa'afine. One case study and discussion of transsexualism », *Journal of Psychology and Human Sexuality*, 5 (3), 1992, p. 39-51 ; U. Wikan, « Man becomes woman. Transsexualism in Oman as a key to gender roles », *Man*, 12, 1977 ; W. L. Williams, *The Spirit and the Flesh. Sexual Diversity in American Indian Culture*, Boston, Beacon Press, 1986.

22. J. Money, « The skoptic syndrome. Castration and genital self-mutilation », *Journal of Psychology and Human Sexuality*, 1 (1), 1988, p. 113-121 ; J. Money, *The Adam Principle. Genes, Genitals,*

Hormones, and Gender. Selected Readings in Sexology, Amherst, Prometheus Books, 1993, chapitre xxv.
23. *Encyclopaedia Britannica*, édition de 1958.
24. J. Money, « The skoptic syndrome », art. cité ; J. Money, *The Adam Principle, op. cit.*
25. J. Money, « New phylism theory and autism. Pathognomonic impairment of troopbonding », *Medical Hypotheses*, 11, 1983, p. 245-250 ; J. Money, « Homosexual/heterosexual gender research. From sin to science to secret police », *in* F. J. Bianco, R. Hernandez Serrano (dir.), *Sexology. An Independent Field*, Proceedings of the 9th World Congress of Sexology, Caracas, 3-8 déc. 1989, Amsterdam, Excerpta Medica, 1990.
26. J. Money, « Evolutionary sexology. The hypothesis of song and sex », *Medical Hypotheses*, 48, 1997, p. 399-402 ; J. Money, « Speechmaps, songmaps, and lovemaps in evolutionary sexology », *Current Psychology of Cognition*, 17, 1998, p. 1229-1235.

CHAPITRE IV

1. J. H. Aveling, *The Chamberleens and the Midwifery Forceps*, Londres, J. and A. Churchill, 1882, rééd. 1977.
2. W. H. Masters, V. E. Johnson, *Human Sexual Inadequacy*, Boston, Little, Brown, 1970 ; trad. fr. *Les Mésententes sexuelles et leur traitement*, Paris, Laffont, 1971.
3. J. Money, R. G. Bennett, « Postadolescent paraphilic sex offenders. Antiandrogenic and counseling therapy follow-up », *International Journal of Mental Health*, 10, 1981, p. 122-133 ; J. Money, C. Wiedeking, P. Walker, C. Migeon, W. Meyer, D. Borgaonkar, « 47, XYY and 46, XY males with antisocial and/or sex-offending behavior. Antiandrogen therapy plus counseling », *Psychoneuroendocrinology*, 1, 1975, p. 165-178 ; J. Money, C. Wiedeking, P. Walker, D. Gain, « Combined antiandrogenic and counseling program for the treatment of 46, XY and 47, XYY sex offenders », *in* E. J. Sachar (dir.), *Hormones, Behavior and Psychopathology*, New York, Raven Press, 1976 ; C. Wiedeking, J. Money, P. Walker, « Follow-up of 11 XYY males with impulsive and/or sex-offending behaviour », *Psychological Medicine*, 9, 1979, p. 287-292.
4. B. Nœl, D. Revil, « Some personality perspectives of XYY individuals taken from the general population », *Journal of Sex Research*, 10, 1974, p. 219-225.
5. J. Money, données non publiées.
6. R. W. Dittman, M. E. Kappes, M. H. Kappes, « Sexual behavior in adolescent and adult females with congenital adrenal hyperplasia », *Psychoneuroendocrinology*, 17, 1992, p. 153-170 ; H. F. L. Meyer-Bahlburg, R. S. Gruen, M. I. New, J. J. Bell, A. Morishim, M. Shimsi, Y. Bueno, I. Vargas, S. W. Baker, « Gender change from female to male in classical congenital adrenal hyperplasia », *Hormones and Behavior*, 30, 1996, p. 319-332 ; J. Money,

M. Schwartz, V. G. Lewis, « Adult erotosexual status and fetal hormonal masculinization and demasculinization. 46, XX congenital virilizing adrenal hyperplasia and 46, XY androgen-insensitivity syndrome compared », *Psychoneuroendocrinology*, 9, 1984, p. 405-414 ; R. M. Mulaikal, C. J. Migeon, J. A. Rock, « Fertility rates in female patients with congenital adrenal hyperplasia due to a 21-Hydroxylase deficiency », *New England Journal of Medicine*, 316, 1987, p. 178-182 ; K. J. Zucker, S. J. Bradley, G. Oliver, S. Fleming, J. Hood, « Psychosexual development of women with congenital adrenal hyperplasia », *Hormones and Behavior*, 30, 1996, p. 300-318.

7. D. H. Hamer, S. Hu, V. L. Magnuson, N. Hu, A. M. L. Pattatucci, « A linkage between DNA markers on the X chromosome and male sexual orientation », *Science*, 261, 1993, p. 321-327 ; S. Hu, A. M. L. Pattatucci, G. Patterson, L. L. Di, W. Fulker, S. S. Cherny, L. Kruglyak, D. H. Hamer, « Linkage between sexual orientation and chromosome Xq28 in males but not in females », *Nature Genetics*, 11, 1995, p. 248-257.

8. G. Rice, C. Anderson, N. Risch, G. Ebers, « Male homosexuality. Absence of linkage to microsatellite markers Xq28 », *Science*, 284, 1999, p. 571 ; I. Wickelgren, « Discovery of "gay gene" questioned », *Science* 248, 1999, p. 571.

9. R. J. Nelson, G. E. Demas, P. L. Huang, M. C. Fishman, V. L. Dawson, D. H. Snyder, « Behavioral abnormalities in male mice lacking neuronal nitric oxide synthase », *Nature*, 378, 1995, p. 383-386 ; S. H. Snyder, « Nitric Oxide. First in the new class of neurotransmitters ? », *Science*, 257, 1992, p. 494-496 ; voir aussi A. L. Burnett, C. J. Lowenstein, D. S. Bredt, T. S. K. Chang, S. H. Snyder, « Nitric oxide. A physiologic mediator of penile erection », *Science*, 257, 1992, p. 401-403 ; L. J. Ignarro, « Nitric oxide as the physiological mediator of penile erection », *Journal of NIH Research*, 4 (5), 1992, p. 59-61.

10. J. Money, *Sex Errors of the Body and Related Syndromes. A Guide to Counseling Children, Adolescents, and Their Families*, 2ᵉ éd., Baltimore, Paul H. Brookes, 1994 ; C. J. Migeon, G. Berkovitz, T. Brown, « Sexual differentiation and ambiguity », *in* M. S. Kappy, R. M. Blizzard, C. J. Migeon (dir.), *The Diagnosis and Treatment of Endocrine Disorders in Childhood and Adolescence*, 4ᵉ éd., Springfield, Charles C. Thomas, 1994.

11. I. L. Ward, « Sexual behavior. The product of perinatal hormonal and prepubertal social factors », *in* A. A. Gerall, H. Moltz, I. L. Ward (dir.), *Handbook of Behavioral Neurobiology. Volume 11 : Sexual Differentiation*, New York, Plenum Press, 1992 ; voir aussi O. B. Ward, « Fetal drug exposure and sexual differentiation of males », *ibid.*

12. Y. L. Guo, G. H. Lambert, C. C. Hsu, « Growth abnormalities in the population exposed *in utero* and early postnatally to polychlorinated biphenyls and dibenzofurans », *Environmental Health Perspectives*, 103 (suppl. 6), 1995, p. 117-122.

13. N. Bauman, « Panic over falling sperm counts may be premature », *New Scientist*, 150 (2029), 1996, p. 105-138 ; E. Carlsen, A. Giwercman, N. Keiding, N. E. Skakkebaek, « Evidence for decreasing quality of semen during past 50 years », *British Medical Journal*, 305, 1992, p. 609-613 ; J. Ginsburg, « Tackling environmental endocrine disrupters », *Lancet*, 347, 1996, p. 1501-1502.

14. D. R. Abramovich, L. A. Davidson, A. Longstaff, C. R. Pearson, « Sexual differentiation of the human midtrimester brain », *European Journal of Obstetrics, Gynecology, and Reproductive Biology*, 25, 1987, p. 7-14.

15. C. J. Migeon, M. G. Forest, « Androgens in biological fluids », in B. Rothfield (dir.), *Nuclear Medicine in Vitro*, Philadelphie, J. B. Lippincott, 1983.

16. C. A. Wilson, I. Gonzalez, F. Farabollini, « Behavioural effects in adulthood of neonatal manipulation of brain serotonin levels in normal and androgenized females », *Pharmacology Biochemistry and Behavior*, 41, 1992, p. 91-98.

17. R. Rey, N. Josso, « Regulation of testicular anti-Mullerian hormone secretion », *European Journal of Endocrinology*, 135, 1996, p. 144-152.

18. A. Perkins, J. A. Fitzgerald, « Luteinizing hormone, testosterone, and behavioral response of male-oriented rams to estrous ewes and rams », *Journal of Animal Science*, 70, 1992, p. 1787-1794 ; A. Perkins, J. A. Fitzgerald, G. E. Moss, « A comparison of LH secretion and brain estradiol receptors in heterosexual and homosexual rams and female sheep », *Hormones and Behavior*, 29, 1995, p. 31-41 ; voir aussi J. Money, *Principles of Developmental Sexology*, New York, Continuum, 1997, p. 42.

19. T. M. Field, S. M. Schanberg, F. Scafidi, C. R. Bauer, N. Vega Lahr, R. Garcia, J. Nystrom, C. M. Kuhn, « Effects of tactile/kinesthetic stimulation on preterm neonates », *Pediatrics*, 77, 1986, p. 654-658 ; S. M. Schanberg, T. M. Field, « Sensory deprivation stress and supplemental stimulation in the rat pup and preterm human neonate », *Child Development*, 58, 1987, p. 1431-1447 ; T. M. Field, « Massage therapy for infants and children », *Journal of Developmental and Behavioral Pediatrics*, 16, 1995, p. 105-119.

20. S. M. Schanberg, C. M. Kuhn, « The biochemical effect of tactile deprivation in neonate rats », in R. B. Williams (dir.), *Neuroendocrine Control and Behavior. Perspectives in Behavioral Medicine*, vol. 2, New York, Academic Press, 1985.

21. J. Money, C. Annecillo, C. Lobato, « Paraphilic and other sexological anomalies as a sequel to the syndrome of child-abuse (psychosocial) dwarfism », *Journal of Psychology and Human Sexuality*, 3 (1), 1990, p. 117-150 ; J. Money, *The Kaspar Hauser Syndrome of « Psychosocial Dwarfism ». Deficient Statural, Intellectual and Social Growth Induced by Child Abuse*, Amherst, Prometheus Books, 1992.

22. D. M. Sherer, P. C. Eggers, J. R. Woods Jr., « In-utero fetal

penile erection », *Journal of Ultrasound in Medicine*, 9, 1990, p. 371 ; H. Shirozu, T. Koyanagi, T. Takashima, N. Horimoto, K. Akazawa, H. Nakano, « Penile tumescence in the human fetus at term : A preliminary report », *Early Human Development*, 41, 1995, p. 159-166.

23. B. Danielsson, *Love in the South Seas*, New York, Reynal, 1956 ; D. S. Marshall, R. C. Suggs (dir.), *Human Sexual Behavior. Variations in the Ethnographic Spectrum*, New York, Basic Books, 1971 ; R. C. Suggs, *Marquesan Sexual Behavior*, New York, Harcourt, Brace & World, 1966.

24. J. Money, J. E. Cawte, G. N. Bianchi, B. Nurcombe, « Sex training and traditions in Arnhem Land », *British Journal of Medical Psychology*, 43, 1970, p. 383-399 ; rééd. *in* J. Money, H. Musaph (dir.), *Handbook of Sexology*, Amsterdam, Elsiever/Excerpta Medica, 1977.

25. Voir J. Money, *Principles of Developmental Sexology, op. cit.*, p. 96-98.

26. J. Money, *The Kaspar Hauser Syndrome of « Psychosocial Dwarfism », op. cit.*, chapitre XII.

27. L. C. Miccio-Fonseca, *Personal Sentence Completion Inventory*, Burlington, Safer Society Press, 1997.

28. J. G. Hampson, J. Money, « Idiopathic sexual precocity in the fcmale », *Psychosomatic Medicine*, 17, 1955, p. 16-35 ; J. Money, J. G. Hampson, « Idiopathic scxual precocity in the male », *Psychosomatic Medicine*, 17, 1955, p. 1-15 ; J. Money, D. Alexander, « Psychosexual development and absence of homosexuality in males with precocious puberty. Review of 18 cases », *Journal of Nervous and Mental Disease*, 148, 1969, p. 111-123.

29. J. Money, J. G. Hampson, « Idiopathic scxual precocity in the male », art. cité.

30. T. Langfeldt, « Childhood masturbation : Individual and social organization », *in* L. Constantine, F. M. Martison (dir.), *Children and Sex. New Findings, New Perspectives*, Boston, Little, Brown, 1981, p. 67-68 ; J. Money, données non publiées.

31. J. Money, K. W. Simcœ, « Acrotomophilia, sex and disability. New concepts and case report », *Sexuality and Disability*, 7, 1984-1986, p. 43-50 ; voir chapitres V et VI.

32. *Ibid.*, chapitre VII.

33. R. E. Behrman, R. M. Kliegman, N. M. Arvin, *Nelson Textbook of Pediatrics*, 15ᵉ éd., Philadelphie, Saunders, 1996.

34. D. Foulkes, « Dream ontogeny and dream psychophysiology », *in* M. Chase, E. D. Weitzman (dir.), *Sleep Disorders. Basic and Clinical Research*, New York, SP Medical and Scientific Books, 1983, p. 357.

35. S. Tomkins, *Affect, Imagery, Consciousness, Cognition : Duplication and Transformation of Information*, vol. 4, New York, Springer, 1992, p. 243.

36. S. Kendall, « Well-tuned brains », *Harvard Magazine*, 98 (2), 1996, p. 19-20 ; G. Schlaug, L. Jancke, Y. Huang, H. Steinmetz

« *In vivo* evidence of structural brain asymmetry in musicians », *Science*, 267, 1995, p. 699-701.

37. G. H. Herdt, *Guardians of the Flutes. Idioms of Masculinity*, New York, McGraw-Hill, 1981 ; G. H. Herdt (dir.), *Ritualized Homosexuality in Melanesia*, Berkeley et Los Angeles, University of California Press, 1984 ; G. H. Herdt, *The Sambia. Ritual and Gender in New Guinea*, New York, Holt, Rinehart & Winston, 1987.

38. R. Green, *The « Sissy Boy Syndrome » and the Development of Homosexuality*, New Haven, Yale University Press, 1987 ; R. Green, J. Money, « Incongruous gender role in boys. Nongenital manifestations in prepubertal boys », *Journal of Nervous and Mental Disease*, 130, 1960, p. 160-168 ; J. Money, A. J. Russo, « Homosexual outcome of discordant gender identity/role in childhood. Longitudinal follow-up », *Journal of Pediatric Psychology*, 4, 1979, p. 29-41 ; J. Money, A. J. Russo, « Homosexual vs. transvestite or transexual gender identity/role. Outcome study in boys », *International Journal of Family Psychiatry*, 2, 1981, p. 139-145.

39. J. Money, *Love and Love Sickness. The Science of Sex, Gender Difference, and Pairbonding*, Baltimore, Johns Hopkins University Press, 1980, p. 148-150 ; J. Money, *Principles of Developmental Sexology, op. cit.*, chapitre II.

40. M. Jay, *Gerald/ine. For the Love of a Transvestite. An Autobiographical Episode*, Sandnes (Norvège), OutPost Press, 1995.

41. J. Money, « Use of an androgen-depleting hormone in the treatment of sex offenders », *Journal of Sex Research*, 6, 1970, p. 165-172.

42. R. W. Keyes, J. Money, *The Armed Robbery Orgasm. A Lovemap Autobiography of Masochism*, Amherst, Prometheus Books, 1993.

43. J. Money, M. Lamacz, *Vandalized Lovemaps. Paraphilic Outcome of Seven Cases in Pediatric Sexology*, Amherst, Prometheus Books, 1989, p. 17.

44. Voir J. Money, G. Wainwright, D. Hingsburger, *The Breathless Orgasm. A Lovemap Biography of Asphyxiophilia*, Amherst, Prometheus Books, 1991.

45. A. E. Schwartz, *The Man Who Could Not Kill Enough. The Secret Murders of Milwaukee's Jeffrey Dahmer*, New York, Birch Lane Press, 1992.

46. J. Frock, J. Money, « Sexuality and menopause », *Psychotherapy and Psychosomatics*, 57, 1992, p. 29-33.

47. J. P. Fedoroff, C. Peyser, M. L. Franz, S. E. Folstein, « Sexual disorders in Huntington's disease », *Journal of Neuropsychiatry and Clinical Neurosciences*, 6, 1994, p. 147-153.

CHAPITRE V

1. F. M. Christensen, *Pornography. The Other Side*, New York, Praeger, 1990.

2. Voir D. J. Albert, M. L. Walsh, R. H. Jonik, « Aggression in humans. What is its biological foundation ? », *Neuroscience and Biobehavioral Reviews*, 17, 1993, p. 405-425 ; A. Siegel, K. Demetrikopoulos, « Hormones and aggression », *in* J. Schulkin (dir.), *Hormonally Induced Changes in Mind and Brain*, San Diego, Academic Press, 1993.

3. D. Benton, « Hormones and human aggression », *in* K. Bjœrkqvist, P. Niemelae (dir.), *Of Mice and Women. Aspects of Female Aggression*, San Diego, Academic Press, 1992 ; S. J. Hucker, J. Bain, « Androgenic hormones and sexual assault », *in* W. L. Marshall, D. R. Laws (dir.), *Handbook of Sexual Assault. Issues, Theories, and Treatment of the Offender*, New York, Plenum Press, 1990.

4. Y. L. Guo, G. H. Lambert, C. C. Hsu, « Growth abnormalities in the population exposed *in utero* and early postnatally to polychlorinated biphenyls and dibenzofurans », *Environmental Health Perspectives*, 103 (suppl. 6), 1995, p. 117-122 ; J. Ginsburg, « Tacking environmental endocrine disrupters », *Lancet*, 347, 1996, p. 1501-1502 ; voir aussi chapitre IV.

5. R. Blanchard, P. Klassen, « H-Y antigen and homosexuality in men », *Journal of Theoretical Biology*, 185, 1997, p. 373-378 ; voir aussi R. Blanchard, K. J. Zucker, R. D. Siegelman, P. Klassen, « The relation of birth order to sexual orientation in men and women », *Journal of Biosocial Science*, 30, 1998, p. 511-519.

6. M. B. Jones, R. Blanchard, « Birth order and male homosexuality. Extension of Slater's index », *Human Biology*, 70, 1998, p. 775-787.

7. E. Bass, L. Davis, *The Courage to Heal. A Guide for Women Survivors of Child Sexual Abuse*, New York, Harper Perennial, 1988.

8. Voir J. Hœnig, « The development of sexology during the second half of the 19th century », *in* J. Money, H. Musaph (dir.), *Handbook of Sexology*, Amsterdam, Elsevier/Excerpta Medica, 1977.

9. C. Lombroso, *Criminal Man*, Montclair, Patterson Smith, 1972.

10. Voir R. J. Stoller, *La Perversion, forme érotique de la haine*, Paris, Payot, 2000.

11. F. J. Sulloway, *Freud, biologiste de l'esprit*, Paris, Fayard, 1981.

12. *Ibid.* ; J. Masson, *The Assault on Truth. Freud's Suppression of the Seduction Theory*, New York, Farrar, Straus & Giroux, 1984.

13. F. J. Sulloway, *Freud, biologiste de l'esprit, op. cit.*

14. B. Karpman, *The Sexual Offender and His Offenses*, New York, Julian Press, 1954, p. 579.

15. *Ibid.*, p. 610.

16. *Ibid.*, p. 603.

17. P. Kline, « Sexual deviation. Psychoanalytic research and theory », *in* G. D. Wilson (dir.), *Variant Sexuality. Research and Theory*, Baltimore, Johns Hopkins University Press, 1987.

18. A. Moll, *The Sexual Life of the Child*, New York, Macmillan, 1909, rééd. 1912.

19. J. Money, *Lovemaps. Clinical Concepts of Sexual/Erotic Health*

and Pathology, Paraphilia, and Gender Transposition in Childhood, Adolescence, and Maturity, Amherst, Prometheus Books, 1988.

20. D. E. Brown, *Human Universals*, New York, McGraw-Hill, 1991.

21. R. L. O'Halloran, P. E. Dietz, « Autoerotic fatalities with power hydraulics », *Journal of Forensic Sciences*, 38, 1993, p. 359-364.

22. K. Lorenz, *King Solomon's Ring*, New York, Thomas Y. Crowell, 1952.

23. J. Money, « Speechmaps, songmaps, and lovemaps in evolutionary sexology », *Current Psychology of Cognition*, 17, 1998, p. 1229-1235.

24. L. Margulis, M. F. Dolan, « Swimming against the current », *The Sciences*, 37 (1), 1997, p. 20-25.

25. R. Solomon, « The opponent-process theory of acquired motivation », *American Psychologist*, 35, 1980, p. 691-712.

26. V. M. LoLordo, M. E. P. Seligman, « Richard Lester Solomon (1918-1985) », *American Psychologist*, 52, 1997, p. 567-568.

27. R. W. Keyes, J. Money, *The Armed Robbery Orgasm. A Lovemap Autobiography of Masochism*, Amherst, New York, Prometheus Books, 1993.

28. J. Money, G. Wainwright, D. Hingsburger, *The Breathless Orgasm. A Lovemap Biography of Asphyxiophilia*, Amherst, Prometheus Books, 1991.

29. J. Money, C. Annecillo, C. Lobato, « Paraphilic and other sexological anomalies as a sequel to the syndrome of child-abuse (psychosocial) dwarfism », *Journal of Psychology and Human Sexuality*, 3 (1), 1990, p. 117-150.

30. J. Money, *The Kaspar Hauser Syndrome of « Psychosocial Dwarfism ». Deficient Statural, Intellectual and Social Growth Induced by Child Abuse*, Amherst, Prometheus Books, 1992.

31. H. Gastaut, H. Collomb, « Étude du comportement sexuel chez les épileptiques psychomoteurs », *Annales médico-psychologiques*, 112, 1954, p. 657-696 ; voir aussi J. Money, G. Pruce, « Psychomotor epilepsy and sexual function », *in* J. Money, H. Musaph (dir.), *Handbook of Sexology, op. cit.* ; G. K. Lehne, « Brain damage and paraphilia. Treated with medroxyprogesterone acetate », *Sexuality and Disability*, 7, 1984-1986, p. 145-158.

32. R. Huws, A. P. Shubsachs, P. J. Taylor, « Hypersexuality, fetishism, and multiple sclerosis », *British Journal of Psychiatry*, 158, 1991, p. 280-281.

33. T. N. Monga, M. Monga, M. S. Raina, M. Hardjasudarma, « Hypersexuality in stroke », *Archives of Physical Medicine and Rehabilitation*, 67, 1986, p. 415-417.

34. R. Langevin, J. Bain, G. Wortzman, S. Hucker, R. Dickey, P. Wright, « Sexual sadism. Brain, blood, and behavior », *Annals of the New York Academy of Sciences*, 528, 1988, p. 145-158.

35. G. K. Lehne, « Brain damage and paraphilia », art. cité.

36. J. Money, « Use of an androgen-depleting hormone in the treatment of sex offenders », *Journal of Sex Research*, 6, 1970, p. 165-172.
37. S. E. Hendricks, D. F. Fitzpatrick, K. Hartmann, M. A. Quaife, R. A. Stratbucker, B. Graber, « Brain structure and function in sexual molesters of children and adolescents », *Journal of Clinical Psychiatry*, 49, 1988, p. 103-112.
38. J. Money, *Lovemaps, op. cit.*
39. L. C. Miccio-Fonseca, communication personnelle.
40. L. C. Miccio-Fonseca, *Personal Sentence Completion Inventory*, Burlington, Safer Society Press, 1997.

CHAPITRE VI

1. E. Niedermeyer, *Compendium of the Epilepsies*, Springfield, Charles C. Thomas, 1974.
2. J. Money, K. W. Simcoe, « Acrotomophilia, sex and disability. New concepts and case report », *Sexuality and Disability*, 7, 1984-1986, p. 43-50.
3. J. Money, « Homosexual/heterosexual gender research. From sin to science to secret police », *in* F. J. Bianco, R. Hernandez Serrano (dir.), *Sexology. An Independent Field*, Proceedings of the 9ᵗʰ World Congress of Sexology, Caracas, 3-8 déc. 1989, Amsterdam, Excerpta Medica, 1990.
4. J. Money, *Lovemaps. Clinical Concepts of Sexual/Erotic Health and Pathology, Paraphilia, and Gender Transposition in Childhood, Adolescence, and Maturity*, Amherst, Prometheus Books, 1988, chapitre XVI ; voir aussi *supra*, chapitre V.
5. *Ibid.*, p. 129.
6. J. Money, « Paraphilia and abuse-martyrdom. Exhibitionism as a paradigm for reciprocal couple counseling combined with anti-androgen », *Journal of Sex and Marital Therapy*, 7, 1981, p. 115-123.
7. D. S. Rosenfeld, A. J. Elhajjar, « Sleepsex. A variant of sleep-walking », *Archives of Sexual Behavior*, 27, 1998, p. 269-278.
8. P. Fenwick, « Sleep and sexual offending », *Medicine, Science, and the law*, 36, 1996, p. 122-134.
9. J. P. Fedoroff, A. Brunet, V. Woods, C. Granger, E. Chow, P. Collins, C. M. Shapiro, « A case-controlled study of men who sexually assault sleeping victims », *in* C. M. Shapiro, A. McCall Smith (dir.), *Forensic Aspects of Sleep*, New York, John Wiley, 1997.
10. J. Money, « Two names, two wardrobes, two personalities », *Journal of Homosexuality*, 1, 1974, p. 65-70.
11. R. W. Medlicott, « Paranoia of the exalted type in a setting of folie à deux. A study for two adolescent homicides », *British Journal of Medical Psychology*, 28, 1955, p. 205-223.
12. J. Money, *Biographies of Gender and Hermaphroditism in Paired Comparisons. Clinical Supplement to the Handbook of Sexology*, Amsterdam, Elsevier, 1991, chapitre XI.

13. J. Money, « Paraphilia and abuse-martyrdom », art. cité.

14. J. Money, « Use of an androgen-depleting hormone in the treatment of sex offenders », *Journal of Sex Research*, 6, 1970, p. 165-172.

CHAPITRE VII

1. J. D McLean, R. G. Forsythe, I. A. Kapkin, « Unusual side effects of clomipramine associated with yawning », *Canadian Journal of Psychiatry*, 28, 1983, p. 569-570.

2. W. Harrison, J. Stewart, P. J. McGrath, F. Quitkin, « Unusual side effects of clomipramine associated with yawning », courrier des lecteurs, *Canadian Journal of Psychiatry*, 29, 1984, p. 546.

3. B. Holmgren, R. Urba-Holmgren, M. Aguiar, R. Rodriguez, « Sex hormone influences on yawning behavior », *Acta Neurobiologiae Experimentalis*, 40, 1980, p. 515-519.

4. F. Roes, « An interview with Sarah Blaffer Hrdy », *Human Ethology Bulletin*, 13 (2), 1998, p. 9-14.

5. F. de Waal, F. Lanting, *Bonobo. The Forgotten Ape*, Berkeley, University of California Press, 1997 ; Y. Kano, *The Last Ape. Pygmy Chimp Behavior and Ecology*, Stanford, Stanford University Press, 1992 ; voir aussi J. Money, *Principles of Developmental Sexology*, New York, Continuum, 1997, chapitre II.

6. L. T. Anderson, M. Ernst, S. V. Davis, « Cognitive abilities of patients with Lesch-Nyhan disease », *Journal of Autism and Developmental Disorders*, 22, 1992, p. 189-203.

7. Margaret Mead, communication personnelle.

8. H. Moltz, « Of rats and infants and necrotizing enterocolitis », *Perspectives in Biology and Medicine*, 27, 1984, p. 327-335 ; H. Motz, T. M. Lee, « The coordinate roles of mother and young in establishing and maintaining pheromonal symbiosis in the rat », *in* L. A. Rosenblum, H. Moltz (dir.), *Symbiosis in Parent-Offspring Interactions*, New York, Plenum Press, 1983.

9. H. Moltz, « Of rats and infants and necrotizing enterocolitis », art. cité.

10. D. H. Hopp, « A new concept of evolution », résumé présenté le 2 mai 1980 au US Army Medical Institute of Infectious Diseases, à Fort Detrick.

11. F. J. Cairns, S. P. Rainer, « Death from electrocution during auto-erotic procedures », *New Zealand Medical Journal*, 94, 1981, p. 259-260.

12. F. de Waal, F. Lanting, *Bonobo. The Forgotten Ape*, op. cit., p. 118.

13. C. S. Carter, I. I. Lederhendler, B. Kirkpatrick (dir.), *The Integrative Neurobiology of affiliation*, Proceedings of the New York Academy of Sciences, vol. 807, New York, New York Academy of Sciences, 1997.

14. H. Gainer, S. Wray, « Oxytocin and vasopressin. From genes to peptides », *in* C. A. Pedersen, J. D. Caldwell, G. F. Jirikowski, T. R. Insel (dir.), *Oxytocin in Maternal, Sexual, and Social Behaviors*, New York, New York Academy of Sciences, 1992.

15. V. Morell, « A new look at monogamy », *Science*, 281, 1998, p. 1982-1983.

16. *Ibid.*

17. *Ibid.*

18. J. O. Nigaru, « Tale told in lead », *Science*, 281, 1998, p. 1622-1623.

19. N. A. Bobrow, J. Money, V. G. Lewis, « Delayed puberty, eroticism, and sense of smell. A psychological study of hypogonadotropinism, osmatic, and anosmatic (Kallmann's syndrome) », *Archives of Sexual Behavior*, 1, 1971, p. 329-344.

20. D. Bick, B. Franco, R. J. Sherins, B. Heye, L. Pike, J. Crawford, A. Maddalena, B. Incerti, A. Pragliola, T. Meitinger, A. Ballabio, « Intragenic deletion of the KALIG-1 gene in Kallmann's syndrome », *New England Journal of Medicine*, 326, 1992, p. 1752-1755.

21. M. K. McClintock, « Menstrual synchrony and suppression », *Nature*, 229, 1971, p. 244-245.

22. J. Money, *The Kaspar Hauser Syndrome of « Psychosocial Dwarfism » Deficient Statural, Intellectual and Social Growth Induced by Child Abuse*, Amherst, Prometheus Books, 1992.

23. J. Money, J. Werlwas, « Folie à deux in the parents of psychosocial dwarfs. Two cases », *Bulletin of the American Academy of Psychiatry and the Law*, 4, 1976, p. 351-362.

24. D. Crews, K. T. Fitzgerald, « "Sexual" behavior in parthogenic lizards », *Proceedings of the National Academy of Sciences USA*, 77, 1980, p. 499-502 ; D. Crews (dir.), *Psychobiology of Reproductive Behavior. An Evolutionary Perspective*, Englewood Cliffs, Prentice-Hall, 1987 ; D. Crews, « Unisexual organisms in the behavioral neurosciences », *in* R. M. Dawley, J. P. Bogart (dir.), *Evolution and Ecology of Unisexual Vertebrates*, Bulletin 466, Albany, New York State Museum, 1989 ; C. Moritz, « Parthenogenesis in the endemic Australian lizard Heteronotia binoei (Gekkonidae) », *Science*, 220, 1983, p. 735-737.

25. L. S. Lorefice, « Fluoxetine treatment of a fetish », *Journal of Clinical Psychiatry*, 52, 1991, p. 41.

26. E. Gregersen, communication personnelle.

27. W. H. Sheldon, *Atlas of Men. A Guide for Somatotyping the Adult Image for All Ages*, New York, Macmillan, 1970.

28. J. Money, K. W. Simcoe, « Acrotomophilia, sex and disability. New concepts and case report », *Sexuality and Disability*, 7, 1984-1986, p. 43-50.

29. J. Money, R. Jobaris, G. Furth, « Apotemnophilia. Two cases of self-demand amputation as a paraphilia », *Journal of Sex Research*, 13, 1977, p. 115-125 ; J. Money, *The Adam Principle*.

Genes, Genitals, Hormones, and Gender – Selected Readings in Sexology, Amherst, Prometheus Books, 1993, chapitre XXIII ; voir aussi *supra*, chapitre III, la section consacrée au schéma corporel.

30. J. Money, « Apotemnophilia », art. cité, suivi non publié.

31. J. Money, « Paraphilia in females. Fixation on amputation and lameness ; two personal accounts », *Journal of Psychology and Human Sexuality*, 3 (2), 1990, p. 165-172.

32. J. Money, *Lovemaps. Clinical Concepts of Sexual/Erotic Health and Pathology, Paraphilia, and Gender Transposition in Childhood, Adolescence, and Maturity*, Amherst, Prometheus Books, 1988, chapitre XXIII.

33. J. Money, « Paraphilia in females », art. cité.

34. M. Malin, « A preliminary report of a case of necrophilia », Article présenté au 8ᵉ Congrès mondial de sexologie, Heidelberg, 14-20 juin, 1987 ; Davison, communication personnelle.

35. T. Maple, « Unusual sexual behavior of nonhuman primates », *in* J. Money, H. Musaph (dir.), *Handbook of Sexology*, Amsterdam, Elsevier, 1977.

36. D. Worth, A. M. Beck, « Multiple ownership of animals in New York City », *Transactions and Studies of the College of Physicians of Philadelphia*, 3, 1981, p. 280-300.

37. M. Matthews, *The Horseman. Obsessions of a Zoophile*, Amherst, Prometheus Books, 1994 ; Shepherd, non publié, 1996.

38. R. Dewaraja, J. Money, « Transcultural sexology. Formicophilia, a newly named paraphilia in a young Buddhist male », *Journal of Sex and Marital Therapy*, 12, 1986, p. 139-145.

39. E. P. Evans, *The Criminal Prosecution and Capital Punishment of Animals*, Londres, Faber & Faber, 1987 ; J. Liliequist, « Peasants against nature. Crossing the boundaries between man and animal in 17ᵗʰ and 18ᵗʰ century Sweden », *in* J. C. Fout (dir.), *Forbidden History. The State, Society, and the Regulation of Sexuality in Modern Europe*, Chicago, University of Chicago, 1992.

40. V. Bullough, *Sexual Variance in Society and History*, New York, John Wiley & Sons, 1976.

41. C. Blacker, *The Catalpa Bow. A Study of Shamanistic Practices in Japan*, Londres, George Allen & Unwin, 1975 ; avec l'autorisation du Dr Gerald Groemer, musicologue.

42. M. A. Berezin, « Masturbation and old age », *in* I. M. Marcus, J. J. Francis (dir.), *Masturbation. From Infancy to Senescence*, New York, International Universities Press, 1975.

43. A. Birkin, *J. M. Barrie and the Lost Boys. The Love Story that Gave Birth to Peter Pan*, New York, Clarkson N. Potter, 1979.

44. N. M. Cohen, *Lewis Carroll, Photographer of Children. Four Nude Studies*, New York, Clarkson N. Potter, 1978.

45. J. Money, J. D. Weinrich, « Juvenile, pedophile, heterophile. Hermeneutics of science, medicine and law in two outcome studies », *Medicine and Law*, 2, 1983, p. 39-54.

46. *Chicago Tribune*, 30 mai 1973.

47. G. Anthony, R. Bennet, *Dirty Talk. Diary of a Phone Sex « Mistress »*, Amherst, Prometheus Books, 1998.
48. *Chicago Tribune*, 18 août, 1996, C1.
49. R. J. Stoller, *Observing the Erotic Imagination*, New Haven, Yale University Press, 1985.
50. F. Bruni, « Child psychiatrist and pedophile. His therapist knew but didn't tell ; a victim is suing », *New York Times*, 19 avril 1998, p. 34.
51. C. Lambert, « Van Gogh's malady », *Harvard Magazine*, 101 (3), 1999, p. 23-24.
52. Cité par V. Morell, « A new look at monogamy », art. cité.
53. S. Carter, citée in *ibid*.
54. J. Shepher, « Mate selection among second generation kibbutz adolescents and adults. Incest avoidance and negative imprinting », *Archives of Sexual Behavior*, 1, 1971, p. 293-307 ; voir aussi M. Spiro, *Children of the Kibbutz*, Cambridge, Harvard University Press, 1958 ; D. E. Brown, *Human Universals*, New York, McGraw-Hill, 1991.
55. E. Westermarck, *Histoire du mariage*, 6 vol., Paris, Payot, 1945.
56. L. C. Miccio-Fonseca, « Comparative differences in the psychological histories of sex offenders, victims, and their families », *Journal of Offender Rehabilitation*, 23 (3-4), 1996, p. 71-83.

CHAPITRE VIII

1. J. Money, *The Destroying Angel. Sex, Fitness, and Food in the Legacy of Degeneracy Theory, Graham Crackers, Kellogg's Corn Flakes, and American Health History*, Amherst, Prometheus Books, 1985 ; J. Money, *Sin, Science, and the Sex Police. Essays in Sexology and Sexosophy*, Amherst, Prometheus Books, 1999, chapitre xv.
2. C. L. Mee, « How a mysterious disease laid low Europe's masses », *Smithsonian*, 20 (11), 1990, p. 66.
3. J. Cawte, *Healers of Arnhem Land*, Sydney, University of New South Wales Press, 1996.
4. *New York Times*, 25 octobre 1975 ; 15 février 1976.
5. *The Sunday Times*, 23 octobre 1994.
6. R. Wille, K. M. Beier, « Castration in Germany », *Annals of Sex Research*, 2, 1989, p. 103 133.
7. Voir J. Money, *Principles of Developmental Sexology*, New York, Continuum, 1997, p. 162.
8. F. Neumann, « Permanent changes in gonadal function and sexual behaviour as a result of early feminization of male rats by treatment with an antiandrogenic steroid », *Endokrinologie*, 50, 1966, p. 209-225.
9. J. Money, « Discussion on hormonal inhibition of libido in male sex offenders, *in* R. P. Michael (dir.), *Endocrinology and Human Behavior*, Londres, Oxford University Press, 1968 ;

J. Money, « Use of an androgen-depleting hormone in the treatment of sex offenders », *Journal of Sex Research*, 6, 1970, p. 165-172.

10. Voir J. M. W. Bradford, « The antiandrogen and hormonal treatment of sex offenders », *in* W. L. Marshall, D. R. Laws (dir.), *Handbook of Sexual Assault. Issues, Theories, and Treatment of the Offender*, New York, Plenum Press, 1990 ; S. J. Hucker, J. Bain, « Androgenic hormones and sexual assault », *ibid.* ; G. K. Lehne, « Case management and prognosis of the sex offender », *in* J. J. Krivacska, J. Money (dir.), *Handbook of Forensic Sexology*, Amherst, Prometheus Books, 1994 ; K. Gijs, L. Gooren, « Hormonal and psychopharmacological interventions in the treatment of paraphilias. An update », *Journal of Sex Research*, 33, 1996, p. 273-290 ; H. M. Kravitz, T. W. Haywood, J. Kelly, S. Liles, J. L. Cavanaugh Jr., « Medroxyprogesterone and paraphilias. Do testosterone levels matter ? », *Bulletin of the American Academy of Psychiatry and Law*, 24, 1996, p. 73-83 ; J. Bradford, « Medical interventions in sexual deviance, *in* D. R. Laws, W. O'Donohue (dir.), *Sexual Deviance. Theory, Assessment, and Treatment*, New York, Guilford Press, 1997 ; R. Balon, « Pharmacological treatment of paraphilias with a focus on antidepressants », *Journal of Sex and Marital Therapy*, 24, 1998, p. 241-254.

11. J. Money, « Sex hormones and other variables in human eroticism », *in* W. C. Young (dir.), *Sex and Internal Secretions*, Baltimore, Williams, Wilkins, 1961 ; B. B. Sherwin, « A comparative analysis of the role of androgen in human male and female sexual behavior. Behavioral specificity, critical thresholds, and sensitivity », *Psychobiology*, 16, 1988, p. 416-425.

12. F. S. Berlin, G. K. Bergey, J. Money, « Periodic psychosis of puberty. A case report », *American Journal of Psychiatry*, 139, 1982, p. 119-120 ; K. Abe, M. Ohta, « Periodic psychosis of puberty. A review on near-monthly episodes », *Psychopathology*, 25, 1992, p. 218-228.

13. E. W. Freeman, R. H. Purdy, C. Coutifaris, K. Rickels, S. M. Paul, « Anxiolytic metabolites of progesterone. Correlation with mood and performance measures following oral progesterone administration to healthy female volunteers », *Clinical Neuroendocrinology*, 58, 1993, p. 478-484 ; B. J. Meyerson, « Relationship between the anesthetic and gestagenic action and estrous behavior-inducing activity of different progestins », *Endocrinology*, 81, 1967, p. 369-374.

14. H. D. Rees, R. W. Bonsall, R. P. Michael, « Preoptic and hypothalamic neurons accumulate [3H] medroxyprogesterone acetate in male *cynomolgus* monkeys », *Life Sciences*, 39, 1986, p. 1353-1359 ; R. P. Michael, D. Zumpe, « Medroxyprogesterone acetate decreases the sexual activity of male cynomolgus monkeys (*Macaca fascicula ris*). An action on the brain ? », *Physiology and Behavior*, 53, 1993, p. 783-788.

15. R. Reid, communication personnelle.

16. B. Cordier, F. Thibaut, J.-M. Kuhn, P. Deniker, « Traitements hormonaux des troubles des conduites sexuelles », *Bulletin de l'Académie nationale de médecine*, 180, 1996, p. 599-605 ; F. Thibaut, B. Cordier, J.-M. Kuhn, « Gonadotrophin hormone releasing hormone agonist in cases of severe paraphilias. A lifetime treatment ? », *Psychoneuroendocrinology*, 21, 1996, p. 411-419 ; et, en Israël, A. Rosler, E. Witzum, « Treatment of men with paraphilia with a long-acting analogue of gonadotropin releasing hormone », *New England Journal of Medicine*, 338, 1998, p. 416-422.

17. J. Money, R. Yankowitz, « The sympathetic-inhibiting effects of the drug Ismelin on human male eroticism, with a note on Mellaril », *Journal of Sex Research*, 3, 1967, p. 69-82.

18. M. J. Gitlin, « Psychotropic medications and their effects on sexual function. Diagnosis, biology, and treatment approaches », *Journal of Clinical Psychiatry*, 55, 1994, p. 406-413.

19. J. P. Fedoroff, « Buspirone in the treatment of transvestic fetishism », *Journal of Clinical Psychiatry*, 49, 1988, p. 408-409.

20. R. F. Borne, « Serotonin. The neurotransmitter for the '90s », *Drug Topics*, 138 (19), 1994, p. 108.

21. J. L. Rapoport, *Le Garçon qui n'arrêtait pas de se laver*, Paris, Odile Jacob, coll. « Opus », 1998 ; A. J. Cooper, « Auto-erotic asphyxiation. Three case reports », *Journal of Sex and Marital Therapy*, 22, 1996, p. 47-53.

22. M. P. Kafka, R. Prentky, « Fluoxetine treatment of nonparaphilic sexual addiction and paraphilias in men », *Journal of Clinical Psychiatry*, 53, 1992, p. 351-358 ; M. J. P. Kreusi, S. Fine, L. Valladares, R. A. Phillips, J. L. Rapoport, « Paraphilias. A double-blind crossover comparison of clomipramine versus desipramine », *Archives of Sexual Behavior*, 1992 ; J. P. Fedoroff, « Antiandrogens vs serotonergic medications in the treatment of sex offenders. A preliminary compliance study », *Canadian Journal of Human Sexuality*, 4, 1995, p. 111-122.

23. Voir J. W. Jefferson, « Lithium. Still effective despite its detractors », *British Medical Journal*, 316, 1998, p. 1330.

24. J. Cesnik, E. Coleman, « Use of lithium carbonate in the treatment of autoerotic asphyxia », *American Journal of Psychotherapy*, 43, 1989, p. 277-286.

25. E. Coleman, J. Cesnik, « Skoptic syndrome. The treatment of an obsessional gender dysphoria with lithium carbonate and psychotherapy », *American Journal of Psychotherapy*, 44, 1990, p. 204-217.

26. A. M. Veenhuizen, D. C. Van Strien, P. T. Cohen-Kettenis, « The combined psychotherapeutic and lithium carbonate treatment of an adolescent with exhibitionism and indecent assault », *Journal of Psychology and Human Sexuality*, 5 (3), 1992, p. 53-80.

27. J. E. Conn, « Brief psychotherapy of the sex offender. A report of a liaison service between a court and a private psychiatrist », *Journal of Clinical Psychopathology*, 10, 1949, p. 347-372 ;

J. E. Conn, « Hypno-synthesis. Hypnotherapy of the sex offender », *Journal of Clinical and Experimental Hypnosis*, 2, 1954, p. 13-26.

28. J. Wolpe, *The Practice of Behavior Therapy*, New York, Pergamon Press, 1969.

29. J. B. Watson, *Behaviorism*, New York, Norton, 1930.

30. B. F. Skinner, *Science and Human Behavior*, New York, Macmillan, 1953.

31. D. J. West, « Boys and sexual abuse. An english opinion », *Archives of Sexual Behavior*, 27, 1998, p. 539-559.

32. A. L. Burnett, C. J. Lowenstein, D. S. Bredt, T. S. K. Chang, S. H. Snyder, « Nitric oxide. A physiologic mediator of penile erection », *Science*, 257, 1992, p. 401-403.

33. G. Wagner, H. S. Kaplan, *The New Injection Treatments for Impotence. Medical and Psychological Aspects*, New York, Brunner/Mazel, 1993, p. 78.

34. R. B. Moreland, I. Goldstein, A. Traish, « Sildenafil. A novel inhibitor of phosphodiesterase type 5 in human corpus cavernosum smooth muscle cells », *Life Sciences*, 62, 1998, p. 19-29.

35. N. Cooper, rapport personnel ; J. Money, G. Wainwright, D. Hingsburger, *The Breathless Orgasm. A Lovemap Biography of Asphyxiophilia*, Amherst, Prometheus Books, 1991.

BIBLIOGRAPHIE SÉLECTIVE*

CORNOG M., PERPER T., *For Sex Education, See Libarian. A Guide to Issues and Ressources*, Wesport, Greenwood Press, 1996. Cet ouvrage est une bibliographie systématique et annotée de livres consacrés au sexe et à la sexologie.

FRANCŒUR R. T. (dir.), *The International Encyclopedia of Sexuality*, New York, Continuum, 1997. Cette encyclopédie en trois volumes, internationale et transculturelle, se révélera utile pour ceux qui cherchent une information comparative sur diverses questions sexologiques de nature générale. La section consacrée aux États-Unis a fait l'objet d'un quatrième volume : R. T. Francœur, P. B. Koch, D. L. Weis (dir.), *Sexuality in America. Understanding Our Sexual Values and Behavior*, New York, Continuum, 1998.

FRANCŒUR R. T., CORNOG M., PERPER T., SCHERZER N. A., *The Complete Dictionary of Sexology*, New York, Continuum, 1995. Cette nouvelle édition, augmentée d'un ancien dictionnaire de sexologie, présente une terminologie générale de la sexologie qui ne se limite pas aux pratiques usuelles.

---

* Ne figurent ici que les ouvrages cités par John Money. Les références des articles scientifiques se trouvent dans les notes.

324 / *Au cœur de nos rêveries érotiques*

FRAYSER S. G., WHITBY T. J., *Studies in Human Sexua-
lity. A Selected Guide, Englewood, Librairies Unli-
mited, 1995. Sélection annotée de centaines d'articles
parus dans les revues.
HEIDENRY J., *What Wild Ecstasy. The Rise and Fall of the*
Sexual Revolution, New York, Simon & Schuster,
1997. Le titre est emprunté au poème de John Keats,
« Ode à une urne grecque ». Ce livre emmène le lecteur dans les coulisses de l'histoire tout en ayant un
vaste point de vue sur la question. Aucune autre histoire sexologique de notre époque n'est aussi
complète.
LOVE B., *The Encyclopedia of Unusual Sex Practices*, New
York, Barricade Books, 1992. L'auteur a compilé un
lexique complet de « plus de 750 entrées et 150 illus-
trations originales sur les bizarreries de l'activité
sexuelle partout dans le monde ». Ces activités ne se
limitent pas aux paraphilies. Elles incluent des pratiques qui, bien que bizarres selon les critères ordinaires, ne sont pas classées comme pathologiques
pourvu qu'elles soient sporadiques et récréatives, et
non compulsivement fixées.

***

ANTHONY G., BENNET R., *Dirty Talk. Diary of a Phone Sex*
« *Mistress* », Amherst, Prometheus Books, 1998.
ARIÈS P., *L'Enfant et la famille sous l'Ancien Régime*,
Paris, Seuil, 1975.
AVELING J. H., *The Chamberleens and the Midwifery*
Forceps, Londres, J. & A. Churchill, 1882.
BASS E., DAVIS L., *The Courage to Heal. A Guide for*
Women Survivors of Child Sexual Abuse, New York,
Harper Perennial, 1988.
BENJAMIN H., *The Transsexual Phenomenon*, New York,
Julian Press, 1966.
BIANCO F. J., HERNANDEZ SERRANO R. (dir.), *Sexology. An*
Independent Field, Proceedings of the 9th World

Congress of Sexology, Caracas, 3-8 déc. 1989, Amsterdam, Excerpta Medica, 1990.

BIRKIN A., J. M. *Barrie and the Lost Boys. The Love Story that Gave Birth to Peter Pan*, New York, Clarkson N. Potter, 1979.

BJŒRKQVIST K., NIEMELAE P. (dir.), *Of Mice and Women. Aspects of Female Aggression*, San Diego, Academic Press, 1992.

BLACKER C., *The Catalpa Bow. A Study of Shamanistic Practices in Japan*, Londres, George Allen & Unwin, 1975.

BROWN D. E., *Human Universals*, New York, McGraw-Hill, 1991.

BULLOUGH V., *Sexual Variance in Society and History*, New York, John Wiley, 1976.

CAHER J. M., *King of the Mountain. The Rise, Fall, and Redemption of Chief Judge Sol Wachtler*, Amherst, New York, Prometheus Books, 1998.

CARNES P., *The Sexual Addiction*, Minneapolis, Comp-Care Publications, 1983.

CARRIER J., *De los Otros. Intimacy and Homosexuality among Mexican Men*, New York, Columbia University Press, 1995.

CARTER C. S., LEDERHENDLER I. I., KIRKPATRICK B. (dir.), *The Integrative Neurobiologiy of affiliation*, Annals of the New York Academy of Sciences, vol. 807, New York, New York Academy of Sciences, 1997.

CAWTE J., *Healers of Arnhem Land*, Sydney, University of New South Wales Press, 1996.

CHRISTENSEN F. M., *Pornography. The Other Side*, New York, Praeger, 1990.

CLARKE J. W., *On Being Mad of Merely Angry. John W. Hinckley Jr. and Other Dangerous People*, Princeton, Princeton University Press, 1990.

COHEN N. M., *Lewis Carroll, Photographer of Children. Four Nude Studies*, New York, Clarkson N. Potter, 1978.

CREWS D., (dir.), *Psychobiology of Reproductive Behavior. An Evolutionary Perspective*, Englewood Cliffs, Prentice-Hall, 1987.

DANIELSSON B., *Love in the South Seas*, New York, Reynal, 1956.

DENNY D. (dir.), *Current Concepts in Transgender Identity*, New York, Garland, 1998.

EVANS E. P., *The Criminal Prosecution and Capital Punishment of Animals*, Londres, Faber & Faber, 1987.

FIELD T. M., *Touch*, New York, MIT Press, 2001 ; trad. fr. *Les Bienfaits du toucher*, Paris, Payot, 2003.

FOUCAULT M., *Histoire de la sexualité. 1 : La volonté de savoir*, Paris, Gallimard, 1976.

FOUT J. C. (dir.), *Forbidden History. The State, Society, and the Regulation of Sexuality in Modern Europe*, Chicago, University of Chicago, 1992.

GERALL A. A., MOLTZ H., WARD I. L. (dir.), *Handbook of Behavioral Neurobiology. Volume 11 : Sexual Differentiation*, New York, Plenum Press, 1992.

GILMARTIN B. G., *Shyness and Love. Causes, Consequences, and Treatment*, New York, Lanham, 1987.

GREEN R., *The « Sissy Boy Syndrome » and the Development of Homosexuality*, New Haven, Yale University Press, 1987.

GREEN R., MONEY J. (dir.), *Transsexualism and Sex Reassignment*, Baltimore, Johns Hopkins University Press, 1969.

HAEBERLE E. J., GINDORF R. (dir.), *Bisexualities. The Ideology and Practice of Sexual Contact with Both Men and Women*, New York, Continuum, 1998.

HAZELWOOD R. R., DIETZ P. E., BURGESS A. W., *Autoerotic Fatalities*, Lexington, Lexington Books, 1983.

HERDT G. H., *Guardians of the Flutes. Idioms of Masculinity*, New York, McGraw-Hill, 1981.

HERDT G. H. (dir.), *Ritualized Homosexuality in Melanesia*, Berkeley et Los Angeles, University of California Press, 1984.

HERDT G. H., *The Sambia. Ritual and Gender in New Guinea*, New York, Holt, Rinehart & Winston, 1987.

HERDT G. (dir.), *Gay and Lesbian Youth*, Binghamton, Haworth Press, 1989.

HEREK G. M., GREENE B. (dir.), AIDS, *Identity and Community. The* HIV *Epidemic and Lesbians and Gay Men*, Thousand Oaks, Sage Publications, 1995.

HIRSCHFELD M., *Die Transvestiten. Eine Untersuchung über den erotischen Verkleidungstrieb*, Berlin, Pulvermacher, 1910.

JACQUELINE Mistress, *Whips and Kisses. Parting the Leather Curtain*, Amherst, Prometheus Books, 1991.

JAY M., *Gerald/ine. For the Love of a Transvestite. An Autobiographical Episode*, Sandnes (Norvège), Out-Post Press, 1995.

KANO Y., *The Last Ape. Pygmy Chimp Behavior and Ecology*, Stanford, Stanford University Press, 1992.

KAPLAN H. S., *Disorders of Sexual Desire and Other New Concepts and Techniques in Sex Therapy*, New York, Brunner/Mazel, 1979.

KARPMAN B., *The Sexual Offender and His Offenses*, New York, Julian Press, 1954, p. 579.

KEYES R. W., MONEY J., *The Armed Robbery Orgasm. A Lovemap Autobiography of Masochism*, Amherst, Prometheus Books, 1993.

KINSEY A. C., POMEROY W. B., MARTIN C. E., *Sexual Behavior in the Human Male*, Philadelphie, Saunders, 1948.

KRIVACSKA J. J., MONEY J. (dir.), *Handbook of Forensic Sexology*, Amherst, Prometheus Books, 1994.

LAWS D. R., O'DONOHUE W. (dir.), *Sexual Deviance. Theory, Assessment, and Treatment*, New York, Guilford Press, 1997.

LIEBOWITZ M. R., *The Chemistry of Love*, Boston, Little, Brown, 1982.

LORENZ K., *King Solomon's Ring*, New York, Thomas Y. Crowell, 1952.

MARCUS I. M., FRANCIS J. J. (dir.), *Masturbation. From Infancy to Senescence*, New York, International Universities Press, 1975.

MARSHALL W. L., LAWS D. R. (dir.), *Handbook of Sexual Assault. Issues, Theories, and Treatment of the Offender*, New York, Plenum Press, 1990.

MARSHALL D. S., SUGGS R. C. (dir.), *Human Sexual Behavior. Variations in the Ethnographic Spectrum*, New York, Basic Books, 1971.

MASSON J., *The Assault on Truth. Freud's Suppression of the Seduction Theory*, New York, Farrar, Straus & Giroux, 1984.

MASTERS W. H., JOHNSON V. E., *Human Sexual Response*, Boston, Little, Brown, 1966.

MASTERS W. H., JOHNSON V. E., *Human Sexual Inadequacy*, Boston, Little, Brown, 1970 ; trad. fr. *Les Mésententes sexuelles et leur traitement*, Paris, Laffont, 1971.

MATTHEWS M., *The Horseman. Obsessions of a Zoophile*, Amherst, Prometheus Books, 1994.

MICCIO-FONSECA L. C., *Personal Sentence Completion Inventory*, Burlington, Safer Society Press, 1997.

MOLL A., *The Sexual Life of the Child*, New York, Macmillan, 1909, rééd. 1912.

MONEY J., *Love and Love Sickness. The Science of Sex, Gender Difference, and Pairbonding*, Baltimore, Johns Hopkins University Press, 1980.

MONEY J., *The Destroying Angel. Sex, Fitness, and Food in the Legacy of Degeneracy Theory, Graham Crackers, Kellogg's Corn Flakes, and American Health History*, Amherst, Prometheus Books, 1985.

MONEY J., *Lovemaps. Clinical Concepts of Sexual/Erotic Health and Pathology, Paraphilia, and Gender Transposition in Childhood, Adolescence, and Maturity*, New York, Irvington, 1986.

MONEY J., *Biographies of Gender and Hermaphroditism in Paired Comparisons. Clinical Supplement to the Handbook of Sexology*, Amsterdam, Elsevier, 1991.

MONEY J., *The Kaspar Hauser Syndrome of « Psychosocial Dwarfism ». Deficient Statural, Intellectual and*

Social Growth Induced by Child Abuse, Amherst, New York, Prometheus Books, 1992.

MONEY J., *The Adam Principle. Genes, Genitals, Hormones, and Gender. Selected Readings in Sexology*, Amherst, Promethcus Books, 1993.

MONEY J., *Sex Errors of the Body and Related Syndromes. A Guide to Counseling Children, Adolescents, and Their Families*, 2ᵉ éd., Baltimore, Paul H. Brookes, 1994.

MONEY J., *Reinterpreting the Unspeakable. Human Sexuality 2000. The Complete Interviewer and Clinical Biographer, Exigency Theory, and Sexology for the Third Millenium*, New York, Continuum, 1994.

MONEY J., *Gendermaps. Social Constructionism, Feminism, and Sexosophical History*, New York, Continuum, 1995.

MONEY J., *Principles of Developmental Sexology*, New York, Continuum, 1997.

MONEY J., LAMACZ M., *Vandalized Lovemaps. Paraphilic Outcome of Seven Cases in Pediatric Sexology*, Amherst, Prometheus Books, 1989.

MONEY J., MUSAPH J. (dir.), *Handbook of Sexology*, Amsterdam, Elsiever/Excerpta Medica, 1977.

MONEY J., WAINWRIGHT G., HINGSBURGER D., *The Breathless Orgasm. A Lovemap Biography of Asphyxiophilia*, Amherst, Prometheus Books, 1991.

MOSER C., MADESON J. J., *Bound to Be Free. The SM Experience*, New York, Continuum, 1996.

NANDA S., *Neither Man Nor Woman. The Hijras of India*, Belmont, Wadsworth, 1990.

PEDERSEN C. A., CALDWELL J. D., JIRIKOWSKI G. F., INSEL T. R. (dir.), *Oxytocin in Maternal, Sexual, and Social Behaviors*, New York, New York Academy of Sciences, 1992.

PEELE S., BRODSKY A., *Love and Addiction*, New York, Taplinger, 1975.

RAMACHANDRAN V. S., BLAKESLEE S., *Phantoms in the Brain*, New York, William Morrow, 1998 ; trad. fr. *Les Fantômes intérieurs*, Paris, Odile Jacob, 2002.

RAPOPORT J. L., *Le Garçon qui n'arrêtait pas de se laver*, Paris, Odile Jacob, coll. « Opus », 1998.

SACHAR E. J. (dir.), *Hormones, Behavior and Psychopathology*, New York, Raven Press, 1976.

SCHULKIN J. (dir.), *Hormonally Induced Changes in Mind and Brain*, San Diego, Academic Press, 1993.

SCHWARTZ A. E., *The Man Who Could Not Kill Enough. The Secret Murders of Milwaukee's Jeffrey Dahmer*, New York, Birch Lane Press, 1992.

SHELDON W. H., *Atlas of Men. A Guide for Somatotyping the Adult Image for All Ages*, New York, Macmillan, 1970.

SKINNER B. F., *Science and Human Behavior*, New York, Macmillan, 1953.

STILE H. R., *Bundling. Its Origin, Progress, and Decline in America*, facsimile, Chester, Connecticut, Applewood Books/Globe Pequot Press, non daté.

STOLLER R. J., *Observing the Erotic Imagination*, New Haven, Yale University Press, 1985.

STOLLER R. J., *La Perversion, forme érotique de la haine*, Paris, Payot, 2000.

SUGGS R. C., *Marquesan Sexual Behavior*, New York, Harcourt, Brace & World, 1966.

SULLOWAY F. J., *Freud, biologiste de l'esprit*, Paris, Fayard, 1981.

TENNOV D., *Love and Limerence. The Experience of Being in Love*, New York, Stein & Day, 1979.

TISSOT S. A., *Dissertation sur les maladies produites par la masturbation*, 1758, rééd. sous le titre *L'Onanisme*, Paris, La Différence, 1991.

WAAL F. de, *Good Natured*, Cambridge, Harvard University Press, 1996, trad. fr. *Le Bon Singe. Les bases naturelles de la morale*, Paris, Bayard, 1997.

WAAL F. de, LANTING F., *Bonobo. The Forgotten Ape*, Berkeley, University of California Press, 1997.

WACHTLER S., *After the Madness. A Judge's Own Prison Memoir*, New York, Random House, 1997.

WAGNER G., KAPLAN H. S., *The New Injection Treatments for Impotence. Medical and Psychological Aspects*, New York, Brunner/Mazel, 1993, p. 78.

WATSON J. B., *Behaviorism*, New York, Norton, 1930.

WESTERMARCK E., *Histoire du mariage*, 6 vol., Paris, Payot, 1945.

WIKMAN K. R. van, *Die Einleitung der Ehe. Eine vergleichend ethno-soziologische Untersuchung über die Vorstufe der Ehe in den Sitten des schwedischen Volkstums*, Acta Academiae Aboensis, Humaniora, XI (1), Suède, Abo Akademi, 1937.

WILSON G. D. (dir.), *Variant Sexuality. Research and Theory*, Baltimore, Johns Hopkins University Press, 1987.

WOLPE J., *The Practice of Behavior Therapy*, New York, Pergamon Press, 1969.

YOUNG W. C. (dir.), *Sex and Internal Secretions*, Baltimore, Williams, Wilkins, 1961.

TABLE

Impression réalisée sur CAMERON par

BUSSIÈRE CAMEDAN IMPRIMERIES

GROUPE CPI

à Saint-Amand-Montrond (Cher)
pour le compte des Éditions Payot & Rivages
en janvier 2004

Composition : Facompo, Lisieux

N° d'impression : 040175/1.
Dépôt légal : janvier 2004.

Imprimé en France